MA QUESTION
C'ÉTAIT L'HISTOIRE

Raymond Bourgault

MA QUESTION C'ÉTAIT L'HISTOIRE

Introduction et choix des textes
par Pierre Robert

Écrits choisis

BELLARMIN

Données de catalogage avant publication (Canada)

Bourgault, Raymond, 1917-
Ma question, c'était l'histoire
(Écrits choisis)
Comprend des réf. bibliogr.

ISBN 2-89007-767-5

1. Religion et civilisation. 2. Histoire – Philosophie.
3. Religion – Histoire. 4. Bible – Critique, interprétation, etc.
5. Hellénisme. 6. Mystère religieux.
I. Titre. II. Collection.

BL55.B68 1994 291.1'7 C94-940550-7

Dépôt légal: 2e trimestre 1994
Bibliothèque nationale du Québec

Les Éditions Bellarmin bénéficient de l'appui du Conseil des Arts du Canada
et du ministère de la Culture du Québec.

Introduction

Lors d'une conversation, Raymond Bourgault lance un jour: «Ma question, c'était l'histoire!» Parvenu à un âge suffisamment avancé, il pouvait rétrospectivement identifier l'aiguillon de ses longues recherches.

Ceux qui ont suivi ses cours se rappellent, les uns, son esprit de synthèse, son ample vision; les autres, la précision et le raffinement de ses analyses; d'autres encore, son souci d'être au niveau de la science de son époque. Certains, enfin, reconnaissent lui devoir bien plus qu'un enseignement éclairant.

Lui-même souligne l'importance dans certains cas d'une logothérapie, qu'il comprend comme une cure par le *logos*, par la vision du monde. Car une vision du monde cohérente permet de recommencer à vivre.

Qui est donc cet homme — prêtre, jésuite, helléniste, religiologue, bibliste — qui a exercé sur plusieurs étudiants, sinon disciples, une influence qui dans certains cas s'est avérée déterminante? Au fil des ans, quelques lettres au *Devoir* ont pu attirer l'attention sur lui et de nombreux articles, dans *Relations* surtout. Mais aucun ouvrage n'a jamais paru. Des notes de cours, seules, ont jalonné une carrière, une vocation plutôt, de professeur et de maître pendant plus de quarante ans. Aussi a-t-il semblé que le temps était venu de faire connaître d'un plus large public celui qui a été pour nombre de ses étudiants un véritable maître à penser.

*
* *

Raymond Bourgault naît à Montréal en 1917, deuxième d'une famille de dix enfants. Après six ans de cours classique chez les jésuites, il entre dans la Compagnie de Jésus en 1937, où il suit le cours normal de la formation. Très vite, il manifeste un intérêt pour le grec. Une revue interne de la Compagnie signale qu'on se souvient de l'élève de Belles Lettres qui lisait Homère en grec durant l'été! Puis, viennent les études en philosophie et en théologie où l'influence de Thomas d'Aquin fut primordiale. C'est aussi l'époque où l'œuvre de Teilhard de Chardin commence à être diffusée; à la recherche d'une vision d'ensemble, le jeune théologien s'initie à sa pensée, pour découvrir par après le philosophe et théologien Bernard Lonergan à l'école duquel il se rallie. «J'ai pratiqué Lonergan pendant vingt ans», dira-t-il plus tard.

Sa formation terminée, le père Bourgault commence à enseigner le grec au Juvénat des Jésuites avec assez de compétence et d'intérêt pour qu'on l'envoie se spécialiser à Paris, à l'École pratique des Hautes Études. Il y reste deux ans, travaillant sous la direction de Pierre Chantraine. De retour au pays, il enseigne à nouveau le grec au Juvénat, puis se retrouve en 1959 au collège Sainte-Marie. Aux cours de grec, s'ajoute un cours nouveau, différent, la «théorie de l'histoire», vaste synthèse intégrant science, philosophie et théologie, proposant une vision de l'histoire intégrale «qui est à la fois naturelle, humaine et sainte». Mais les besoins changeant, on lui demande de prendre en charge les cours de sciences religieuses, qui sont progressivement transformés en cours d'histoire des religions. C'est ainsi que le père Bourgault met sur pied un programme et réunit un groupe de travail qui deviendra le noyau du département de religiologie de l'Université du Québec à Montréal, quand le collège Sainte-Marie fournira la base de l'institution du centre-ville.

Au département de religiologie de l'UQAM, Raymond Bourgault enseigne, pendant plus de dix ans, différentes matières, tout en étant plus particulièrement chargé des cours sur les religions «primitives», le Moyen Âge et l'Islam. À partir de cette époque, l'influence de Paul Ricœur devient plus marquante: «L'influence de Ricœur fut, dans ces dernières années, aussi importante que celle de Lonergan», dira-t-il. Par ailleurs, en 1973, il emménage dans le quartier Saint-Henri où se trouve une petite communauté jésuite dont il sera le responsable pendant plusieurs années.

En 1980, Raymond Bourgault prend une retraite anticipée pour se consacrer à l'animation de groupes bibliques, mis sur pied par d'anciennes étudiantes, et aux cours de ressourcement du Centre R-35 lancés par l'Association des supérieurs majeurs de Montréal. Il est aujourd'hui encore l'animateur de groupes bibliques.

*
* *

En faisant le relevé et la cueillette des *Écrits*, nous avons été frappé par le fait que plusieurs textes se trouvaient pratiquement en succession, suivis par un temps de repos. Nous vint alors l'idée de vendanges. Une première récolte va de 1961 à 1964 environ; une seconde, de 1967 à 1971; une troisième, de 1977 à 1981. Cette constatation, plus empirique, ouvre la voie à une «périodisation». On rencontre d'abord, durant les années 1950, l'helléniste, le professeur de grec, qui est aussi professeur dans un collège classique et donc amené à réfléchir sur l'essence même du cours classique. De 1960 à 1966, ensuite, émerge le théoricien de l'histoire. Puis, l'historien des religions, le religiologue (selon un terme qu'il a forgé à l'époque), de 1967 à 1975(80). Enfin, à compter de 1980, le bibliste, qui devient un mystagogue, c'est-à-dire un initiateur aux mystères, comme nous le verrons.

Ces périodes révèlent l'intérêt majeur du moment, mais les autres préoccupations s'y retrouvent également, soit en germe, soit à l'état acquis et présupposé. Elles sont comme des vagues, chacune suivant l'autre en s'y superposant.

Notons de plus qu'à chaque période correspond un ouvrage central, encore non publié. *Mémoire* sur le sixième chant de L'*Odyssée*, à l'École pratique des Hautes Études, durant la période dominée par l'intérêt pour les études grecques[1]. Cours de *Théorie de l'histoire*[2]. *Cours d'Histoire des Religions*[3], *Éléments de pneumométrie*[4], durant les études de religiologie. Enfin, une étude plusieurs fois remaniée sur le chapitre 21 de l'Évangile selon saint Jean[5], sans compter un essai intitulé *Mystagogie*[6] et les différents cours bibliques.

En attendant le jour où certains de ces travaux pourront être portés à la connaissance d'un plus vaste public, il a semblé bon de réunir en un recueil les articles déjà publiés qui sont comme autant de

---

1. Raymond BOURGAULT, *Introduction au sixième chant de* L'Odyssée, Montréal, collège Sainte-Marie, 1962, 155 p.

L'auteur y élabore une comparaison entre le sixième chant de L'*Odyssée* et le récit de la *Genèse*.

2. ID., *Théorie de l'histoire. Panorama et théorie de l'Évolution*, Montréal, collège Sainte-Marie, 1960-1961, 112 p.

3. ID., *Cours d'Histoire des religions*, Montréal, Sainte-Marie, 1966-1969, 3 volumes.

4. ID., *Éléments de pneumométrie. Introduction à l'étude des spiritualités*, Montréal, UQAM, 1972, 516 p.

Ouvrage présenté comme thèse de doctorat (mais refusé...). Il s'agit de «mesurer» les produits de l'esprit. La perspective consiste à remonter des «produits» religieux aux actes mentaux et intérieurs qui les génèrent. L'ouvrage se présente comme un lexique de mots importants en sciences de la religion.

5. ID., *La manifestation de Jésus à la mer de Tibériade. Position de Jn XXI sur la trajectoire johannique*, Montréal, Université de Montréal, 1974, VIII-343 p.

Thèse de doctorat en théologie présentée à l'Université de Montréal. Cette thèse a été retravaillée pour donner: *La primauté de Pierre d'après saint Jean. Lecture du chapitre vingt et un*, Montréal, 1985, un document de 173 pages.

L'avertissement dit: «Cet ouvrage est le fruit de quinze ans de recherche, de réflexion et de communication: d'exégèse, de théologie et de pastorale.» Mais il n'est pas définitif. Le P. Bourgault considère comme finale cette dernière version: *Science et poésie. Lecture du chapitre 21 du 4e Évangile*, Montréal, 1992, un document de 132 p.

6. ID., *Mystagogie. Introduction à la tradition biblico-évangélico-ecclésiale*, Montréal, 1991, un document de 66 p.

Cet essai est la mise par écrit des schèmes heuristiques et des perspectives qui ont guidé l'auteur dans ses recherches. Encore une fois, il procède à la façon d'un lexique par regroupement autour de différents thèmes.

cristallisations des préoccupations et des perspectives de chacune des périodes[7]. L'intérêt de ces articles, remarquons-le, tient aussi au fait qu'ils dépassent l'occasion qui leur a donné naissance, puisque les sujets sont abordés à la lumière de perspectives d'histoire universelle.

*

* *

Ce qui nous amène à dire un mot sur les critères qui ont été présidé au choix des articles.

D'abord, nous n'avons voulu retenir pour cet ouvrage que les articles déjà publiés dans diverses revues ou dans des ouvrages collectifs. Parmi ceux-là se trouvent des articles plus spécialisés et des articles d'ordre plus général; aucune catégorie n'a été exclue mais nous avons privilégié les articles s'adressant à un plus vaste public. Les articles plus circonstanciés ou appartenant à l'ordre de l'intimité ont été omis. Enfin, on a cherché à donner une bonne idée de l'évolution des champs d'intérêt du P. Bourgault.

Mais ce choix a été ultimement éclairé en le ramenant aux préoccupations fondamentales de l'auteur, dont il s'agit maintenant de dire quelques mots.

*

* *

Un auteur ne parle pas tant de lui-même que de la question qui l'habite. Cette question, comme le suggère le titre du volume, c'était l'histoire. Et il suffit d'avoir suivi des cours du père Bourgault pour avoir conservé l'impression d'une large vision ouverte sur l'histoire universelle, une vision issue de l'entreprise sans cesse recommencée de penser l'histoire intégrale. Sans opposer d'ailleurs celle-ci à l'histoire plus événementielle, car la préoccupation de l'ensemble amène aussi à porter attention aux faits particuliers, mais en les inscrivant dans une perspective plus globale. Car l'histoire univer-

7. On trouvera à la fin du volume la liste complète des articles publiés.

selle peut aussi être pensée. Cet appel n'est sans doute pas adressé à tous, mais il faut bien que cette préoccupation se fasse jour chez quelques-uns. Le père Bourgault notait justement que l'attrait du marxisme venait aussi de ce qu'il proposait une interprétation de l'histoire universelle.

Homme de son époque, Raymond Bourgault a éprouvé la tension entre la foi et la culture. Un passage du journal de l'étudiant jésuite se lit ainsi:

> Nous sortons de retraite. J'ai dû m'y poser nettement le problème classique des jeunes religieux aux études: humanisme et sainteté. Comme tant de jésuites avant moi depuis quatre siècles, j'ai couru le risque de la culture [...] Dieu et le monde comme dilemme. Mais je comprends maintenant qu'on ne m'impose pas de choisir, on m'incite à préférer. Le moyen? L'adhésion et l'adhérence par la foi et la charité à Celui qui est le Fils de l'homme et le Saint de Dieu[8].

Ce texte est révélateur des préoccupations de l'étudiant, mais aussi du fait que la tension entre foi et culture n'était pas nouvelle dans la Compagnie de Jésus. Encore dans les années 1970, le père Bourgault reconnaissait éprouver cette tension entre «foi et raison», non tant sur le plan théorique, d'ailleurs, que dans leur exercice concret. Et c'est sans doute parce qu'il a si bien réussi à intégrer foi et culture, foi et intelligence, en respectant les deux pôles, qu'il a exercé sur de nombreux étudiants, en ce point tournant de notre histoire, un tel attrait.

Mais s'il s'agit de préciser les intuitions fondamentales qui l'ont guidé, on peut une fois de plus lui laisser la parole. Dans une entrevue accordée à Luc Lepage en 1987, il s'exprime ainsi.

> Je suis entré en théologie en 1947 et dès le début, au mois d'octobre, j'ai commencé à réfléchir sur la Trinité. Parce qu'il me semblait qu'on n'avait pas raison de dire qu'il s'agissait d'un mystère incompréhensible. J'y voyais plutôt une structure

8. «Journal d'un juvéniste», un texte paru dans *Jésuites canadiens*, 8 (décembre 1949), p. 5.

heuristique intégrale. C'est-à-dire que la Trinité n'est pas quelque chose qu'on ne peut pas comprendre, mais quelque chose qui nous donne le moyen de tout comprendre. C'est la première intuition.

Seconde intuition. En première année de théologie, on travaillait la vraie religion, le christianisme, et on le comparait aux autres religions. Alors on pouvait se demander: est-ce qu'il n'y a pas quelque chose de plus fondamental et qui soit universel? Deuxième question.

Troisième question: comment se fait-il, s'il est vrai que le christianisme est la religion fondamentale, qu'il y ait en Occident un désenchantement généralisé vis-à-vis de celui-ci? Et quel est l'avenir de cette tradition dans le monde dans lequel nous sommes, qui est planétaire, œcuménique, qui devient ce village global dont parle MacLuhan?

Ces problèmes étaient déjà dans l'air il y a une quarantaine d'années[9].

Or il est intéressant de remarquer comment ces préoccupations (Trinité, histoire, foi et culture), dessinent la ligne d'une évolution. Elles se retrouvent en effet dès le premier article publié par Raymond Bourgault, et dont un extrait ouvre ce recueil: l'auteur y réfléchit sur la Trinité et pense l'histoire à cette lumière[10]. Dans l'article suivant, le cours classique est inscrit dans l'histoire de l'humanité[11]. Ces préoccupations ont conduit à un cours de Théorie de l'histoire. Or celui-ci comptait une présentation des débuts de l'humanité et de ses mythes et s'achevait sur l'«histoire sainte». Ces composantes se sont déployées pour devenir une étude plus approfondie de l'histoire des religions et finalement de la Bible.

Cette évolution sera présentée plus longuement dans l'introduction à chacune des sections. Nous ne pouvons toutefois qu'esquisser certains éléments d'une étude qui resterait à faire.

---

9. Propos recueillis par Luc Lepage à la Maison-mère CND, le 21 juin 1987. Celui-ci a repris ce texte dans son article sur «La christité universelle de Jésus selon R. Bourgault», paru dans *Approches*, 17 (mars 1990), p. 51.

10. «Le mystère des Grecs et des Juifs dans l'Église», voir section 1.

11. «Le cours classique et l'histoire de l'humanité», *ibid.*

*
* *

Dans un court texte sur le *chercheur fondamental*[12], Raymond Bourgault distingue trois types de chercheur. Il y a le chercheur professionnel, qui a délimité un champ de recherche à l'intérieur duquel il se donne une compétence mais qui lui demeure jusqu'à un certain point extérieur. Il y a le chercheur fondamental, dont la recherche est l'engagement de sa vie même, où il y va de son existence même. Platon fut de ceux-là, et combien d'autres qui furent habités par la recherche d'un fondement. Mais il est un troisième type de chercheur, saisi non seulement par un fondement à mettre au jour mais par un fondement à faire advenir, par une vision à inscrire dans l'histoire. Tel fut Teilhard, dont entend parler Raymond Bourgault dans cet article, et tel il est également lui-même.

Mais le temps est venu de lui laisser la parole. Et par lui, oserions-nous dire, à Celui dont certains ont cru entendre la voix en écho dans la sienne et qui est «la Parole présidant au discours de l'Histoire universelle[13]».

Un tel recueil d'*Écrits choisis* n'aurait pas été possible sans diverses collaborations qu'on ne saurait passer sous silence. Parmi ces aides, signalons celle du Fonds Raymond Bourgault mis sur pied par Luc Lepage et Ghislaine Lincourt[14], ainsi que celles des Éditions Fides et de Raymond Bourgault lui-même. Qu'ils soient remerciés.

Pierre Robert

---

12. «Le chercheur et sa passion — L'aventure de Pierre Teilhard de Chardin», voir section 3.

13. Voir en conclusion: «La Nouvelle Évangélisation».

14. Le Fonds Bourgault recueille tous les écrits de Raymond Bourgault, ses notes de cours ainsi que plusieurs enregistrements de conférences.

I

L'HELLÉNISTE

Durant les années 1950, Raymond Bourgault enseigne principalement le grec. D'abord, au Juvénat de l'Immaculée Conception, le centre de formation des Jésuites, puis au collège Sainte-Marie. C'est d'ailleurs en études grecques, comme on l'a déjà signalé, que ses supérieurs l'envoient se spécialiser durant deux ans à l'École pratique des Hautes Études, à Paris. Mais, enseignant le grec, c'est sur le sens même du cours classique qu'il s'interroge et sur sa place dans l'histoire générale.

L'article qui ouvre ce recueil et dont on ne donne ici qu'un extrait présente dès le départ un rapport entre la Trinité et l'histoire... L'homme est créé à l'image de Dieu, d'une essence qui se déploie progressivement, aussi l'humanité, l'ensemble des humains, est-elle comme une trinité qui se réaliserait progressivement.

Le deuxième article cherche à inscrire le cours classique dans l'histoire de l'humanité. Tout comme le développement de l'individu récapitule le développement de l'espèce (l'ontogenèse, la philogenèse...), le cours classique appelle le petit d'homme à récapituler le développement culturel de l'humanité. Or si l'histoire se distingue en période préclassique («pré-historique»), classique (en Grèce particulièrement) et postclassique, il s'agit plus précisément de faire reprendre le passage qui va de l'émergence du Logos à son accomplissement en Jésus-Christ. Chaque génération est appelée à retraverser cette «adolescence» de l'humanité par le contact avec les grandes œuvres de cette période stratégique.

Défendant «la Grèce et le grec», c'est l'humanisme que Raymond Bourgault défend, c'est d'apprendre à être homme. Et la chose n'est pas moins nécessaire parce que la science et la technique progressent, elle l'est davantage! Par ailleurs, si l'Église ne peut complètement abandonner le grec, pense-t-il, c'est que le Nouveau Testament a été écrit en grec.

Le mystère des Grecs et des Juifs dans l'Église[1] (extrait)

Les théologiens parlent du mystère de Dieu et du mystère de l'Homme, celui-ci étant la réplique de celui-là. Dieu, disent-ils, a créé l'homme à son image et à sa ressemblance, trine et un, mais d'une trinité indigente et expectante, que le multiple enserre de toutes parts, et qui attend que sa rentrée en Dieu fasse apparaître l'unité qu'il possède en espérance.

Dans le macrocosme immense, l'homme est le microcosme minuscule, qui a intériorisé l'univers et dont la gloire réside à l'intérieur; qui, au dernier âge du monde, est venu couronner du dedans l'univers matériel et lui donner, par le détour de cette ardente intériorité, l'unité qu'il manquait à réussir. Or l'homme y a manqué aussi. Il connaît maintenant la déchirure intérieure, l'angoisse de n'être pas un encore en Dieu. Il reste le roi, cependant, roi déchu et exilé de son royaume, mais miséricordieusement promis au Règne le plus absolu sur les puissances de ce monde en Jésus-Christ. D'ici là, il est condamné à peiner avec ses frères pour reconstruire de l'autre côté du ciel le paradis perdu, en s'efforçant de susciter en eux la parcelle d'image de Dieu que chacun doit composer. Nul de nous n'est à lui seul la nature humaine; mais c'est tous ensemble qu'il nous faut œuvrer pour exister enfin et obtenir que descendent les

1. Extrait d'un article paru dans *Collège et famille*, VI, 1 (janvier 1949), p. 3-5.

cieux nouveaux et la nouvelle terre, la maison de Dieu parmi les hommes. Le Père, le Fils et l'Esprit sont constamment à l'œuvre pour créer, sauver d'eux-mêmes et unir à Soi les chétifs roseaux pensants qui plient sous les vents froids de ce monde. L'œuvre du salut, pour amère qu'elle soit, vue de ce côté-ci du ciel, est plus belle que la première création, quand le monde est sorti dans sa pureté native du trop-plein de la Trinité. Car voici que l'homme y entre désormais [...].

Les philosophes aussi recourent au principe trinitaire: ils nous disent de quelle manière nous composons tous ensemble l'image de Dieu en progressant vers la maturité de la taille du Christ. Saint Augustin hésitait entre deux formules: esprit, connaissance, amour; mémoire, intelligence, volonté. Saint Thomas s'arrêtait à trois termes plus relatifs: principes du verbe, verbe, amour. Ces triptyques nous serviront aussi; mais comme il s'agit pour nous d'expliquer comment la personne, que le péché a forclose en soi, réussit à se trouver en se perdant dans les autres, on parlera ici de l'expérience, de la pensée et de l'action, et, sur le plan qui sera le nôtre tout à l'heure, le plan historique, une place d'honneur sera accordée au ternaire suivant: nature, loi, grâce.

La trinité humaine est donnée, pensée et faite progressivement une par Dieu, au moyen de l'expérience, de la pensée et de l'action de l'homme.

L'expérience est cela par quoi la personne, précipitée à travers un autre au plus profond de soi, rencontre un autre Soi, aussi transcendant qu'immanent celui-là, qui lui parle et l'appelle. Conservée activement dans la mémoire, cette expérience, multipliée au jour le jour, permet des approfondissements indéfinis. L'éducation a pour rôle d'affiner ce sens de soi-avec-les-autres-dans-le-monde-vers-Dieu, la conscience la plus lucide dans laquelle l'esprit connaisse les autres esprits et son devoir de se perdre en eux par le service, qui est l'amour de Dieu.

La pensée est intermédiaire entre l'expérience personnelle et l'action sociale. Car l'intelligence est faculté de l'être, de l'universel, du divin. Elle est médiatrice entre la nature émergeant du singulier vers la lumière universelle, et la volonté ordonnée à descendre de cet universel un moment contemplé dans le singulier où elle le réalise.

Elle est toute réceptive et toute donnante: recevant ses connaissances d'une tradition vivante et les transmettant enrichies du fruit de son expérience. Elle fournit à chacun, avec l'image de ce qu'il doit être et de ce qu'il faut que soit l'humanité, le moyen de décider s'il s'efforcera ou non avec ses frères vers elle.

L'action enfin est un devoir pour celui qui sait et dans la mesure de sa science. L'homme n'a pas à convertir les autres à sa vérité personnelle, mais à susciter en chacun l'image de la sienne propre, en témoignant pour la vérité supra-personnelle. Qu'il soit par ses actes témoin de la totalité, qu'il suscite par son amour la force qui est captive dans le cœur de ses frères, qu'il se perde en eux et se prolonge en des porteurs de verbe issus de soi, et donne tout ce qu'il a afin d'être tout ce qu'il est. Qu'au delà des problèmes, il saute dans le mystère de l'homme et de l'être. Ce n'est que par le va-et-vient incessant de la pensée et de l'action de chacun avec les autres que la trinité humaine — individuelle et collective — s'unifie et progresse vers l'Idée ou Image que Dieu se fait d'elle; ainsi seulement, son incomplétude foncière reçoit, possède et donne sans cesse le deuxième terme de son être, le verbe, la réelle image de soi, qui, étant simultanément en soi et hors de soi, soi et autre, pose chacun dans l'existence et contribue à la position de la nature humaine tout entière.

Le cours classique et l'histoire de l'humanité[1]

I

1. La structure de l'homme est complexe. Il est matière, raison et esprit, un animal raisonnable appelé à une vie spirituelle et divine, un être composé d'un corps, d'une âme et de l'Esprit Saint, comme alignaient hardiment les Pères grecs. Le Moyen Âge hiérarchisait «anima, ratio, spiritus», et Pascal eut, au XVIIe siècle, l'impression de redécouvrir les trois ordres — des corps, des esprits, de la charité — et les trois esprits — de géométrie, de finesse, de prophétie.

2. Il faut constamment surmonter la tentation de réduire cette complexité à l'une ou l'autre de ses composantes. Le matérialisme, le rationalisme, le spiritualisme même errent tous par excès de simplification. Pour se connaître en vérité ici-bas, pour savoir combien et comment il est connu et aimé, l'homme doit utiliser toutes les voies d'accès au mystère de son être.

3. Car ce mystère peut légitimement être approché de plusieurs côtés: scientifique et positif, philosophique et réflexif, théologique et caritatif, parce que de fait, il peut avoir une présentation phénoménale ou plus animale et sensible, ou plus rationnelle et volontaire,

1. Article paru dans *Mélanges sur les humanités*, Publication collège Jean-de-Brébeuf, Québec, PUL; Paris, Vrin, 1954, p. 111-131.

ou plus spirituelle et généreuse: il est toujours tout entier ce qu'il est, mais il ne le paraît pas toujours.

4. On peut penser que l'humanité primitive a eu un comportement plus «animal», qu'une certaine humanité intermédiaire qui sera décrite ci-dessous s'est montrée plus raisonnable, que l'humanité des derniers temps est plus visiblement gratifiée des dons de l'Esprit. Ainsi apparaît-il au croyant que le sens de l'histoire est de manifester progressivement ce qui tout en étant à l'œuvre était d'abord caché, le dessein de l'homme et le Dessein du Père en son Fils bien-aimé.

5. Le monde primitif, tel que cet article le comprend, s'étend des origines obscures de l'humanité jusqu'aux environs des années 1250-850 A.C.; le monde intermédiaire va du premier millénaire jusqu'au Christ; le monde terminal occupe ce que le N. T. appelle les derniers temps, et qui constitue la dernière phase de l'histoire. La date de 1250-850 est proposée comme étant approximativement le temps où l'écriture, inventée quelques milliers d'années plus tôt, a commencé de modifier la pensée et les institutions des cultures grecque et israélite. Les homérologues et les scripturistes s'entendent à peu près pour dater de cette époque la mise par écrit des premiers poèmes grecs et hébreux.

6. On caractériserait assez bien le monde primitif par la famille, la pensée symbolique et la religion instinctive; le monde intermédiaire, par la cité, la pensée logique et la religion nationale; le monde terminal, par l'internationalisme, la pensée mystico-sacramentelle et la religion universelle ou catholique. La technique existe dès l'origine, et la science apparaît à l'époque intermédiaire; ni l'une ni l'autre ne sont donc caractéristiques du dernier âge, et la triade d'Auguste Comte — âges théologique, métaphysique, scientifique — n'aurait qu'une apparence de vérité. Par ailleurs, en caractérisant la pensée primitive par le symbole, on ne prétend pas que cette pensée était alogique, prélogique, encore moins illogique, et qu'elle ne s'embarrassait pas du principe de contradiction; mais seulement que ce n'est pas le principe de contradiction, mais l'image et sa frange de

mystère qui en commandent l'organisation: les choses sont ce qu'elles sont, mais aussi autre chose, beaucoup d'autres choses, tout ce qu'elles sont aptes à signifier.

7. Idéalement, les institutions et habitudes plus récentes ne détruisent pas les plus anciennes, mais s'édifient sur elles, en corrigent les limites et intègrent leurs valeurs permanentes. En pratique, le plus ancien résiste souvent à l'intégration, et le plus récent est tenté d'asservir, d'absorber et d'annihiler ce qui l'a rendu possible.

8. Tout se passe comme si Dieu se servait successivement, pour conduire l'histoire, de l'instrumentalité de la nature, puis de celle de la raison, enfin de celle de la grâce. Dialectiquement, la raison entre en scène quand l'élan originel issu de la nature a épuisé ses virtualités, non toutefois sans avoir lentement posé, par sédimentations, les sous-bassements de la pensée abstraite; de même, quand la raison, après avoir reconnu la transcendance de Dieu et le mode de son action, se sent fatiguée, s'abandonne ou se raidit et fait abonder le péché, alors la grâce est instituée avec surabondance et mise à notre disposition.

9. Supposant, pour le moment, admise la corrélation des âges de l'humanité et des âges de l'homme, on va soutenir ici la thèse que le cours classique est un système d'enseignement secondaire qui équipe l'adolescent et le prépare à faire le mieux possible le passage de l'enfance à la maturité, au moyen des grands livres qui ont exprimé et opéré le passage de l'humanité primitive à l'humanité terminale. La démonstration s'en fera par un panorama d'histoire où les vérités certaines de la théologie et de la philosophie tentent d'éclairer les acquisitions probables des diverses sciences de l'homme.

II

1. Toutes les races humaines et tous les individus contribuent à composer l'humanité, à réaliser l'idée d'homme que Dieu a voulu ne pouvoir être épuisée que par un nombre défini de personnes diverses, évoluant dans des communautés multiples et variées, à travers un nombre défini de siècles que lui seul connaît. La multiplication des hommes, la dispersion des peuples et la conquête de la terre sont donc en soi des biens et sont commandées à l'homme; mais la théologie montre que ce sont aussi des maux, en ce qu'elles manifestent la dialectique séparante du péché. La cassure initiale est donc un malheur que Dieu fait tourner au bien de ceux qui l'aiment. Nous n'avions pas plus tôt perdu le sentiment de la Présence ineffable, que l'absence même et le manque de Dieu, la division intérieure, la dualité de l'homme et de la femme, du maître et de l'esclave, et plus tard, du Grec et du Juif, commençaient d'opérer notre salut et notre rassemblement.

2. Le monde primitif a connu bien des avatars. L'ethnographie classifie les témoins actuels des cultures primitives en peuples ramasseurs, chasseurs, horticulteurs, pasteurs et agriculteurs, avec maints types mixtes. Grâce aux corrélations que l'ont peut établir avec les données de l'archéologie et certaines conclusions des partisans de la méthode historico-culturelle, il est possible d'introduire la géographie et l'histoire dans cette nomenclature et d'en organiser les éléments de manière intelligible[2].

On se représenterait assez bien le phénomène au moyen de trois cercles concentriques, dont le plus extérieur serait occupé par

---

2. Même chez les catholiques, on est loin d'admettre toutes les suggestions du P. Schmidt, que nous suivons ici pour l'essentiel. Mais la thèse soutenue dans cet article n'est pas solidaire de la vérité de la reconstruction hypothétique qu'on va lire. Celle-ci ne prétend à rien de plus qu'à la vraisemblance et veut suggérer, en la simplifiant, une trajectoire dont, à vrai dire, chaque point apparaît discutable aux spécialistes. Il a semblé qu'il y avait quand même à indiquer ici l'une des directions prises par la recherche. Quand la certitude est impossible, il nous reste la probabilité, et quand celle-ci est hors de nos prises, nous pouvons recourir au vraisemblable, qui propose une image vicariante et provisoire.

les ramasseurs, le moyen par les chasseurs, les horticulteurs et les pasteurs, et le plus intérieur par les agriculteurs. Cette disposition géographique suggère une succession historique.

3. Les témoins actuels de la culture des ramasseurs sont, ou bien enfermés dans la jungle, ou bien, ce qui est plus significatif, établis à la périphérie des terres émergées. En parcourant un cercle d'ouest en est, on rencontre successivement les Esquimaux de l'Extrême-Nord américain, les Algonquins du Canada, les Californiens du Centre-Nord, les Fuégiens de la Terre de feu, les anciens Tasmaniens d'Australie, les Pygmées des Philippines et de la Malaisie, les Ainous du Japon, les Samoyèdes et Koryakes de Sibérie, les Lapons de Finlande. Nous avons ainsi bouclé la boucle et nommé à peu près tous les peuples d'aujourd'hui considérés comme les plus primitifs. La simplicité de cette culture et sa situation géographique suggèrent l'hypothèse qu'elle serait la plus ancienne de toutes, qu'elle a été universelle à l'origine, et que ses représentants actuels ont été repoussés sur le pourtour des continents ou dans les forêts inaccessibles par des peuples à technique plus perfectionnée, les chasseurs, les horticulteurs et les pasteurs. Ceux-ci occupent une aire également très étendue, mais, à part quelques excroissances, légèrement intérieure au cercle des ramasseurs: on les trouve actuellement, par exemple, en Australie et en Nouvelle-Guinée, en Indonésie et aux Indes, en Asie centrale, en Afrique et en Amérique sans parler de l'Europe préhistorique. Enfin, certains groupes d'agriculteurs — ceux qui comptent dans le progrès de la culture archaïque — ont défini une aire culturelle centrale, euro-afro-asiatique, comprenant surtout les peuples de l'Indus, ceux de la Mésopotamie, du Plateau anatolien, de la Syrie, de l'Égypte et des Îles de la mer Égée.

4. Des ramasseurs aux agriculteurs, la technique progresse et la société se complique; inversement, la religion et la morale sont en régression. Les ramasseurs connaissaient le Dieu bon et exigeant qui éclaire chaque matin la voûte du ciel et redonne la vie aux vivants, et qui tonne et foudroie dans sa colère. Les chasseurs s'arrêtèrent de préférence à un phénomène cosmique plus concret, plus proche, moins transcendant et plus accommodant, le Soleil. Les agriculteurs

furent tentés de ne plus l'apercevoir que confondu avec la Terre nourricière, la Grande Mère. Si les premiers craignaient Dieu, on croit entrevoir que les seconds et les troisièmes ne cherchaient qu'à l'apprivoiser et à le réduire à leur mesure mesquine en lui donnant leurs propres passions et mortalité. La licence était un acte liturgique, le meurtre rituel et la guerre religieuse se généralisaient. Voici notre espèce rendue au bas de la pente, hypersexuelle et hyperagressive. La nature est devenue incapable d'entendre les appels de l'esprit, l'histoire piétine et tourne en rond. Ce qui devait être acquis l'a été; ce qui doit l'être, on ne voit pas comment il le sera et on n'en a pas les moyens. La famille se dissout dans la tribu, la pensée symbolique dans le dévergondage de l'imagination mythique, la religion confine à la magie et à l'immortalité. Il faut qu'un nouveau principe religieux et moral, réduisant la technique à son rôle de moyen, relance l'histoire dans son vrai sens, qui est celui de la manifestation progressive de la raison et de l'esprit. Ce sera l'œuvre des pasteurs, rôdant depuis des siècles autour des terres de culture.

III

1. Le monde intermédiaire est celui de la civilisation, et la civilisation est, par définition, la culture de la cité. En simplifiant beaucoup, on pourrait dire que celle-ci résulta, au point de suture des continents africain, européen et asiatique, de la symbiose et de l'équilibre dynamique de la culture des Pasteurs, politiquement dominante, et de la culture des Agriculteurs, économiquement supérieure mais asservie. Les Pasteurs sont l'élément catalyseur, en raison de leur foi plus pure au grand Dieu du ciel: ils s'efforcent, du moins pendant un temps, de mettre les techniques au service de la morale et de la religion plus haute qui sont les leurs.

2. Les cultures égyptienne et sumérienne, égéenne et anatolienne, assyrienne et babylonienne sont les derniers produits du monde primitif, et des cultures de transition. Cette assertion sera contestée. Mais la raison, comme fonction différenciée de l'intelligence, paraît être un seuil que ces cultures n'ont pas franchi. Même chez les élites,

si l'on excepte la réforme sans lendemain d'Ikhnaton, elle ne parvient pas à éliminer les confusions de la pensée symbolique décadente. Seuls les Hellènes et les Hébreux présentent alors quelque chose de radicalement neuf. Là, la raison plus universelle et abstraite chez les premiers, plus historique et concrète chez les seconds, déploie toutes ses virtualités, et les classes supérieures, instruites ou ferventes, méprisent, ou mieux, combattent les superstitions naturalistes populaires.

3. Ainsi, des tribus de pasteurs à demi sédentarisées se rencontrent pacifiquement dans quelque sanctuaire célèbre de la péninsule balkanique ou de la montagne judéenne, font alliance avec d'autres tribus déjà fixées au sol, et forment des amphictyonies. Chacune avait ses traditions vénérables, dont les plus importantes et les plus universelles portaient sur le commencement du monde, l'ancêtre commun, le premier couple, la cause de la souffrance et de la mort, l'origine des arts, la fin catastrophique de l'univers. Mais, aux fêtes panhelléniques et panisraélites, ces traditions, au lieu de simplement se transmettre inchangées, s'entrechoquent, se critiquent, se corrigent, se purifient, ou parfois se gâtent. Dans les grands sanctuaires, quelques aèdes émancipés popularisent peu à peu un même type de récit ou d'histoire exemplaire et normative; tout un peuple, pensant son passé et son avenir, s'efforce de consentir au présent. On sent un peu partout le besoin de coucher par écrit une forme autorisée et canonique. L'écriture, comme norme de pensée et d'action, fait son entrée dans l'histoire des deux peuples qui nous ont paru progressifs.

4. Le genre épique apparaît le premier et succède, soit à des récits traditionnels restés purs de tout naturalisme, soit aux mythes de la fin du monde primitif. Achille, Agamemnon, Ulysse et les autres héros achéens, Abraham, Isaac, Jacob, Joseph et les autres grandes figures de la geste patriarcale hébraïque sont des êtres qui ont réellement existé, mais dont la vie est en même temps exemplaire et typique. On ne raconte pas leur histoire uniquement pour le plaisir de se souvenir, mais par volonté de devenir, mais parce qu'ils sont les commencements glorieux d'une race qui espère mériter les

mêmes faveurs célestes et éviter les mêmes catastrophes. La raison et la loi ont pris d'abord cette forme d'expression qui continue la pensée symbolique et amorce la pensée logique, qui est toute proche de l'élan vital, de là où s'entend l'appel du héros, et qui en même temps donne une valeur universelle aux hommes et aux événements qu'elle immortalise. Dans cette histoire normative, la loi est connue ou bien comme immanente à la nature et déjà transparente à la raison, ou bien comme transcendante, divine, déconcertante et mystérieuse, mais quand même adorable. D'autres poètes transposent sur le mode lyrique les états d'âme des héros et de ceux qui savent bien qu'ils n'en sont pas.

5. Homère et Moïse, qui ont commencé à mettre par écrit ces traditions et les ont colorées pour toujours de leur génie poétique ou religieux, sont à l'origine du monde intermédiaire proprement dit. Ils ont ceci de commun, qu'après les odieuses confusions du monde primitif finissant entre Dieu et le monde, l'homme et l'animal, ils remettent l'histoire dans ses droits sentiers et dessinent un avenir. L'histoire fait un bond, si même, en ce sens, elle ne naît pas à ce moment précis où l'homme se connaît pour vivre non seulement dans la durée biologiquement transmissible, mais dans le temps qualitativement promoteur. Ce n'est pas la remémoration du passé comme tel qui a donné naissance au sens de l'histoire, mais l'anticipation du futur. Elle était jusque-là apparue comme une partie du processus de la nature; elle va apparaître comme un devenir autonome, une œuvre d'humanité, un humanisme. L'épopée grecque et la geste hébraïque font accéder la conscience humaine à l'idée d'homme et à celle d'un développement linéaire et non plus cyclique. Avec cette différence essentielle, cependant, que la vision grecque de l'histoire, faute de connaître l'origine de la souffrance et de la mort, est viciée par un pessimisme foncier et retombera bientôt dans l'univers cyclique; au lieu que la tradition hébraïque, éclairée d'en Haut, commence d'apercevoir que la mort est l'envers ténébreux de l'amour et que le péché macule de sang la face du juste Abel, premier-né d'entre beaucoup de frères.

6. Après quelques décades, les Pasteurs hellènes et les Pasteurs israélites décidèrent, chacun de leur côté, de se donner un roi comme les autres nations, afin d'en obtenir protection contre les envahisseurs étrangers. Les traditions grecque et israélite ne nomment habituellement que trois grands rois: la suite se perd dans des régicides rituels ou criminels. On dirait que dans ces deux civilisations, l'institution royale n'a eu pour fonction que de faire surgir une espérance folle en une ère de justice, de paix et de bonheur durables, pour la décevoir cruellement par ses criantes exactions. S'il en est ainsi, il faut penser qu'une fin plus haute orientait cet échec vers l'avenir. Il fallait cette excessive espérance et cette déception amère pour que naquissent le mouvement prophétique en Israël et la critique des institutions religieuses et politiques en Grèce.

7. Car c'est ainsi que le sentiment tragique et l'art de le communiquer aux autres pour tenter de le surmonter ensemble firent leur apparition dans l'histoire. Il porta sur l'histoire même, à savoir si elle a un sens et si l'homme est capable de la conduire à un terme absolu qui la rende, du moins après coup, intelligible. Or il apparut que non, et cela il fallait le dire aux grands et aux petits. Les prophètes des VIIIe et VIIe siècles annoncèrent à cor et à cris la chute de Samarie et de Jérusalem, ils prêchèrent une justice, une circoncision, une loi intérieures. En même temps ou peu après, Hésiode, Solon, Théognis, Xénophane, puis les grands tragiques, Eschyle, Sophocle, Euripide, et les historiens Hérodote et Thucydide, et les Orateurs décrivent en caractères de feu la décadence des cités injustes et les conditions des «risorgimenti». La tragédie, l'histoire tragique, l'éloquence dramatique, le dialogue dialectique en matière de vertus politiques d'une part, la prophétie apocalyptique et le mouvement deutéronomique d'histoire issu de lui d'autre part sont les genres littéraires apparentés qui prennent la suite de l'épopée et de la geste héroïques. Ils achèvent de faire prendre conscience au vieux monde de l'impuissance de l'homme à mener son destin selon ses vues et plus ou moins contre les volontés du ciel. Tous ces écrivains racontent la fin d'un monde, celui de la cité et du royaume, et la fin d'un rêve, celui d'une impossible justice par les hommes. Car ce monde était intermédiaire, et si la cité était une expérience historique que

la raison devait tenter, il fallait aussi qu'elle fût dépassée, parce que son cadre était trop étroit pour une humanité en marche. Le démantèlement des murs de Jérusalem et de ceux d'Athènes aux VIe et Ve siècles signe pour toujours la fin de la Cité antique.

8. C'est sur les ruines de ces deux cités que les Juifs et les Grecs ont compris qu'une ère nouvelle allait s'ouvrir. Le Deutéro-Isaïe a chanté la nouvelle Jérusalem et compris en même temps qu'elle était fondée dans le sang du Serviteur de Vérité; et Platon a rêvé d'une République dans le ciel, quand il sut que Socrate, son maître de sagesse, avait bu la ciguë. C'est à d'anciens fonctionnaires royaux qu'a été révélée la Jérusalem céleste, et c'est découragé de la politique que Platon composa son chef-d'œuvre et sa théorie de l'éducation de l'homme d'après l'échec de la cité. Les uns et les autres ont appris alors les maximes de la sagesse et commencé d'élever l'édifice de la science et de la finance internationales. Le genre sapientiel est le dernier mode d'expression vraiment significatif à apparaître avant l'éclosion des derniers temps. C'est celui qui prépare le mieux l'Évangile et annonce le moins imparfaitement la Sagesse du Père irréductible aux livres, mais que les livres avaient obscurément annoncée, dont toutes les écritures avaient épelé le Nom, qui est tellement au-dessus de tout nom qu'il avait pu les emprunter tous un à un pour se signifier à l'avance et à toujours.

9. Mais l'humanité devra attendre de longs siècles avant que Celui-là paraisse; il fallait qu'il fût désiré et devînt nécessaire. Les empires prennent la relève les uns des autres dans un effort désespéré pour étendre à l'œcumène les limites des cités libres et des villes ouvertes; mais ils ne sont que des figures, des préparations, et parfois des contrefaçons de la catholicité. Non, la raison n'en peut plus; elle se raidit en Grèce et en Israël dans le stoïcisme et le pharisaïsme, ou se relâche dans l'épicurisme et le sadducéisme. Saint Paul a décrit avec force l'inversion en folie de la sagesse grecque et l'inconséquence morale des Juifs éclairés. On vit bien alors, par le débordement même du mal, que Dieu a tout enfermé sous le péché afin de faire miséricorde à tous. Personne n'est juste, tous sont privés de la gloire de Dieu. L'humanité des derniers siècles d'avant le Christ

en Palestine et dans la Diaspora, comme dans l'empire gréco-romain, attend un Révélateur des mystères de Dieu, un Roi-Sauveur. Dieu lui enverra un Pasteur selon son Cœur, et ce sera un Agneau, victime de propitiation. Ainsi, une fois de plus, c'est un Pasteur qui relancera l'histoire, mais cette fois, en la faisant aboutir et déboucher dans l'éternité.

IV

1. Ainsi l'humanité a lentement édifié sa présente structure si complexe: son inconscient, ses besoins vitaux, ses institutions et ses habitudes de base, au cours des longs millénaires du monde primitif; sa conscience claire et distincte, son langage rationnel, sa réflexion sur l'histoire, ses sciences, pendant les mille ans du monde intermédiaire; enfin, son surconscient, l'édifice de sa foi et de ses sacrements, l'armature de ses énergies spirituelles, durant la vie du Christ et de la primitive Église. Les primitifs étaient des peuples enfants; nous avons été adolescents inquiets avec les Grecs et les Juifs; nous voici parvenus à l'âge adulte, à la maturité du Christ.

2. Le Christ est à lui seul l'homme terminal, Il récapitule ce qui le précède et produit dans son Corps qui est l'Église l'achèvement du dernier chapitre du Livre de vie. Quand Il parut, le temps, comme une coupe pleine, déborda, et les flots jaillirent jusqu'à la vie éternelle. L'humanité ne peut aller plus loin, car Il est allé jusqu'au bout de la grâce et de Dieu, d'où Il était parti. Si les primitifs sont en deçà, le Christ et son Corps sont au delà de l'histoire. Il est la fin de la loi et sa perfection. On ne dépasse pas le Christ, on l'actualise en confessant sa résurrection, ou l'on s'anéantit en la niant. Il est le Signe de Dieu, le Sacrement auquel on contredit, parce qu'il n'est pas du monde et prétend être le seul surhomme capable de sauter dans son soleil. L'urgence de l'option se fait de plus en plus pressante, car en lui s'achève la manifestation historique du mystère de Dieu caché aux siècles antérieurs et révélé aux saints apôtres et prophètes du N. T. Nous n'aurons pas d'autres lumières substantiellement neuves; la révélation est close avec saint Jean. Les milliers

d'années qui peuvent suivre son triomphe et l'acclamation des anges fidèles sont comme un seul jour, le dernier, et déjà la première génération chrétienne savait qu'il se fait soir, que la Parousie est proche et qu'il faut veiller. L'histoire de l'Église, la dimension par où elle est encore dans le temps, n'est rien d'autre qu'une courte vigile de la fête éternelle.

3. Un sursis est accordé à l'histoire cependant, juste le temps qu'il faut pour récupérer et intégrer les mondes intermédiaire et primitif, par la mystique, la mission et la science.

4. Il y aura toujours dans les âmes chrétiennes elles-mêmes des territoires non évangélisés et où il faut planter l'Église plus profondément. C'est en regardant Celui dont il est l'image et la ressemblance que l'homme connaît tout ce qu'il est appelé à devenir et à partir de quoi. L'acte de foi et de contemplation ouvre l'intelligence et le cœur sur les profondeurs de la Majesté divine, et doit faire en sorte que la lumière et la vie envahissent peu à peu, par les sacrements, la zone intermédiaire de la raison et de la volonté, et descendent même, si possible, jusqu'aux abîmes de la sensibilité et de l'inconscient. C'est quand la grâce dénoue les embâcles des bas-fonds et en fait sourdre des torrents d'énergie bio-spirituelle que le Christ ressuscité obtient dans son Corps et sa milice ses triomphes les plus éclatants. Alors l'Église manifeste aux Puissances célestes, terrestres et infernales la splendeur de l'économie divine en Jésus-Christ.

5. Les disciples de Jésus ont commencé par évangéliser les Juifs de Palestine et ceux de la Diaspora, puis les Grecs de l'empire: ayant ainsi connu le message évangélique, le monde intermédiaire avait à se prononcer pour ou contre son Sauveur; l'incrédulité des Juifs s'est trouvée être la condition de l'entrée en masse des «Grecs». Plus tard, l'Église s'est tournée vers les «pagani», habitants à mentalité restée primitive des hameaux éloignés. Peut-être n'est-il pas interdit de penser que l'histoire s'achèvera quand l'humanité terminale aura fini d'évangéliser ces petits et ces pauvres, quand l'homme dans sa maturité aura rendu aux peuples primitifs et aux travailleurs l'esprit

d'enfance spirituelle qu'il n'a pu recevoir et qu'il ne peut conserver que grâce, pour une part, aux lointains ancêtres de ces peuples et à l'immense peuple des ouvriers au cœur d'enfant. De toutes façons, la charité du Christ doit nous presser, parce que, à l'heure avancée qui sonne aujourd'hui à l'horloge du monde (Balthazar), il est difficile aux peuples enfants de rester religieux, quand la technique athée brusque inconsidérablement leur maturation.

6. Enfin, l'incarnation du Fils de Dieu et l'assomption de la matière nous font un devoir d'étendre aussi loin que possible les rêts de la connaissance. Déjà aux premiers siècles chrétiens, les Pères de l'Église ont pensé Dieu et son Fils dans la lumière de l'A. T. et de la «théologie» grecque; la récupération des valeurs humaines de la sagesse antique a été substantiellement achevée au Moyen Âge avec saint Thomas d'Aquin; les temps modernes ont pour tâche de scruter et d'inventorier les richesses de la nature et de l'homme même en tant qu'il en fait partie.

7. Nous ferons là-dessus trois remarques d'importance: la première concerne le mouvement de l'histoire postérieure au Christ; la seconde porte sur le mystère d'Israël que la mission semble ne point atteindre; la troisième apprécie la situation de la science moderne.

8. Toute pensée qui s'arrête désormais en deçà du Christ est naturaliste ou rationaliste; qui prétend passer au delà est pseudo-mystique. Elle ne respecte pas le mouvement de l'histoire. L'accusation que la libre pensée adresse à l'Église d'être en retard sur ce mouvement provient d'un ressentiment inavoué de la nature et de la raison incapables de se dépasser ou refusant de consentir au dépassement offert. D'autre part, la prétention marxiste d'être à l'avant-garde est le fait d'une illusion mythique et d'une impuissance à penser le monde autrement qu'en termes de matérialisme dialectique pseudo-scientifique et positif. Devenu mûr avec le Christ ressuscité, le chrétien n'a pas honte de paraître un enfant aux yeux de ces maturités intra-cosmiques et désespérées, parce qu'il sait qu'il faut devenir enfant pour entrer dans le royaume des cieux, et qu'il participe déjà à la jeunesse éternelle de Dieu. Il est inévitable que sa

foi le mette en conflit avec les puissances dont, bien involontairement, il accuse le retard, le refus enfantin de consentir à la mort. Lui meurt pour cela: il confesse devant les hommes Celui qui est mort et qui vit aux siècles des siècles. Il sait que ceux-là sont créateurs de vraies valeurs dans le monde contemporain, où, phénoménalement, la technique paraît grandir et la religion diminuer, qui ont spirituellement vaincu, dans la mort du Christ, la Mort et le Péché. Le plus grand acte qu'ils peuvent accomplir dans ce qui reste d'histoire, c'est de célébrer la mort du Seigneur jusqu'à ce qu'Il vienne, et de montrer par l'inspiration sacramentelle de leur travail et par leur hâte de sortir de ce monde quel est le terme absolu qui lui donne un sens.

9. Il n'en est pas d'Israël tout à fait comme de la Grèce: de celle-ci on peut dire qu'elle n'est qu'intermédiaire; mais Israël est encore primitif et déjà terminal. Il transcende l'histoire, comme le Christ et l'Église qu'il raconte à l'avance; c'est pourquoi il échappe aux prises de l'histoire profane. Il est sujet d'histoire sainte, un mystère et un objet de foi. Et il occupe dans cette histoire une place déjà presque théandrique, la place mystérieuse dans la sphère dont il peut être dit que le centre est partout et la circonférence nulle part. Le développement apparent de son histoire et de sa littérature autorise des rapprochements très étroits avec la Grèce; mais la comparaison n'épuise pas l'intelligibilité qu'on en peut avoir. C'est la fin qui éclaire le commencement; sans l'Église, Israël est incompréhensible. Le Christ en est sorti et l'Église est sortie du Christ; la Grèce n'a eu rien à faire à la naissance ni de l'un ni de l'autre. Et Israël espérait que, quand son Roi viendrait, ce serait la fin de l'histoire. Et c'est parce qu'elle continue que lui ne peut croire. Et c'est parce qu'elle continue que lui ne peut croire. Et c'est parce qu'il n'a pas cru que la masse des Grecs que nous sommes a pu pénétrer dans la maison du Père. Peut-être Israël croira-t-il quand l'Épouse de Jésus se sera faite assez belle pour exciter la jalousie de l'épouse répudiée et toujours aimée, et mystérieusement identique à sa sœur.

10. La science moderne positive est chrétienne dans son principe, et, sans la réfutation catholique du manichéisme, on ne voit pas comment l'humanité aurait jamais osé reprendre l'analyse grecque

d'une matière considérée comme mauvaise. C'est la faiblesse de beaucoup de savants de ce temps et de presque toutes les Universités d'ignorer que la science positive n'est possible aujourd'hui que grâce aux fondements religieux et métaphysiques posés dans la conscience et les institutions par les peuples primitifs et intermédiaires, et qu'elle n'est, au XXe siècle, source de progrès véritable, que dans la mesure où elle se sait et se veut moyen par rapport aux valeurs que les sciences supérieures de Dieu et de l'homme maintiennent devant l'esprit.

Par contre, ça a pu être notre faiblesse à nous, catholiques — faiblesse historiquement inévitable et que nous sommes en train de surmonter —, de n'être pas assez savants et de bouder la recherche. Il nous faut faire effort pour comprendre que la science moderne, même indépendante, même émancipée et souvent sincère, fait vraiment partie du plan divin de salut de l'humanité. Il est aussi inévitable qu'il y ait dans le monde terminal des peuples primitifs, des Grecs et des Juifs à côté des chrétiens, qu'il l'est qu'en chacun de nous l'enfant et l'adolescent coexistent avec l'adulte qu'ils ont rendu et continuent à rendre possible, et que la famille, quand elle est pleinement constituée, comprenne des adultes, des grands frères et sœurs et des tout-petits. C'est la fonction des souvenirs si doux de notre enfance de faire désirer une enfance spirituelle à l'adulte que nous devenons; c'est le rôle des petits au regard émerveillé de faire comprendre aux parents et aux éducateurs qui leur enseignent le catéchisme et l'histoire sainte que la foi au surnaturel est le climat normal de l'homme ici-bas; et c'est la destinée des peuples enfants d'être un appel à la plénitude de l'Église et de nous révéler les richesses que nous avons! Semblablement, notre adolescence inquiète a laissé en nous des marques indélébiles d'insatisfaction en ce monde et des espoirs jamais assouvis d'être enfin grands et libres; la crise douloureuse de leurs grands garçons et grandes filles ravive chez les parents et les maîtres le sentiment que la liberté et l'héroïsme sont des conquêtes jamais achevées; enfin, les Juifs inquiets et les «Grecs» rationalistes incapables d'entendre parler de résurrection peuvent être le moyen dont le Saint-Esprit se sert pour entretenir dans l'Église une continuelle alerte et un effort de présence à ce monde dont elle n'est pas, mais où elle doit témoigner du lieu où est son Époux.

V

1. L'ontogenèse répète la phylogenèse. L'enfant moderne apprend au contact de la nature et de sa famille le vouloir-vivre et les habitudes séculaires du penser et de l'agir primitif et fondamental; l'adulte chrétien entretient son vouloir-mourir, sa foi et sa charité féconde à la source des sacrements qui coulent du Côté ouvert de Notre-Seigneur Jésus-Christ. Mais le monde primitif, qui ignore l'écriture, est en deçà du cours classique; le monde terminal, qui accomplit l'Écriture, est au delà. L'objet essentiel du cours classique ce sont les grands livres du monde intermédiaire, hébreu et grec, en compagnie desquels l'adolescent du monde terminal traverse, au collège, la crise de croissance de l'humanité, ce moment d'hésitation entre la vie et la mort, entre la vie du corps et celle de l'âme.

2. On ne saute pas plus les étapes que les jours. Le baptême fait bien voir que Dieu peut faire d'un enfant d'une heure un homme des derniers temps; mais, en tant que la chose dépend de nous, il est indispensable que la partie dirigeante du monde terminal refasse pas à pas l'itinéraire qui a fait qu'elle est au bout du chemin. Il y a eu des moments dans l'histoire de l'humanité où les conditions ont été remplies pour que certaines profondeurs fussent aperçues, pensées et exprimées adéquatement, et les générations postérieures, si elles veulent monter plus haut, doivent d'abord atteindre ces sommets. La Bible et les Classiques grecs ont fixé pour toujours un de ces moments. Pour connaître la vérité religieuse et morale avec certitude, c'est à la tradition issue de la Bible qu'il faut nous adresser; pour connaître sa nature, l'humanité doit sans cesse députer de ses membres vers la source première (grecque) où elle a d'abord jailli toute claire, ou vers ses succédanés les plus ressemblants (littérature latine, et les meilleures œuvres des littératures nationales).

3. La littérature grecque est, avec la littérature biblique, la seule dont l'évolution soit tout entière commandée par une dialectique interne, celle qui traverse l'histoire de la cité. Il y a des liens organiques entre l'épopée et le lyrisme, la tragédie, l'histoire, la rhétorique et la dialectique, la philosophie et les sciences d'une part,

comme entre les traditions jahviste et élohiste, les mouvements deutéronomique et sacerdotal, et les écrits des sages d'autre part. Ces deux littératures sont en outre parallèles et complémentaires. Toutes deux sont, dans la main de l'Église, des instruments de choix pour l'élaboration de sa pensée. C'est elle qui a sauvé et défini la Bible intégrale, et ce sont ses moines qui ont transcrit et sauvé les classiques de la Grèce.

4. Ce raccourci d'histoire littéraire comparée gréco-israélite aide à comprendre avec quel sens de l'histoire sainte et profane les fondateurs et continuateurs jésuites du cours classique ont défini la structure de l'enseignement moyen: après trois ou quatre ans de grammaire, ils font étudier, en première année, l'épopée et le lyrisme, en deuxième année, la tragédie, l'histoire, l'éloquence et parfois la dialectique; en troisième (et quatrième) année, les sciences et la philosophie. Et ils avaient soin de multiplier les rapprochements avec l'A. T. et le N. T.

5. La rhétorique et la dialectique sont les charnières de cet enseignement: à base de connaissance tragique et d'histoire, elles sont à égale distance et de la poésie par laquelle sont à la fois assumés et exorcisés le monde primitif et les sous-bassements de la raison, et de la philosophie par laquelle sont anticipé le monde terminal et devinées les dimensions les plus hautes de l'intelligence et du réel. Leur position intermédiaire entre la poésie et la philosophie montre que la première est une étape qu'il faut atteindre, franchir et dépasser, et que la seconde est le terme où il faut tendre. Il y a donc un ordre pédagogique dans l'utilisation des genres littéraires, qui est fondé sur l'ordre historique et psychologique normal de leur apparition. Poésie, rhétorique, philosophie correspondent à des phases de l'adolescence de l'humanité et de l'homme; mais on ne les traverse pas nécessairement, l'intervention de l'éducation et de la liberté est constamment nécessaire. Le danger de fixation ou de régression, de glissement ou d'anticipation prématurée guette constamment l'éducateur et l'étudiant. Il est normal que les uns se reconnaissent et prennent conscience de soi et du monde plutôt en poésie, d'autres davantage en rhétorique ou en philosophie. Mais il ne l'est pas que

l'une ou l'autre de ces disciplines soit systématiquement négligée ou objectivement dévalorisée. Sans poésie, l'orateur serait froid et le dialecticien rigide, mais sans volonté de dire pour entraîner et élever, le poète serait un esthète égoïste et inutile; sans dialectique, le philosophe et le savant seraient aventureux, mais sans pénétration métaphysique et information scientifique, le dialecticien serait un ingénieur de feux d'artifice; sans sagesse, le chrétien serait inconscient de ses richesses et à la merci de ceux qui ne le valent pas mais lui en imposent; mais sans christianisme, la sagesse des penseurs des derniers temps serait un peu courte et n'éviterait pas de répéter ce qui avait été bien dit: qu'on le veuille ou non, c'est le fait chrétien qui pose la plupart des problèmes qui sollicitent aujourd'hui la pensée philosophique. Il reste inévitable que plusieurs de nos élèves abusent contre la raison et la foi, des moyens de penser et de croire que nous avons mis entre leurs mains. La culture est un risque qu'il faut, avec discernement et haute compétence, faire courir à une bonne proportion des adolescents modernes, ne serait-ce que pour éviter un risque plus grand d'infantilisme et d'adolescentisme.

6. Les textes de base doivent être choisis de préférence parmi les classiques grecs (et aussi latins et nationaux), mais non habituellement dans la Bible. Il est absolument requis que le professeur soit pénétré de la théologie biblique de Dieu, de l'homme, de la nature, de l'histoire, et que cette vision éclaire tout son enseignement classique; mais il est contre-indiqué que les textes bibliques, surtout ceux de l'A. T., fassent l'objet d'études littéraires et critiques prolongées des collégiens eux-mêmes au même titre que les classiques. De cette différence de traitement pédagogique, on peut donner plusieurs raisons: *(1)* la Grèce est intermédiaire et n'est que cela, mais Israël transcende l'histoire et ne peut être compris que par ce qui l'achève; or ce qui l'achève est objet de foi et non de raison; *(2)* si l'étudiant peut être juge de la beauté d'un poème et de la vérité d'une proposition rationnelle, il est absolument incapable de juger par lui-même de la vérité et de la beauté surhumaine des textes bibliques; l'enseignement classique n'est pas un enseignement d'autorité, mais l'enseignement chrétien l'est forcément; *(3)* les problèmes que pose un jour ou l'autre le monde de la foi seront

d'autant plus facilement résolus à l'âge d'homme que la raison aura au collège mieux appréhendé et jugé son objet connaturel et entrevu ce qui la dépasse.

7. Le cours classique est une institution ecclésiastique qui suppose la foi au Christ et la conscience au moins obscure de la position intermédiaire des classiques grecs et de l'A. T. Il est assez probable qu'il ne peut se maintenir selon son esprit véritable qu'en climat chrétien; et l'on peut se demander si son discrédit actuel n'a pas quelque rapport avec le processus de désintégration de la civilisation sacrale du Moyen Âge auquel nous assistons depuis quelques centaines d'années.

8. Malgré tout, il n'est pas impossible que le cours classique ait parfois mieux conservé son essence en dehors de l'Église que dans l'Église même. Selon les mots de von Balthasar, «les réformateurs ont arraché à l'Église quelque chose de ses entrailles les plus intimes, une part de son cœur bat désormais hors de son cœur... et les fragments séparés dérivent sur les flots de l'histoire». Mais si les autres ont des idées qui sont à nous et que nous avions négligées, nous n'irons pas les jalouser ni leur en vouloir: que des rencontres fraternelles nous fassent plutôt tous ensemble adorer la Vérité unique dont nous sommes les instruments plus ou moins déficients. Nous avons probablement beaucoup à apprendre des éducateurs qui, sans appartenir visiblement à l'Église, vivent sincèrement et noblement leur vie d'hommes, et s'efforcent d'élever leurs jeunes compatriotes et coreligionnaires aussi haut qu'il leur est donné de le concevoir souhaitable. Rien n'est achevé de ce qui, même dans l'Église, participe à l'histoire; rien n'est parfait de ce qui n'est pas rendu dans la béatitude. Les valeurs spirituelles sont toujours en situation périlleuse: dès qu'elles sont incarnées, elles risquent d'oublier qu'elles ont toujours besoin d'être rachetées. Nous devons être en alerte pour que l'admirable instrument de spiritualisation qu'est le cours classique obtienne tous ses effets et ne tourne pas contre l'Église ceux à qui il fait courir le risque de la culture.

La Grèce et le grec[1]

Quand l'Église veut rendre ses baptisés plus chrétiens, elle commence par les rendre plus hommes. Elle leur fait consacrer plus de temps à l'étude du latin et du grec que de l'hébreu, à l'analyse des auteurs grecs et latins qu'à celle de la Bible même et de l'Évangile. Elle veut agrandir ses vases d'élection pour qu'ils puissent recevoir plus abondamment la vérité dont elle est la gardienne. Elle sait que les hommes d'un seul livre sont des fanatiques, et elle en fait lire plusieurs à ses enfants. Sur le plan des grands ensembles historiques et des grands progrès culturels, toutes les renaissances sont des retours à la Grèce et à son héritière romaine. Pour se ressourcer, l'Église convie tout à tous. Aux yeux des Juifs incroyants, qui ne consentaient pas au grand progrès du Règne de Dieu que constituait l'Église, les Grecs étaient l'expression même du non-judaïsme, de la gentilité; mais saint Paul a compris que le monde nouveau institué en Jésus-Christ intègre toutes les différences sans les absorber, et, après avoir laissé son propre esprit s'élargir aux dimensions d'un monde d'une certaine manière plus vaste que celui que lui faisaient connaître les livres saints de son peuple, c'est vers les Grecs qu'il s'est tourné et en grec qu'il a enseigné et écrit, afin que le monde continue à marcher et à croître dans la vérité et la charité. Ce ne saurait donc être pour devenir plus chrétiens que nous abandonnerions le

1. Article paru dans *Collège et famille*, XVI, 4 (1959), p. 179-181.

grec. Toutes les Églises aiment le grec: l'Église romaine catholique, l'Église grecque orthodoxe, les Églises germano-protestantes. Parce que ce qu'il véhicule est beau et vrai, le grec rassemble les hommes qu'une même nature unifie déjà.

*
* *

Le grec est difficile, comme toutes les belles choses. *Chalepa ta kala!* C'est pourquoi il est aimé de ceux qui résistent à la facilité. La vérité aussi est difficile, la parole et les exigences de Jésus sont dures, *durus est hic sermo.* Beaucoup ont abandonné le Seigneur quand il a jugé le moment venu de proposer à son peuple les plus belles choses qu'Il avait jusque-là gardées secrètes dans son Cœur. Mais ceux qui sont restés avec lui sont comme les cieux qui racontent la gloire de Dieu; ils rayonnent dans les perpétuelles éternités et ils sont encore parmi nous comme une cité bâtie sur la montagne. Et ceux-là ont prêché, écrit, ils ont pensé en grec. Si Jésus doit être avec son Église jusqu'à la fin des temps, le grec de son Évangile subsistera aussi jusque-là. Il n'y a que les choses dures qui résistent à l'érosion du temps. C'est pourquoi, si nous décidons d'abandonner le grec, ce ne sera pas parce qu'il est difficile. Car nous sommes bien décidés à ne pas abandonner l'Église, laquelle en revanche est bien décidée à ne pas abandonner le grec.

*
* *

D'ailleurs le grec n'est pas difficile pour ceux qui l'aiment. Et ceux-là sont nombreux. Ils l'ont aimé à force d'en faire. Un grand nombre de ceux qui ne l'aiment pas n'en ont pas assez fait, ou ils ont préféré faire autre chose: des mathématiques, des langues vivantes, du sport ou du farniente. Et quand, après les années de grammaire qui devaient préparer celles des lettres, le temps était venu de cueillir un fruit longtemps mûri, ils ont trouvé qu'il était vert et immangeable. Ils ont prêté une oreille complaisante aux critiques de tant de leurs aînés semblables à ceux qui blasphèment ce qu'ils ignorent, et ils ont grossi de la sorte le nombre des mécontents, qui sont aussi sûrs que deux et deux font quatre que le grec ne sert à rien. Il aurait pu servir à les délivrer de la manie des pseudo-évidences. Ainsi, quand bien même le plus grand nombre des électeurs pressentis par une enquête Gallup se prononcerait contre le grec, ce ne serait pas une raison pour ceux qui l'aiment de l'abandonner. L'opinion du grand nombre ne fait rien à l'affaire. «La cuisine, disait le Socrate de Platon, contrefait la médecine et feint de connaître les aliments qui conviennent le mieux au corps, de telle façon que si des enfants, ou des hommes aussi déraisonnables que des enfants, avaient à juger, entre le médecin et le cuisinier, lequel connaît le mieux la qualité bonne ou mauvaise des aliments, le médecin n'aurait qu'à mourir de faim.» Quand il s'est agi de décider s'il fallait produire en série le CF-105 canadien ou le Bomarc américain, on n'a pas consulté le grand nombre, mais les hommes compétents.

*
* *

Notre monde technique repose sur la culture gréco-latine et les institutions romaines et chrétiennes: il n'est pas pensable sans toute cette immense substructure d'habitudes séculaires et de lois protectrices qui soutiennent la recherche et l'encouragent. Si cette base perd de sa solidité, et si l'on cesse de la considérer constamment, la technique nous rongera vivants comme un cancer. Car le cancer, c'est l'excès d'une bonne chose, la multiplication des cellules vivantes au détriment d'autres cellules sans lesquelles le tout du corps ne saurait vivre longtemps. La technique est bonne quand elle prolonge le bras et que le bras prolonge le cerveau. Elle n'est d'aucun avantage pour un écervelé et un manchot. Parce que nous avons la technique, ce n'est pas une raison pour nous couper les bras ou la tête! Ou parce que, grâce à nos ancêtres, nous avons la tête un peu plus haute que la leur, ce n'est pas une raison pour nous couper les jambes. Ce n'est donc pas non plus parce que notre technique est plus perfectionnée que nous abandonnerons le grec. Car nous sommes prêts à travailler comme des robots quelques heures chaque jour, si cela devient nécessaire dans un univers automatisé, mais à condition de vivre en hommes le reste du temps et qu'on nous procure le moyen de croire encore à notre dignité.

*

* *

Le grec est la langue d'une culture supérieure et il rend supérieurs ceux qui l'apprennent comme il faut, et tout d'abord supérieurs à eux-mêmes. *Humanior.* La culture est par essence aristocratique, elle est le fruit du plus profond désir de l'homme: se dépasser, être supérieur à soi. La plante sauvage est belle, exubérante et touffue; la plante cultivée est émondée, disciplinée et plus belle ainsi de tout l'ordre possible que l'art achève de donner à la nature. Il faut moins démocratiser l'enseignement qu'aristocratiser les enseignés.

*

* *

Le grec contribue à purifier les passions et à éclairer l'intelligence. Il est porteur d'universel, et l'universel délivre celui qui le connaît de la prison où son individualité risque de l'aliéner. Ce sont les Grecs qui ont, les tout premiers peut-être, les plus lucides certainement, saisi, nommé et résolu les conflits les plus typiques qui déchirent la conscience humaine. Notre jeune science psychologique prend la suite de leur art délicat de dénouer les conflits en leur fournissant l'occasion de se manifester et d'être surmontés au cours d'une action symbolique et dramatique, partie elle-même d'une fête religieuse. La science de l'homme est dans l'enfance, et elle ne suffira jamais: toujours elle devra s'achever par l'action des hommes en communauté réconciliatrice, par la communion aux mêmes états d'âme supérieurs. Un conflit dont on prend conscience comme tel est une occasion de reconnaître l'existence de l'esprit comme réalité supérieure et puissance de contrôle. Il faut aujourd'hui plus de science qu'autrefois pour aider les hommes à rester hommes; il faut plus d'art aussi. Peut-être y aura-t-il moins de conflits dans notre société s'il y a plus d'hommes influents — en politique, en éducation, en art, à la radio, à la télévision — qui ont vraiment le sens de l'universel. Celui qui connaît, non par ouï-dire mais personnellement, que telle manifestation de l'inconscient, telle tension d'agressivité, n'est pas en soi anormale mais peut seulement le devenir selon que l'esprit s'en sert bien ou mal, celui-là est bien prêt d'être plus homme: la grâce a sur lui une prise de plus pour l'inciter à être maître de soi pour que Dieu soit maître de lui.

*
* *

À cette connaissance et à ce désir de maîtrise de soi, nulle littérature ne contribue mieux, du moins à un certain âge, que la grecque et la latine. Les Anciens étaient désireux de se connaître et le fronton du temple d'Apollon à Delphes le rappelait à tous les pèlerins: connais-toi toi-même. On peut penser que, dans le dessein de la providence, ils ont été choisis pour travailler collectivement à la recherche de la nature humaine, comme le peuple d'Israël a été choisi pour être travaillé par la recherche de Dieu et l'attente impatiente de sa manifestation. Et c'est par leurs livres qu'il nous faut passer, que les plus influents socialement parmi nous doivent passer, pour garder dans l'humanité le sens de l'humain, pour le raviver: par des œuvres nouvelles, sans doute, et même qui s'efforcent à plus de profondeur et d'amplitude s'il se peut; mais il y a beaucoup de grands esprits qui croient sincèrement que ceux qui produiront ces œuvres à la mesure de la société moderne en train de se planétariser et, espérons-le de se catholiciser, devront être personnellement remontés aux sources de l'homme, qui sont des sources grecques, et de l'homme qui n'est pas seulement l'homme occidental, mais l'homme tout court. Les engagements des hommes et des groupes dans l'histoire diffèrent du tout au tout, car ils sont chaque fois singuliers, contingents et en grande partie imprévisibles, mais la nature qui est à la base de ces engagements est partout identique. Cela, les Grecs le savaient.

*
* *

Évidemment, le grec n'est pas fait pour tous. Et les hautes mathématiques non plus, ni l'art culinaire. C'est par le fait d'un ensemble de circonstances historiques que, depuis la Renaissance jusqu'à la fin du XIXe siècle, la presque totalité des collégiens faisait du grec. Au Canada français, par suite de notre non coupable retard économique, on a continué d'imposer le grec jusque fort avant dans le XXe siècle. Personne parmi nos contemporains n'est responsable du passé, qu'il est beaucoup plus difficile de juger sainement que certains n'ont l'air de le croire. Mais nous sommes tous plus ou moins collectivement responsables de ce que sera notre éducation de demain. Évitons de blâmer ceux qui nous précèdent et ont fait leur possible, et faisons ce qu'il faut pour n'être pas trop blâmés à notre tour par une génération montante qui subira dans vingt ans les effets de nos décisions présentes. Nous n'avons pas seulement à les armer pour affronter la bataille économique et sociale, mais surtout et d'abord pour la «bataille d'hommes».

*

* *

Il ne suffit pas de supprimer le grec pour ceux que diverses raisons valables en excusent certainement, il est nécessaire de leur offrir un succédané de valeur. Avant de gagner leur vie et leur situation sociale, ils auront tous besoin de se souvenir qu'ils ont une âme et un ciel à gagner de haute lutte, et que, nonobstant les autres conquêtes, quand on n'a pas conquis son âme dans la patience, tout le reste est vain et sans consistance et donne le goût d'en partir avant le temps. Les plus grandes réussites humaines dans les décades qui viennent à nous à une vitesse vertigineuse seront le fait des consciences mûries par l'épreuve, la vie intérieure et un respect infini pour une réalité que nous n'avons pas faite mais qu'il nous est demandé de contribuer à perfectionner. Le temps n'est peut-être pas loin de nous où la frénésie technique dégénérera en désespoir, où des masses d'hommes seront tentés comme des enfants de détruire l'outil et la machine qu'ils ont faits et qui les blessent. Ce n'est pas là une apocalypse, mais un langage de raison, car une telle éventualité n'est pas en dehors des possibilités prévisibles. Si cette éventualité se produit, on peut penser que, dans la mesure où la remontée restera possible, et dépendra de nous, elle sera le fait de quelques élites qui auront lentement appris au collège, à l'université et dans la vie — car la culture est une longue patience — que l'homme passe la matière et que Dieu passe l'homme. Cela, les Grecs le savaient.

Nous ne supprimerons pas le grec. Nous l'enseignerons mieux à ceux qui peuvent le mieux en prendre l'esprit, en comprendre les chefs-d'œuvre, en apprendre la langue.

II

LE THÉORICIEN DE L'HISTOIRE

Le titre de cette section fait référence à un cours donné par Raymond Bourgault de 1960 à 1966 au collège Sainte-Marie. Cours optionnel de Philo II, il a été pour plusieurs de ceux qui l'ont suivi la pierre de faîte de leur cours classique, celui qui a donné sens à leurs études.

«La théorie de l'histoire, disait l'introduction au cours, est une connaissance du devenir telle que le connaissant soit disposé à recourir distinctement mais cumulativement à la science, à la philosophie et à la théologie pour expliquer l'histoire intégrale, qui est à la fois naturelle, humaine et sainte.»

L'histoire intégrale est histoire de la nature; elle est étudiée par la science. Elle est histoire humaine; la philosophie donne les catégories qui permettent de la penser. Elle est finalement histoire sainte, l'histoire considérée du point de vue de son origine et de sa fin transcendantes; elle est abordée par la théologie. Évidemment, un tel cours suppose une information immense qu'un seul professeur peut difficilement réunir, ajoutait l'introduction, il est préférable toutefois qu'il soit professé par une seule personne qui lui apporte une unité de perspectives.

On comprend ainsi l'emploi du terme «théorie». Il s'agit de définir une connaissance qui intègre science, philosophie et théologie.

Les articles regroupés ici traitent de problèmes relativement délimités, mais ils le font à la lumière des perspectives de la théorie de l'histoire et de ses grands schèmes heuristiques (entendez: qui aident à connaître). Ce serait se méprendre toutefois que de penser que leur intérêt s'arrête là. Écrits aux débuts des années 1960, ils contiennent une profonde méditation sur le Canada français et le Québec, sur notre peuple, son passé et l'avenir qui s'ouvrait à lui. Or si certaines circonstances ont changé, ils conservent une étonnante actualité. Ils conduisent même par un curieux retour des choses à réfléchir sur le chemin parcouru, laissent voir la justesse de certaines anticipations et amènent à se demander si des tournants n'ont pas été ratés quelque part — et si notre peuple n'a pas prématurément vieilli!

Ainsi, les textes sur la gauche et la droite, écrits en un temps où émergeait une gauche qui cherchait à se situer par rapport à une droite dominante, bataillent, à vrai dire, sur deux fronts. Il s'agit pour la droite d'accueillir la gauche, comme la nature accueille la raison qui la fait avancer. Il s'agit pour la gauche de ne pas réagir trop fortement contre ses racines, créant une rupture qui serait une perte. Sans oublier non plus que la gauche a aussi un au-delà d'elle-même.

Une distinction entre l'État, l'école et l'Église éclaire les questions de laïcisme et de laïcité... Il y a une laïcité nécessaire de l'État dont fait partie tout citoyen indépendamment de son appartenance religieuse. Il y a un laïcisme de l'école qui est considérée par l'auteur comme autonome par rapport à une confession religieuse, tout en demeurant attentif au fait que l'absence de référence transcendante peut être ambiguë. Enfin, dans l'Église, existe aussi un laïcat appelé à jouer son rôle.

Parmi les articles de cette période qui n'ont pu trouver place dans ce recueil, signalons une longue réflexion sur «Nationalisme, biculturalisme, mondialisme» où les questions nationales sont inscrites dans des perspectives plus générales, et une réflexion sur «Le mouvement étudiant» où l'auteur s'interroge sur la relation professeur-étudiant qui peut devenir une relation maître-disciple.

La gauche et la droite[1]

I

LE SENS DES TERMES

Notre culture se différencie rapidement, une gauche se détache et prend conscience de soi dans un milieu qui lui apparaît massivement de droite et arriéré. Celui-ci se venge en accusant ses accusateurs de gauchisme. Aux yeux des uns, la gauche bénéficie d'un préjugé de faveur, aux yeux des autres, elle représente une malédiction. Avant de discuter des concepts et des choses, nous proposons de nous entendre sur le sens et le non-sens des termes. Une brève esquisse de l'histoire des mots devrait rendre quelque service.

Précisions sémantiques

La représentation de base est celle des mains, membres préhenseurs selon l'étymologie du mot en grec ancien, et que les langues classiques opposent l'une à l'autre au moyen du suffixe d'opposition *ter: dex-tera* et *sinis-tra* en latin, *dexi-tera* et *aris-tera* en grec. La droite est privilégiée, parce qu'elle est la plus «habile», ce qui veut dire la plus apte à prendre et à garder (du latin *habere*), la plus «adroite».

1. Série d'articles parus dans *Relations*, XXI, 250 (octobre 1961), p. 273-274; XXI, 252 (décembre 1961), p. 340-341; XXII, 253 (janvier 1962), p. 9-12; XXII, 254 (février 1962), p. 30-34. Cette série d'articles a été réunie en un volume aux Éditions Bellarmin (1962, 37 pages).

En effet, c'est d'une même racine indo-européenne, *dek*, signifiant recevoir, que le grec et le latin ont tiré leurs noms de la droite, au lieu que les mots pour la gauche sont différents, multiples et subordonnés. Un des plus vieux mots grecs de la gauche, *skaia*, signifiait déjà aussi gaucherie, maladresse et même méchanceté. Il avait donc dès la très haute antiquité une valeur péjorative: la gauche est la main malhabile, maladroite, malchanceuse.

C'est ce qui explique la valorisation de la droite et la dévalorisation de la gauche sur le plan magico-religieux. Au cours du rituel des auspices, un événement significatif se produisant à droite est interprété comme un signe de bon augure, du succès de l'entreprise pour laquelle on a consulté l'oracle. Inversement, le vol des oiseaux vers la gauche est néfaste et laisse prévoir la malchance, l'insuccès. Du même symbolisme spontané dérive la place d'honneur à la droite du roi sacré dans les antiques civilisations; et le Christ ressuscité n'a pas dédaigné l'application à lui-même de ce langage, puisque le Credo fait confesser à ses fidèles qu'il est assis à la droite de Dieu. Et au jugement dernier, le Seigneur fait ranger à sa droite les justes, et les impies à sa gauche.

Ce n'est pas d'aujourd'hui que la gauche réagit contre la situation inférieure qui lui est faite par la droite. Dans le contexte religieux ancien toujours, on voit surgir, pour désigner la gauche, des vocables comme *euônumos*, la bien nommée, *aristera*, la meilleure des deux, et en latin *sinistra*, la plus utile des deux. Par là, on exprime non pas une constatation mais un vœu: que ce qui arrive à gauche au cours de la cérémonie religieuse de divination ne soit pas néfaste, comme le veut l'opinion commune; que celle-ci soit fausse, contredite par les faits! Mais la fatalité qui pèse sur cette malheureuse main finit par entraîner ces nouvelles dénominations dans le vieux courant de défaveur, et *sinistra* devint difficilement capable de ne pas connoter l'idée de sinistre.

Le latin médiéval a transmis au vieux français les mots d'aujourd'hui désuets *destre* et *senestre*. Mais ceux-ci ont disparu de l'usage au XVIe siècle, et ont été remplacés par *droite* et *gauche*. Le premier dérive de *directus*, qui signifie dirigé, et le second du croisement de deux mots germaniques: *wanken* et *walken*, signifiant respectivement vaciller et fouler aux pieds. La droite évoque donc encore la main experte qui dirige l'outil, la gauche emprunte sa signification aux pieds qui foulent et qui chancellent. La main est intelligente, mais la gauche est bête comme ses pieds! Le mot adroit est attesté dès le XIIe siècle, le mot gauche depuis 1538. La valeur morale n'a pas tardé à s'attacher à ces nouveaux vocables: gauchissement est connu dès 1547, et droiture prendra sa signification actuelle au cours du XVIIe siècle.

Aux XVIIIe et XIXe siècles, la sécularisation du vocabulaire religieux et le renversement des institutions de l'Ancien Régime permirent à la gauche de se valoriser de nouveau. Si bien qu'un temps vint où presque personne ne voulut plus, au Parlement français, siéger à droite. C'était à qui serait le plus à gauche, qui avait la cote et qui, par la force des choses, devint à son tour fort adroite et habile (= possédante), quoique souvent de façon sinistre. Ironie des choses: c'est dans le pays où, actuellement, sévit un régime dit de gauche et révolutionnaire qu'on exhorte le plus les partisans à ne pas dévier de la ligne (droite) du parti, et que l'on accuse le plus les déviationistes de gauchissement. Par contre, ceux de la droite sont souvent devenus malhabiles et maladroits, conservateurs à outrance, gauchis eux-mêmes sans bien s'en rendre compte. Leur main gauche sait trop bien ce que fait leur main droite.

Ces mots veulent-ils encore dire quelque chose de précis? et n'est-on pas en droit de se demander s'ils fournissent un instrument d'analyse valable de la situation sociale et des orientations culturelles ou politiques? Ils sont essentiellement polémiques, et, à ce titre, ils ne sont probablement pas près de disparaître de l'usage. Mais si l'on tient à les employer pour l'étude scientifique d'une société en crise, il faudra s'appliquer, à droite et à gauche, à en déterminer rigoureusement le contenu conceptuel.

Précisions conceptuelles

Les mots sont des termes de signification de caractère instrumental et partiel: ils servent à exprimer et à communiquer une idée, un concept, un ensemble de concepts qui ne peuvent être rendus qu'au moyen de plusieurs signes linguistiques. C'est sur cet aspect conceptuel de la droite et de la gauche qu'on est invité à s'attarder quelque peu. Bien des chicanes de mots sont évitables, quand on s'entend sur les concepts que les mots véhiculent le moins mal possible.

Les analogies de la nature fournissent un bon point de départ. La bipolarité est une constante de la nature. Jusqu'en 1956 on pensait que les particules infra-atomiques n'avaient ni gauche ni droite; mais à cette date le principe de parité s'est effondré et la droite et la gauche des particules ne sont plus considérées comme équivalentes. Dès que l'individualité se dégage du champ où sa matière possible était diffuse, elle adopte la structure bipolaire. Il en est de même chez les vivants. Tandis que les premiers embranchements des invertébrés inférieurs — éponges, coraux, hydres, méduses, anémones — sont des groupements d'unicellulaires ou des pluricellulaires tendant à la forme sphérique, la symétrie bilatérale s'établit avec les échinodermes, oursins et étoiles de mer, et ne se perd plus. Mieux encore: les animaux supérieurs, pourvus de membres antérieurs aptes à la préhension, sont habituellement ambidextres, habiles de l'une et de l'autre main. Mais l'animal le plus doué, l'homme, est droitier ou gaucher. Ainsi, toujours, à un premier état physique, physiologique ou psychique où la forme imite la sphère, succède un second état où la forme imite la ligne.

La loi s'applique au développement de l'humanité. Les relations intrafamiliales sont circulaires et telles aussi celles des groupements villageois et paroissiaux où prévaut l'intersubjectivité qui colle à la nature et n'est pas mise en question. Mais avec la constitution des classes et la maturation de la cité libre, apparaissent aux deux extrémités de la ligne les partis de droite et les partis de gauche.

La droite et la gauche ne sont donc pas des substances, des choses, des en-soi, mais des relations. Il y faut prendre garde, car, comme on a substantifié deux adjectifs, on est tenté de réifier aussi les rapports qu'ils désignent. La droite ou la gauche «existeraient» comme quelque chose qu'on peut montrer du doigt, ou au mieux qu'on pourrait identifier comme des idées claires et distinctes emportant de ce fait le critère de leur réalité. La pensée spontanée, précritique et agressive chosifie de la sorte des termes de relations réciproques qui ne trouvent que dans cette réciprocité même leur contenu intelligible.

Une analogie mathématique aidera à clarifier cette essence toute relative de nos deux concepts. Ce sont des concepts relationnels comme le point et la ligne. Imaginativement, le point est l'extrémité de la ligne et la ligne une succession de points infiniment rapprochés. Mais intellectuellement, la ligne se définit par les deux points qu'elle relie et les points par la ligne qui les relie. On peut imaginer mais on ne peut concevoir la ligne sans les points ni les points sans la ligne. Généralisant, disons qu'on définit la relation par les termes et les termes par la relation.

De même, la droite et la gauche ne sont pas des choses subsistantes. Elles se définissent par la relation qui à la fois les oppose et les unit. Pas de droite sans gauche, ni de gauche sans droite. Physiquement et imaginativement, cela se produit, car on peut être manchot. Mais intellectuellement, cela n'est pas possible. Une droite dans une communauté humaine qui éliminerait la gauche ne serait plus une droite, et une gauche qui éliminerait la droite ne serait plus une gauche.

Si donc quelqu'un prétend se servir avec rigueur des termes et des concepts de droite et de gauche, il devra se défier de ses passions et de son imagination, et non pas une fois pour toutes, mais en pratiquant constamment une autocritique sévère. Ces mots sont, en effet, lourdement grevés d'affectivité, et nul n'est assuré d'être monté assez haut pour voir la ligne en même temps que les deux termes, ou les deux termes en même temps que la ligne, et pour réellement penser ce qu'ils signifient.

L'écueil ici est celui de la pensée magique, fataliste, mécaniciste, déterministe. On constate le mal, on a cru en déceler la cause et on décrète que sa causalité s'exerce à partir d'un groupe défini irréductiblement adverse, définitivement et avec évidence reconnu comme cause de tout le mal. La pensée magique se délivre aussi de l'angoisse de la culpabilité propre qui l'accable, en accusant les autres, traités de droitistes ou de gauchistes selon le tempérament, l'humeur ou la situation. Elle projette et réifie le mal immanent, ce qui est bien la meilleure façon de ne pas l'apercevoir là où il est en réalité. Toute position de cette espèce est strictement extra-scientifique, passionnée et indémontrable, et aucun analyste consciencieux de la réalité sociologique ne voudra se solidariser avec la tendance infantile et complexuelle d'où elle émane.

Il est certain que la différenciation, surgissant dans un milieu conservateur et une civilisation traditionnelle, peut être portée à se considérer comme de gauche et à repousser vers une droite abhorrée la masse de tous les autres qu'elle ne reconnaît pas comme siens. Le sens critique avertira ses meilleurs représentants que ces catégories sont, pour une part notable, le résultat d'une opération de l'esprit, et non pas d'une forme a priori de la sensibilité ou de la froide raison. Les «autres» sont classés à droite par ceux qui privilégient la gauche et prétendent en être. Mais il arrive fréquemment que les plus efficaces promoteurs du bien commun et du progrès social et culturel se refusent à suivre les progressistes, quand ils se rendent compte que le progrès pour eux risque de s'identifier avec leur avancement. Par contre, la masse conservatrice est facilement réactionnaire, inapte à saisir la signification positive d'un mouvement qui se déclare fièrement de gauche, et qu'elle proclame peu charitablement gauchiste. Une société différenciée a besoin de conservateurs et de libéraux, ce qui ne veut pas dire de réactionnaires et de révolutionnaires.

On doit donc éviter de privilégier l'un des deux termes. Car aucun n'est pensable sans l'autre et sans la relation réciproque qui les oppose et les unit. À la pensée mécaniciste, il convient de substituer la pensée dialectique. Ce n'est pas parce que les hégéliens et les marxistes s'en sont longtemps réservé le monopole que nous serions fondés à la bouder. On l'a définie: une méthode pour rendre intelligible le développement concret de deux principes de changement liés mais opposés. En sociologie, la gauche et la droite sont des principes de changement, des relations dynamiques reliant des termes qui se modifient l'un l'autre constamment; ce sont des groupes ayant tendance soit à la conservation de valeurs jugées vénérables soit à l'avènement de valeurs jugées souhaitables.

On se rappellera que les gens de droite usent volontiers de la violence — physique, verbale, spirituelle même — pour conserver leurs «droits», et que la gauche n'aspire pas au pouvoir avec d'autre intention que celle de le conserver... adroitement. Un peu d'humour dépassionnerait les débats qui peuvent nous déchirer. Si chaque homme de droite examinait chaque jour tout ce qu'il y a en lui de gauche malveillante, et si l'homme de gauche examinait sérieusement son esprit conservateur, l'esprit de Dieu planerait sur les eaux et la face de la terre serait changée. Sans cette dialectique que chacun imposerait à sa pensée, le dialogue avec la pensée des autres ne saurait être qu'une polémique stérile.

Forts de ces précisions linguistiques et conceptuelles, nous pourrons aborder désormais une analyse plus précise de la réalité.

II

PHÉNOMÈNE NATUREL

Les mots renvoient aux concepts et les concepts à la réalité. Un premier article a déjà analysé le vocabulaire et le contenu conceptuel de la gauche et de la droite. Cette étude nous a préparés à scruter la réalité. Celle-ci est multiforme. C'est, pour une part, affaire de tempérament, de sexe, de milieu social; pour une autre part, un problème de sociologie de la connaissance; pour une autre encore, une face du mystère de l'existence spirituelle. Il y a un avantage certain à départager ces domaines et à éviter de confondre les ordres ou les niveaux de réalité. On en distinguera trois principaux: l'ordre de la nature, l'ordre de la raison, l'ordre de l'esprit. Et on analysera ici quelques aspects du premier, entendant par nature cette partie de l'homme qui participe de l'animalité et tout ce qui se greffe sur elle. La méthode dialectique aura à rendre intelligible une triple opposition: celle des tempéraments de dépense et des tempéraments d'épargne, celle des maîtres et des serviteurs, celle des hommes et des femmes. On se contentera de simples suggestions qui orientent la réflexion en situant les problèmes.

Les tempéraments

Les hommes naissent dotés d'un tempérament qui les prédispose à un comportement préférentiel. Or le tempérament est d'essence biologique, ou plus exactement neurovégétative. Le système nerveux végétatif règle le fonctionnement d'organes relativement autonomes qui dépendent de lui pour leur adaptation aux conditions du milieu et aux besoins de l'organisme. Et ce système est double: orthosympathique et parasympathique ou vague. Les nerfs orthosympathiques sont vasoconstricteurs et les nerfs parasympathiques sont vasodilatateurs; les premiers accélèrent les mouvements du cœur et ralentissent les mouvements de l'estomac et de l'intestin, tandis que les seconds ralentissent les mouvements du cœur et accélèrent ceux du système digestif. Idéalement et abstraitement, les actions antagonistes des deux systèmes ortho- et parasympathique s'équilibrent. Pratiquement et concrètement, l'un des deux prédomine et le tempérament est un effet du léger déséquilibre initial et constant en faveur de l'un ou de l'autre système. Là où les vaisseaux sanguins sont dilatés, où le cœur bat à un rythme accéléré, où le système digestif est moins exigeant, on a affaire à une dominante sympathicotonique, à un tempérament de dépense, dans le cas contraire à une dominante vagotonique, à un tempérament d'épargne. Celui-là vit au-dessus de ses revenus, celui-ci au-dessous. L'un a toujours trop d'énergie, il est entreprenant, infatigable, l'échec l'excite à rebondir; l'autre est vite à bout de forces, s'occupe à récupérer, les insuccès répétés le replient sur lui-même et il laisse à de plus endurants le soin de prendre des initiatives. Advenant la capacité de se libérer des atavismes politiques, il y a des chances pour que le premier soit libéral et le second conservateur — pas au sens, évidemment, de nos partis rouge et bleu d'il y a quelques années.

S'il est vrai que, à la différence du caractère qui est acquis, le tempérament est donné, on voit que le nombre de ceux qui, par la faveur d'une éducation exceptionnelle et d'une volonté tenace, en viendront à restructurer en profondeur leur constitution de base, sera extrêmement réduit. Les saints et les héros sont rares. Il suit de là une importante conclusion. Il ne serait pas juste de dire, comme on l'entend répéter en certains milieux, qu'aujourd'hui, il faut être de gauche. La vérité est que, aujourd'hui comme hier et comme demain, il faut être soi-même. *Ne forcez pas votre talent, vous ne feriez rien avec grâce.* Beaucoup de tempéraments d'épargne feraient bien, par besoin inconscient de surcompensation, de ne pas trop loucher vers la gauche, et de se rappeler que le pesant attelage qui tire le coche est sans doute aussi efficace que le cocher qui le fouette et que la mouche qui le harcèle. N'est pas à gauche qui veut! et la main droite est utile aussi peut-être? La société est un corps aux fonctions complémentaires. Deux yeux suffisent à diriger tout le corps dans l'espace; un petit nombre d'hommes dynamiques — la gauche au sens favorable — suffit à conduire une société dans l'existence. Les bons hommes de gauche, ardents, sincères, résistants, justes, courageux, créateurs, sont rares. Les hommes qui font l'histoire et dont l'histoire retient les noms sont, d'après les catégories popularisées par René Le Senne, des Passionnés, des Colériques, des Sanguins et des Nerveux; mais sans une masse de Flegmatiques, de Sentimentaux, d'Amorphes et d'Apathiques qui les admire et les suit, ceux-là s'entretueraient comme des taureaux furieux. Il y a peu de mâles dans un troupeau. Et peu de bons pasteurs.

Les types de civilisation

Chose étonnante à première vue, la distribution statistique des tempéraments d'épargne et des tempéraments de dépense n'est pas la même chez tous les peuples. Il existe des peuples où les tempéraments d'épargne sont plus nombreux et plus influents que les autres. Les peuples paysans figurent parmi ceux-là, et le nôtre était, jusqu'à il y a peu, presque exclusivement paysan. Sur la terre, l'homme doit se soumettre au rythme de la nature, des hivers et des étés, des pluies et des sécheresses, des abondances et des disettes; il faut durer, attendre, répéter les gestes ancestraux; «au pays de Québec, rien ne doit changer», peut se dire de tous les pays de cultivateurs. L'épargne y est une vertu, et l'avarice une tentation. Les paysans sont pacifiques, et votent contre la conscription. Leur agressivité se libère dans la chicane et l'esprit procédurier, leur effectivité dans les soirées de famille et les assemblées villageoises. Dans ces «peuples de la nature» (*Naturvölker*, comme disent les Allemands), il n'y a pas de place pour la gauche. C'est déjà assez ardu de subsister, que personne ne songe au changement.

Mais il y a des peuples où les tempéraments de dépense l'emportent: ainsi les chasseurs d'autrefois et les pasteurs-guerriers (et aujourd'hui les peuples belliqueux et les mercantiles). Ceux-là sont toujours en mouvement, ce sont des nomades, sans patrie, à la poursuite du gibier ou des verts pâturages. Agressifs par nécessité, ils vont toujours armés, prompts à la colère et à la vengeance, à la razzia et à la guerre d'escarmouches. Ils sont généreux, et ne s'alourdissent de rien, même pas de leurs morts. Du passé ils ne retiennent que les randonnées glorieuses et les exploits de leurs preux, modèles épiques et héroïques qui les projettent vers l'avenir. Parmi eux prévaut la morale de l'honneur et de l'excellence, l'esprit chevaleresque.

La rencontre des paysans et des pasteurs-chevaliers, qui caractérise la formation de presque tous les peuples historiques, a rarement abouti à une fusion. Mais les premiers ont tourné leur passivité active devant la nature en patience et en loyauté, et parfois en complexe d'infériorité. Les seconds ont exploité leur avantage et développé leur volonté d'excellence jusqu'au complexe de supériorité. Un peuple d'esclaves et un peuple de maîtres sont en rapport dialectiques à la recherche d'une synthèse longtemps différée ou, quand les circonstances s'y prêtent, à un renversement de la situation.

Nous sommes donc un cas d'espèce, et de nous en rendre compte peut nous guérir de la névrose collective qui nous inhiberait. Nous ne pouvions pas ne pas être traditionalistes et conservateurs, politiquement sujets et économiquement inférieurs. C'était une question de vie ou de mort. Et nous avons vécu, têtus comme nos ancêtres bretons. Et nous pouvons tourner nos malheurs en avantages. Le célèbre vieux dicton que rapporte Eschyle: «Il faut souffrir pour comprendre», fournit peut-être la clé de notre destin. Ayant souffert de notre sujétion séculaire et rêvé de grandeur nationale, nous sommes payés pour comprendre que nos traditions conservées jalousement peuvent servir de tremplin à l'élan créateur qui s'empare de notre jeunesse. La paléontologie n'a-t-elle pas érigé en loi de développement cette observation remarquable que ce sont les plus petits êtres et ceux dont le serment de vie intra-utérine et le segment de l'adolescence sont le plus longs qui ont l'avenir pour eux? Au lieu de dépenser leurs forces à s'accroître comme les immenses Sauriens du Secondaire, ils les conservent pour le développement de leur cerveau. Peut-être n'avons-nous été si lents à naître à la vie de l'intelligence que parce que nous étions réservés pour le siècle qui vient. Notre potentiel évolutif est peut-être incomparablement plus grand que celui des immenses empires qui s'entrechoquent et menacent de s'entre-détruire. L'avenir n'est pas à ceux qui renient leur passé, mais à ceux qui se souviennent et qui font confiance à la Vie. Que la gauche ne soit pas injuste pour cette admirable droite sans qui elle ne serait pas.

Les sexes

Voici un autre aspect de la question. En général, les femmes ont un tempérament d'épargne, et les hommes un tempérament de dépense. Chez les premières, du moins quand elles ne violentent pas la nature par souci esthétique, prédomine le tissu adipeux où s'engrangent les réserves dont la mère a besoin pour donner et conserver la vie. Chez les seconds, quand ils ne sont pas efféminés, prédomine le tissu musculaire. Elle est édifiée pour la vie et la paix, il est bâti pour la mort et la guerre. Des deux instincts de base, sexuel et agressif, l'un caractérise la femme et l'autre l'homme. Elle est spontanément favorable à l'évolution et lui à la révolution. Ils sont en rapport dialectique comme Vénus et Mars dans la légende gréco-romaine, et tendent à former le couple par excellence dans le mariage monogame et stable où, normalement, ils se modifient l'un l'autre pour le mieux.

Mais ici également un des sexes importe plus que l'autre en certains domaines. La femme est reine du foyer, l'homme est le maître de la maison et son représentant devant l'assemblée des notables de la cité. Mais il arrive que la fonction politique masculine soit désaffectée, et que la fonction maternelle soit envahissante. C'est assez ordinairement la situation dans les sociétés paysannes, où l'on a affaire à une sorte de matriarcat, entendu au sens large de culture dominée par les représentations et les institutions de caractère plutôt maternel. Si bien que, au contraire de ce qu'ont écrit plusieurs collaborateurs du numéro spécial de juin dernier du *Devoir* sur la femme, nous serions enclin, avec plus d'un observateur étranger, à croire que ce n'est pas le statut de la femme qui est inférieur chez nous, mais celui de l'homme. Nos femmes et nos mères font ce qu'elles ont à faire, mais les hommes n'ont pas encore eu l'opportunité de prendre toutes leurs responsabilités politiques. Les femmes sont à droite, les hommes sont à gauche, elles conservent la nature et la tradition, ils créent l'histoire. Encore faut-il que les circonstances s'y prêtent. Notre mâle vigueur n'a pas encore obtenu le plein emploi de ses puissances. Cependant, si notre civilisation traditionnelle est féminine, elle n'est pas efféminée. Du moins pas encore. Elle n'a sans doute pas besoin d'être martiale pour éviter d'être aphrodisiaque, mais les années qui viennent décideront entre la féminisation ou la virilisation de la culture. Il est impérieux qu'augmentent parmi nous les hommes forts et courageux, et que la force soit, autant que l'humilité et la douceur, considérée comme une vertu. Le royaume de Dieu est promis aux doux, mais il est dit aussi que ce sont les violents qui l'emportent. Le Seigneur donne sa paix, mais il avait dit auparavant qu'il n'était pas venu apporter la paix mais la guerre. La paix est une préparation à la guerre, et la guerre un moyen d'assurer une paix plus profonde et plus durable. La droite existe d'abord pour qu'ensuite émerge la gauche, et la gauche n'a pas d'autre sens que de créer de nouvelles valeurs qui seront conservées par une nouvelle droite. La femme est pour l'homme, afin qu'il ait la vie, et l'homme est pour la femme afin qu'elle ait la vie en abondance. *Animus* est intermédiaire entre deux formes d'*Anima*. La raison virile se situe entre la nature et la grâce, qui sont féminines. La famille est ordonnée à l'État, société parfaite en son ordre, et l'État est ordonné à l'Église, société parfaite en un ordre supérieur. Et l'Église est considérée par l'Écriture comme une Femme accueillante et féconde.

Puisse la droite comprendre qu'elle existe pour que la gauche émerge de son sein, et puisse la gauche réaliser concrètement qu'elle doit exister au plus tôt pour être dépassée au temps voulu. Qui nous enseignera l'Harmonie?

III

PHÉNOMÈNE HUMAIN

Un précédent article a suggéré quelques réflexions sur l'opposition dialectique de la gauche et de la droite en tant que phénomène naturel: c'est affaire, y était-il dit, de tempérament, de type de civilisation et de sexe. On va voir cette fois que c'est surtout un phénomène humain, et que c'est dans le contexte de ce que Karl Jaspers a appelé récemment «la raison et la déraison de notre temps» qu'il faut surtout l'analyser. La gauche se détache comme un jeune rameau sur le tronc d'une droite plus archaïque, et elle représente l'aspect proprement historique et novateur du phénomène, au lieu que la droite semble davantage une force de la nature répétant de façon cyclique les mêmes gestes récurrents. La gauche surgit lorsque les conditions sont remplies pour que la raison s'émancipe de la nature et inaugure son autonomie relative. Elle ne constitue pas à elle seule l'intelligentsia, mais elle est un élément essentiel de son aile marchante et un moment de sa formation.

Pour aider à la clarification du problème posé par la surrection de la gauche dans une civilisation traditionnelle comme la nôtre, on va considérer successivement sa position dans la structure de la cité ou de la nation, sa place dans l'histoire, et son dépassement idéal dans l'amour désintéressé de la vérité transhistorique et suprapolitique.

Structure de la Cité

Platon a magnifiquement exprimé dans la *République* l'idéal d'une montée de l'Homme, individuel et collectif, vers l'esprit. Il se représente la cité comme composée: à la base, de laboureurs et d'artisans; au-dessus, de gardiens de l'ordre et de défenseurs; au sommet, de gouverneurs. Cette structure reflète sans doute l'histoire ancienne des peuples de l'Orient méditerranéen, où des communautés rurales pacifiques de laboureurs et d'artisans ont été conquises par les pasteurs guerriers des steppes eurasiatiques, et n'ont atteint l'équilibre et la grande créativité culturelle que par l'avènement des législateurs et des sages, mais elle a une valeur universelle comme on va voir. Les gouverneurs sont en petit nombre, les gardiens plus nombreux, les laboureurs et les artisans forment la multitude. La multitude cherche le plaisir, les gardiens sont portés à la violence, les gouverneurs se portent à la Vérité. Pour qu'il y ait équilibre dans la cité, il faudrait que la multitude soit tempérante, que les gardiens soient courageux et que les gouverneurs soient prudents. L'ensemble de ces vertus morales constitue la justice. On a reconnu les quatre vertus cardinales de la morale classique. Mais, et ceci est encore plus admirable, Platon conçoit que cette image de la cité n'est autre que celle, agrandie, de l'individu. En sorte que l'individu équilibré et juste sera, à chaque niveau de l'échelle sociale, l'animal raisonnable qui maîtrise ses passions par la tempérance et son agressivité par la vertu de force, et qui cultive sa raison par la contemplation et la recherche assidue du Vrai, du Beau et du Bien. C'est à cette condition seulement, par l'effort de perfection de chacun de ses membres, que la cité terrestre imitera le plus possible la cité céleste qu'elle prépare et anticipe.

Cette structure se perpétue de la façon suivante. Platon imagine que les gardiens émergent de la multitude et que les gouverneurs sont choisis parmi les gardiens et longuement préparés à remplir dignement leur fonction. Contemplant durant de longues années la Vérité, ils deviennent eux-mêmes raisonnables, et ils communiquent par leurs discours et leurs décrets leur sens de la justice et de l'équilibre à la classe intermédiaire des gardiens, lesquels à leur tour s'occupent à tempérer et à rendre raisonnables les ardeurs de la multitude. En langage platonicien, la gauche serait donc constituée par les gardiens: ils sont agressifs et ont un goût inné pour la bagarre, mais ils sont dynamiques aussi et courageux, et susceptibles donc de maîtriser leur «colère» par la vertu de force, et c'est parmi eux que la cité choisit ses gouverneurs. Si la classe des laboureurs et des artisans est identifiée à ce que nous appelons aujourd'hui la droite conservatrice, on voit que l'apparition de la gauche marque un progrès, et on voit aussi que ce progrès doit être dépassé lui-même par ce qui est au-dessus de la droite et de la gauche.

On dira: c'est une Utopie, la Cité dans les nuages dont Aristophane a eu raison de s'amuser, c'est une synthèse de philosophie politique trop belle pour être vraie. Notre espèce n'est ni si raisonnable ni si vertueuse. Cette construction de l'esprit n'est en effet pas vraie d'une vérité d'expérience et d'observation. Pourtant, c'est dans la mesure où une vision du monde telle que celle-ci exerce de l'emprise sur les esprits et est acceptée au moins comme une approximation de la vérité normative qu'une société progresse avec sûreté et évite les dangereux récifs qui menacent de l'engloutir chaque fois qu'elle aborde des plages nouvelles et inexplorées. Or l'humanité contemporaine fait sous nos yeux une des mutations les plus spectaculaires de son histoire et, pour la première fois, le destin des collectivités particulières se décide en fonction explicite de la totalité de l'espèce mutante, c'est-à-dire, en définitive, des personnalités influentes qui l'infléchissent efficacement et que l'espèce doit mériter. C'est dans ce large contexte qu'il sied de placer notre débat local entre la gauche et la droite, tout notre futur, et notre engagement à chacun.

Développement concret de la raison

Un écueil menace notre gauche juvénile dès son surgissement, et c'est celui auquel a misérablement achoppé une part importante du XVIIIe siècle français: la tentation de se voir elle-même comme un en-soi, sans en-deçà dans la droite et sans au-delà dans la raison droite. Sous différents noms, cet écueil s'appelle rationalisme, illusion de la montée nécessaire de la raison, religion du progrès, de la science et de l'art, culte irrationnel de la déesse Raison dégénérant en adoration de Mars et de Vénus. Ce serait dommage que la gauche ne s'aperçût pas à temps du danger. Elle n'évitera ces naïvetés et ces turpitudes que par un surcroît d'esprit critique et une réflexion courageuse sur le développement concret de la raison, étroitement liée à une sensibilité intéressée et gauchie. Si l'on veut être cartésien à fond, on pratiquera un doute méthodique sur la valeur propre de la raison et sur ses conditions réelles d'exercice, et l'on se demandera, avec plus d'un historien de la culture, si ce n'est pas dans la mesure où une foi vivante, chrétienne ou non, exerce encore une poussée efficace sur les soubassements de la pensée et des institutions, que la raison a la possibilité d'étendre son empire. Quelques observations sur le développement dialectique de la raison concrète ne seront pas hors de propos.

En schématisant beaucoup, on pourrait dire qu'il y a, pour l'humanité, la nation et la personne, trois états ou trois époques de la raison: son état immergé où elle se déguise en nature, son état émergé où elle se dissocie, son état submergé où elle s'enlise par impuissance morale à résoudre les contradictions que la raison et la déraison ont sécrétées au sein de la culture. Nous omettons provisoirement de parler de son état subsumé où elle se dépasse dans l'esprit.

Le développement de chaque conscience est fonction de tous ses moments antérieurs et de toutes ses données actuelles, sous la dominance alternée de la sensibilité et de la raison. Quand nous étions enfants, nous étions à peu près tous de droite, réceptifs et acritiques; le moi ou le surmoi parental nous tenait lieu de raison; et si nous regimbions parfois sous les exigences de nos parents, nous étions si bien enveloppés d'ordinaire dans le courant de leur amour généreux qu'ils rassuraient notre inexpérience et maintenaient notre goût de vivre. Sur ce fond, solide malgré tout et plein de potentialités, notre adolescence a pu faire une ouverture à gauche, s'opposer quelque temps aux parents, aux maîtres et aux institutions, pour ensuite refondre personnellement ses habitudes et ses pensées, laisser tomber ce qui était puéril et commencer à conquérir un comportement et un raisonnement d'adulte. La maturité, qui est une réussite assez rare en somme, est l'heureux effet d'une continuelle refonte des matériaux anciens de la conscience enfantine et adolescente avec les matériaux nouveaux de l'expérience quotidienne. Mais il y a des fixations au paradis de l'enfance ou au désert de la puberté, et il y a des régressions à des stades normalement dépassés. La raison abdique ou échoue. L'intégrisme de la droite est un infantilisme, le progressisme de la gauche est un adolescentisme. Ni l'un ni l'autre ne sont des attitudes de maturité. Ils ne sont pas aussi raisonnables qu'ils le prétendent, car le cours de leurs pensées est perturbé par des barrages affectifs et des pentes agressives qu'aucune intervention lucide de la raison ne semble capable de canaliser de façon habituelle et coulante. Dans la plupart des cas, il s'agit moins de névroses et de psychoses, comme le pensait l'ancienne psychopathologie, que de scotoses (du grec *skotos*: obscurité) ou obnubilations de la raison, comme inclinent à le croire plusieurs chercheurs éminents de cette génération. Et la guérison des maladies mentales et des retards intellectuels ou affectifs sera plutôt l'effet d'une logothérapie que d'une classique psychothérapie. C'est en rendant les consciences vraiment raisonnables et non en donnant libre cours à des instincts refoulés qu'on espère les délivrer de l'angoisse de culpabilité qui les inhibe. Toutes les rationalisations de la licence sexuelle ou agressive sont irrationnelles. *La vérité vous délivrera.* Dans la proportion où le Canada français reste ouvert à la vérité, il n'est pas si complexé qu'on le répète de façon morbide: le seul fait qu'il avoue humblement ses déficiences et ses défaillances montre qu'il est déjà en train de s'en délivrer ou de les surmonter. Ce n'est pas le dogme du péché originel et l'habitude fréquente de la confession qui nous ont empêchés de réussir comme d'autres peuples, aux divers plans économique, politique et culturel. Notre heure n'était pas encore venue. Elle va sonner, il ne faudrait pas manquer le train, alanguis sur le quai par une sorte de neurasthénie collective.

Car le développement des groupes humains obéit à des lois analogues à celles de la vie individuelle. Il est bon qu'une culture croisse lentement, en serre chaude si le climat l'exige, petitement et sans éclat, à l'ombre d'une sagesse séculaire incontestée, sous le tégument protecteur de l'anonymat des peuples sans histoire. Les grandes civilisations sont fondées sur la terre, l'endurance des paysans, l'entêtement des humbles, et sur des siècles d'obscure patience. Beaucoup d'irrationnel, il est vrai, encrasse les rouages d'une civilisation traditionnelle comme celle-là, mais il ne peut apparaître que progressivement, à mesure que le peuple vit et qu'il grandit en nombre et en étendue, et c'est alors que la gauche surgira pour le dénoncer. Bien des civilisations sont figées à ce stade inférieur, et bien d'autres ont poussé trop vite et ont rétrogradé lamentablement. Rien ne nous assure que nous ferons bien la transition. Tous les passages sont difficiles. Il appartient à la gauche de se montrer judicieuse et attentive à tout le donné et pas seulement à des abstractions. Toutes choses égales d'ailleurs, l'édifice de la civilisation supérieure et urbaine montrera d'autant plus haut que plus large s'étendra dans l'espace et dans le temps la base des traditions qui font à l'homme une seconde nature, grâce à laquelle il peut impunément un jour se mettre en question. Avec ses quelques millions d'habitants et ses quelques siècles de préhistoire, le Canada français commence seulement à être en bonne position pour devenir pluriel sans péril. On n'oubliera pas que ce sont des monolithes qui se dressent à l'entrée des péristyles égyptiens. Le temple de la culture nouvelle alignera peu à peu ses colonnes, mais il ne subsistera que si l'on prend soin de consolider constamment ses fondations au lieu de les saper étourdiment. Les citadins d'Athènes se moquaient des paysans de Béotie, et ceux qui prononçaient *hippos* (cheval) ridiculisaient ceux qui articulaient *ikkos* (joual). Ce n'est pas ce qu'ils ont fait de mieux, et ce n'est pas ainsi qu'ils prouvaient leur supériorité. Que les citadins améliorent leur diction, ainsi que l'exige une société policée, mais qu'ils soient assez cultivés aussi pour admirer la saveur du parler paysan et l'accord avec la nature qu'il reflète. Nous n'avons pas tellement de génies que nous puissions nous payer le luxe de gaspiller notre terroir. Le mépris provoque toujours des nœuds dans les consciences intériorisées, et les nœuds finissent toujours par étouffer ceux qu'ils affectent, et c'est ainsi que les esprits légers et suffisants dérobent à la nation des énergies vitales dont elle ne peut se passer.

Enfin, le point où en est rendue l'humanité prise comme un tout influe fortement sur le développement national. Nous ne pouvons pas nous choisir comme si d'autres peuples avant nous n'avaient pas décidé de leur destin d'une certaine manière et n'avaient pas encore des visées plus ou moins impérialistes. Il existe des «modèles» pour les jeunes nations en effervescence et des supergroupements ennemis dans la civilisation planétaire en gestation, et il faudra bien nous engager de quelque manière. Nous scrutons les modèles et avons commencé à les débattre. Il y a le modèle séparatiste et autonomiste, le modèle confédératif, le modèle américain, il y a le Commonwealth, le Marché commun, l'Otan et l'Ouest en général, il y a aussi l'Est et le modèle marxiste, il y a l'Onu, et il y a le «modèle» des pays sous-développés et d'aucuns croient que nous en sommes; il y a le modèle, qualifié de médiéval ou de moyenâgeux selon les partis, d'une civilisation sacrale et théocratique, il y a le modèle grec de la démocratie, le modèle français du laïcisme, le modèle archaïque de la royauté sacrée, il y a le modèle d'une société primitive, tribale et sans classe sous le paternalisme de l'État totalitaire. Ces modèles ont déjà tellement d'histoire derrière eux qu'ils ne peuvent pas ne pas s'être salis en chemin. Aucun n'est pur, tous sont des mélanges de raison et de déraison. Il faudrait bien que nous nous en doutions un peu. Lequel choisirons-nous? ferons-nous notre choix aveuglément, par passion, et sans critique? Sommes-nous des hommes pour qui l'excellence de nos choix relève de l'évidence? Mais qui nous enseignera à choisir?

C'est le temps de revenir à Platon et à la cité céleste que contemplent les rois-philosophes, nos futurs gouverneurs.

Au-delà de la gauche et de la droite

Le drame de l'humanité présente et des jeunes nations comme la nôtre consiste en ce que nous n'avons pas ou ne savons pas reconnaître les sages qui nous aideraient à bien nous servir de notre droite et de notre gauche. Nous aurions besoin d'hommes capables de nous enseigner trois choses: que la droite et la gauche sont nécessaires ou en tout cas inévitables, que la gauche est en soi supérieure à la droite, mais qu'elle ne l'est en réalité que lorsqu'elle se soumet elle-même à la droite raison.

Tous les hommes — et pas seulement les artisans et les laboureurs, et pas seulement les Canadiens français — sont, en tant que masse, mus et ralentis à la fois par la force d'inertie des habitudes et des idées toutes faites du milieu où ils vivent. Un nombre rapidement croissant d'hommes et de femmes sont mus par une frénésie du changement, de l'accélération, de l'évolution forcée, par la conviction aussi que notre société sénile est incurable et ne peut être renouvelée que par un choc violent qui annule l'effet inhibiteur de ses scléroses. Telles sont les composantes de droite et de gauche du mouvement de l'humanité et des collectivités particulières. Il y a une troisième composante, la principale: elle comprend toutes les personnes qui rêvent pour tous, et qui travaillent à réaliser déjà pour ceux qui dépendent d'eux, une instruction et une éducation où ces composantes de droite et de gauche sont connues, à la fois comme appartenant à la sphère sensible et animale de l'homme et comme rationnellement utilisables pour le tracé de la courbe harmonieuse du mouvement propre de la raison humaine. La raison, en effet, a son *érôs* propre, son *nisus*, sa tension passionnée vers la vérité, et c'est elle qui devrait conduire l'attelage récalcitrant de la gauche et de la droite. C'est elle que les sages s'appliquent à encourager.

L'homme nouveau n'existe pas, ou il n'en existe que des ébauches grossières et contradictoires. L'extrême-droite pense qu'il sera assez semblable à l'homme de toujours et se dispense ainsi de se torturer les méninges pour le faire sortir tout armé de la tête de Jupiter. L'extrême-gauche le conçoit à son image et, peut-être à son insu, à l'image d'une collectivité contemporaine déjà décadente et bientôt submergée. Le dialogue entre ces extrémistes en est un de sourds: ils sont des éléments du dynamisme à rebours que la raison doit combattre pour maintenir en santé le corps social et améliorer son rendement.

Mais la droite et la gauche peuvent être conçues aussi comme les pôles d'une position moyenne entre lesquels les sages font la navette pour en assurer l'équilibre instable et dynamique. Les vrais sages sont souvent déconcertants pour tous les partis: ils ne sont ni si à sa droite ni si à sa gauche qu'on le souhaiterait. Dans une période de transition, où un déclin est tout autant possible qu'un progrès, une puissante intelligence, mue par un grand amour, peut fort bien choisir de mettre l'accent sur les idées et les institutions à sauvegarder et s'efforcer de mettre un cran d'arrêt à la dégringolade révolutionnaire dans laquelle le grand nombre des éléments dynamiques se laisse inconsidérablement entraîner. En période d'accalmie et d'inertie, ce même esprit consacrera peut-être ses énergies à secouer ses contemporains nantis et satisfaits. Il se peut qu'il soit conspué aussi bien par l'extrême-droite qui le trouve aventureux que par l'extrême-gauche qui le juge trop modéré. Mais c'est à lui que l'histoire, si elle a le temps de s'en occuper, donnera raison comme à un sage qui a surmonté, en lui-même d'abord, la trop souvent stérile opposition de la gauche et de la droite. Mais le jugement de l'histoire lui importe moins que celui de sa conscience et celui du jugement dernier. C'est pourquoi il se sent, se sait et se veut au-dessus des partis, mais aussi engagé qu'eux dans le combat spirituel, plus dur que la bataille d'hommes.

Beaucoup de sages sont discrets, et discrètes leurs interventions. *Anima* murmure un refrain qu'*Animus* n'est pas disposé à entendre. Le malheur est que d'autres parlent et sont écoutés. On saura bien un jour que les cœurs les plus libres ne sont pas toujours ceux qui parlent le plus de liberté. Plusieurs, peut-être, parmi ceux-là n'en parlent-ils tant que pour donner le change, ou pour se rassurer et tenter de se justifier à mesure que, la vie avançant, ils sentent passer sur eux le poids de leurs servitudes. Ils sont à plaindre, mais on ne les fera pas taire. Il faut que le scandale arrive, il faut qu'il y ait des hérésies. Pendant ce temps, il y a une sagesse authentique à l'œuvre chez les simples, d'obscures infirmières, des fonctionnaires inconnus et honnêtes héroïquement, des parents et des éducateurs dont personne ne parlera jamais ici-bas, et qui font plus pour l'avancement de notre milieu que d'autres, plus célèbres, qui dépensent leur énergie à écrire qu'il faut progresser, ce dont on se doutait bien, et que les autres devraient être plus parfaits et plus libres qu'ils ne sont, ce qui ne nous apprend pas grand-chose.

Si, dans les années qui viennent, se multiplient les esprits vraiment cultivés et vraiment libres engagés dans une production — artistique, littéraire, philosophique, scientifique, technique, commerciale, industrielle, politique, éducationnelle, morale, religieuse — qui soit le fruit d'un profond amour de l'homme, il est permis d'espérer que notre groupe occupera une place enviable dans le concert des nations indépendantes et adultes qui collaborent à l'avènement d'une société et d'une culture planétaires. Ces sages parmi nous seront des hommes et des femmes qui auront longuement travaillé à se réformer eux-mêmes avant de tenter de réformer les autres. *Toute âme qui s'élève élève le monde*, parce qu'elle a les yeux fixés sur la cité céleste sans laquelle la cité terrestre est, avec raison, proclamée absurde et déraisonnable. Nous sommes ainsi introduits au quatrième et dernier article de cette série, où une nouvelle dimension de la gauche et de la droite sera mesurée.

IV

PHÉNOMÈNE SPIRITUEL

Phénomène naturel et phénomène humain, la gauche est plus encore un phénomène spirituel: c'est ce qu'il nous reste à discuter. Une spiritualité est un mode de maîtrise de la matière par l'esprit. Il y a des spiritualités passives, d'autres actives, d'autres à la fois passives et actives. La gauche est une spiritualité d'action, une volonté de prise en charge de l'histoire, un refus de laisser les événements advenir sans les avoir prévus et planifiés. Or la planification suppose une hypothèse sur l'homme, une anthropologie: en l'espèce, l'hypothèse est celle d'un humanisme intramondain. C'est par où la gauche s'oppose à la spiritualité chrétienne qui prévalait jusqu'ici dans notre milieu. Car le disciple du Christ ressuscité croit que l'action la plus efficace jaillit de la passion: passion du Christ, passion de l'âme mystique, accueil inconditionné d'une volonté transcendante qui seule connaît le plan de l'univers. Au fond, c'est moins contre une droite conservatrice que la gauche se dresse, que contre la droite créatrice et recréatrice, dont l'Église, soumise à Jésus-Christ, est ici-bas le signe sensible et le sacrement efficace. Pour élucider la nature du conflit qui vient d'éclater et prévoir son déroulement, on considérera successivement quatre dimensions de l'histoire, autant de sens correspondants de l'Église, et quelques corollaires découlant de ces prémisses.

Dimensions de l'histoire

Le Canada français. Hier encore, nous étions un peuple caractérisé par l'absence presque complète de structures intermédiaires valables entre un régime de vie extérieure économiquement arriéré et un régime de vie intérieure spirituellement avancé. Peuple agricole sans grande industrie à nous, peuple conquis sans politique réellement indépendante, peuple de fidèles sans philosophie ni sciences et sans art original, nous avions cependant la religion la plus pure et la plus exigeante. Aussi longtemps que nous vivions en marge de la société industrielle moderne et de son indifférentisme religieux, et aussi longtemps que l'Angleterre était puissante et nous encore peu nombreux et sans classe moyenne entreprenante, nous éprouvions avec reconnaissance le bienfait que la religion supérieure nous apportait généreusement. L'esprit adhérait à la nature presque sans interposition de raison, et la religion allait de soi tout comme la nature. Nous ressemblions à l'enfant baptisé chez qui la vie de la grâce et des vertus théologales compose, sans la médiation d'une conscience personnelle, avec une sensibilité encore préhumaine. Mais l'industrie se développe, l'instruction se répand, l'Angleterre régresse, les ouvriers s'organisent, les artistes trouvent des débouchés, l'ordre politique se libère, l'Université s'ébranle: la raison, violemment, s'insère comme un coin entre le sens et l'esprit, distend les synergies jusque-là conjuguées et fait pencher la balance en faveur de l'exploration du sensible par la science et par l'art. Rétroactivement, une partie de notre peuple éprouve sa foi comme un frein à la joie de vivre, à la soif de connaître, à l'ivresse de la création artistique, à l'élan de l'action syndicale ou politique. Notre passé est réinterprété par la génération montante comme un étouffement systématique de la liberté: sous le signe de la crainte du péché, notre clergé nous a maintenus dans l'enfance, la servitude et la névrose. Une nouvelle spiritualité s'élabore, où les prêtres ne sont plus les directeurs uniques de la conscience nationale, une classe moyenne prend conscience de ses responsabilités dans des secteurs où le clergé exerçait autrefois une influence prépondérante, et des extrémistes souhaitent même éliminer complètement l'Église et le clergé, témoins attardés d'une époque révolue.

L'Occident. La maturité du laïcat est un signe que nous entrons dans la seconde période que traversent la plupart des sociétés historiques. Car l'homme est esprit, raison et nature; la religion est spirituelle, la culture est rationnelle, la civilisation est matérielle. À leur début, les sociétés sont lancées dans l'histoire par un principe spirituel et religieux qui domine toute l'activité, puis la raison, la culture, l'humanisme s'émancipent de la foi et de la religion pour vivre de leur vie propre, et, à la fin, la civilisation matérielle, positive et technique devient presque le seul dénominateur commun efficace. Ainsi, l'Occident a commencé sa carrière au cours de la période sacrale du Moyen Âge chrétien et autour de la papauté de Rome; il a pris à la Renaissance son tournant humaniste et séculier, et, depuis le milieu du XIXe siècle surtout, il est devenu consciemment matérialiste et résolument laïque. Si l'on en juge d'après les analyses de quelques-uns des principaux philosophes de l'histoire de ce siècle — Spengler, Toynbee, Sorokin, Dawson, Jaspers, Aron —, ces chutes de l'esprit à la raison et de la raison à la nature définissent le milieu et la fin des sociétés. Et le Canada français, pays de l'Occident chrétien déchristianisé, entre dans sa seconde période au moment où l'Occident achève sa troisième et où l'Église dissocie sa cause du sort des nations occidentales.

L'époque classique. Mais l'Occident qui achève sa course est lui-même un rebondissement de l'Antiquité gréco-romaine, et celle-ci est contemporaine des classiques hébreux, iraniens, indiens et chinois. Depuis environ le VIIe siècle avant Jésus-Christ jusque vers le IIIe siècle de notre ère, soit pendant à peu près un millénaire, sur la bordure méridionale de l'Eurasie, l'humanité a diversement pris une conscience réflexe d'elle-même, fondé des humanismes, réinterprété les traditions primitives, développé la raison et consigné par écrit des refontes exemplaires des symboles archaïques à la lumière de la pensée rationnelle et critique. Homère, Hésiode et les philosophes ioniens, Amos, Osée et Isaïe, Zoroastre et Bouddha, Confucius et Lao-Tseu ont vécu dans les premiers siècles de la période délimitée ci-dessus, et leurs œuvres ont la même signification: la connaissance de l'universel humain et la volonté d'unir tous les hommes par la science et la sagesse, la morale et la politique. Mais nulle part les rêves ne se sont réalisés, les cycles classiques anciens ont tous traversé, à peu près simultanément, les trois périodes qu'on a décrites à propos de l'Occident, et dans les premiers siècles de notre ère, ils étaient tous mûrs pour la dissolution sous les coups des Barbares de la même Eurasie qui menace encore aujourd'hui les civilisations du pourtour des steppes. Tout se passe comme si la raison avait pour fonction de connaître l'universel et de tenter de le réaliser, mais pour découvrir ainsi son impuissance et être invitée par là à faire appel à une force plus haute. Seul en tout cas ou presque (car il faudrait discuter le cas de l'Islam), l'Occident a vraiment connu un second cycle classique, grâce à l'infusion dans la culture grécoromaine du levain religieux du christianisme. Historiquement parlant, l'Église paraît être une institution qui prend la relève des empires, survit à leurs chutes successives et poursuit, à travers les décombres, le rêve d'unité qui hante le conscient et l'inconscient des hommes et qui est peut-être le moteur le plus puissant de l'histoire apparente.

L'histoire universelle. Les civilisations classiques sont elles-mêmes intermédiaires entre l'époque révolue des préhistoriques et l'époque prochaine d'une humanité politiquement et culturellement unifiée. L'humanité enfant, divisée en familles et en tribus, s'est achevée avec l'avènement des classiques et la participation des jeunes à la politique de grandeur des cités adverses. L'humanité adolescente s'achève sous nos yeux par ce qu'on espère être sa dernière crise de croissance. Les philosophes de l'histoire sont, en effet, à peu près d'accord pour penser que la crise que traverse présentement l'humanité n'est comparable qu'à celle qui a donné naissance au classicisme, il y a quelque deux mille cinq cents ans. L'histoire humaine apparaît désormais divisible en trois grandes époques assez nettement distinctes: la première continue et imite la nature sans bien savoir ce qui s'opère dans la suite monotone des générations; la deuxième est la plus proprement historique, consciente du mouvement spécifique de l'espèce mais affligée par la succession ininterrompue des genèses et des dégénérescences; la troisième tend à la constitution d'un organisme en paix avec lui-même, comprenant tous les hommes et récapitulant tout le passé. Le principal problème aujourd'hui est celui de la religion universelle, car il en faut une au moins pour lancer dans l'histoire l'organisme mondial. La religiosité primitive, spontanée, naturelle, liée au sang, à la famille, à la langue, laissant proliférer excessivement le sacré et s'étendre indûment la crainte, opposant les unes aux autres en des guerres fraticides des traditions spirituelles faites pour s'entendre, est devenue depuis longtemps insuffisante. D'autre part, la dialectique qui oppose et lie tout à la fois, au long de l'époque classique, la superstition et l'incrédulité, le péché par excès et le péché par défaut contre la vertu de religion, doit être surmontée: il faut désacraliser la nature et l'homme sans les profaner, et il faut les sanctifier sans abolir leur autonomie. Ce sera la tâche de la religion spirituelle et universelle. De même, en effet, que la raison a émergé à l'aurore des temps classiques pour tenter de résoudre les contradictions des traditions primitives, de même l'esprit est répandu dans le monde et prend la relève de la raison en la subsumant pour achever l'unification des hommes. Cet esprit est éminemment l'Esprit Saint, et il a été donné à l'Église universelle et catholique, et c'est il y a deux mille ans que l'Église a été semée en ce monde comme un grain de sénevé, afin qu'elle fût un grand arbre le jour où l'humanité, techniquement mûre, aurait besoin du supplément d'âme nécessaire à sa subsistance.

Sens de l'Église

Mais qu'est-ce que l'Église? On peut l'entendre en quatre sens différents qui correspondent aux dimensions de l'histoire qu'on vient de recenser. En un premier sens, elle est le principe religieux qui anime un certain nombre de sociétés modernes, comme l'Irlande, l'Espagne, la Bretagne, la Vendée et plusieurs pays d'Amérique, dont le Canada français. Elle joue en ce cas un rôle analogue à celui du protestantisme officiel aux États-Unis, de l'Islam au Proche-Orient et au Pakistan, du Bouddhisme en Asie, à cette différence près que les autres religions sont limitées par le principe national, impérial ou acosmique, tandis que le catholicisme authentique des petits peuples énumérés est une anticipation obscure de la religion qui convient à la culture et à la civilisation planétaires. Il reste qu'en cette acception, l'Église est à droite et négocie des concordats.

En un deuxième sens, l'Église est une institution historique en rapport dialectique avec la civilisation occidentale où elle s'est implantée tout d'abord. Apparemment, elle est inféodée au capitalisme bourgeois et elle s'est répandue grâce à l'impérialisme européen et américain, mais en fait elle est en guerre ouverte avec tous les régimes totalitaires et athées, et elle est réellement supranationale et suprapolitique. En ce sens, elle est à gauche, progressiste, renouvelant les structures, faisant déborder les cadres.

En un troisième sens, elle est un prolongement de la religion universaliste des prophètes qui a culminé dans le Prophète par excellence et qui s'est instituée dans l'apostolicité et la romanité. Le principe d'incarnation exigeait cette limitation apparente, qui n'est pas plus opposée à l'universalisme que ne l'a été la restriction volontaire que le Seigneur lui-même a imposée à sa mission en ne prêchant qu'aux brebis perdues de la maison d'Israël. Vue sous cet angle, l'Église est au-dessus de la droite et de la gauche.

En un quatrième sens, elle est la religion ouverte qu'a rencontrée Henri Bergson dans sa maturité, la seule capable de faire passer l'humanité et chaque homme à l'Existence authentique. En ce sens, anticipation ici-bas de la droite éternelle, elle est en butte aux persécutions des puissances qui prétendent retenir l'esprit captif en ce monde et qui sont des instruments, sans doute inconscients, de la gauche éternelle.

Corollaires

Des séquences historiques exposées tout à l'heure et des sens de l'Église qu'on vient de dire, découlent certaines conclusions que l'intelligence a pour fonction de dégager. Il faut comprendre l'intelligence comme un foyer de lumière d'autant plus éclairant que les rayons sont plus concentrés en un point focal exactement déterminé, et il convient de se rappeler que cette performance exige une grande puissance d'inattention aux éléments secondaires et d'intérêt passionné à tout ce qui est pertinent. La stupidité ou la bêtise est, au contraire, une incapacité ou un refus de regarder ce qu'il faut voir pour comprendre. Tâchons donc de porter notre attention sur quelques aspects essentiels de notre situation historique.

Le Canada français accède à la grande histoire au moment où l'humanité doit, sous peine de suicide, s'unifier dans la charité, charité que l'Église a seule les moyens de répandre à profusion. Cette nécessité, désormais vitale pour l'espèce, entraîne celle d'une éducation de l'humanisme intégral, l'intimation dès l'enfance de toutes les exigences de l'esprit. Ces exigences que l'enfant ne peut connaître que par autrui sont d'abord en lui comme un surmoi spirituel. Mais le surmoi est un ensemble d'affects et d'images qui, normalement, anticipe le comportement adulte mais qui, lorsque l'équilibre n'est pas établi entre la justice et la miséricorde, écrase le moi fragile et bloque sa liberté. L'éducation chrétienne, qui est l'éducation de «l'homme planétaire», est plus difficile que d'autres et exige davantage des éducateurs et des éduqués. Là où elle réussit, elle obtient des merveilles incomparables; ses échecs, par contre, peuvent être catastrophiques. Mais pour quelques-uns chez nous qui, en partie par leur faute et en partie par celle de leurs éducateurs insuffisamment chrétiens eux-mêmes (et non parce qu'ils sont chrétiens), ont été écrasés et aliénés, il y en a des multitudes qui ont trouvé la liberté spirituelle et la fidélité créatrice, et un plus grand nombre surgiront sans doute de la matrice féconde que l'Église a ensemencée en notre pays de la seule Parole authentiquement créatrice. Nous avons le droit de demander à nos psychiatres autant qu'à nos prêtres de ne pas juger de tous par l'état de ceux qu'ils accueillent dans leurs cliniques ou leurs confessionnaux. Et ne nous suffira-t-il pas, pour en aider un plus grand nombre à recevoir la liberté de l'esprit, de corriger par une insistance sur l'amour inventif et la vérité libératrice ce que l'accent mis sur la justice et le péché avait jusqu'ici d'un peu négatif? L'intelligence vive de notre milieu s'obtient par l'attention à tout ce qui peut sortir de grand de la situation que l'Église nous a faite, mais la stupidité s'entretient par l'attention hargneuse aux ratés et aux refoulements statistiquement prévisibles en tout milieu. Au reste, une recherche de psychologie collective établirait peut-être la loi de progression des troubles mentaux en fonction du recul de la confession sacramentelle, et une psychanalyse plus profonde que celle qu'on pratique en certains milieux montrerait probablement que c'est moins la sexualité et l'agressivité qui sont refoulées que le sens de Dieu et le sens du péché.

La conjoncture au sein de laquelle notre jeune pays essaie de devenir un peuple historique est extrêmement difficile, et elle exigera de nous un effort d'intelligence et de volonté presque surhumain. Nous entrons dans notre deuxième période alors que l'Occident dont nous sommes achève sa troisième. Or la situation spirituelle de l'Occident est avant tout celle créée par le positivisme, le matérialisme et le laïcisme de fin d'époque. Comprise comme séparation juridique de l'Église et de l'État, la *laïcité* est, dans une société pluraliste, légitime et bienfaisante. Compris comme un régime suffisant de la cité et de la conscience, le *laïcisme* est une maladie de la culture, laquelle est par lui précipitée vers sa fin. Nos laïcisants sauront-ils faire à temps la distinction, ou le voudront-ils? Se rendront-ils compte qu'ils risquent de copier servilement ce qu'il y a de moins valable dans les civilisations d'aujourd'hui: ce n'est pas parce qu'elles sont laïques que les sociétés modernes les plus évoluées sont à la tête du mouvement de l'histoire, mais c'est dans la mesure où le principe qui leur a donné naissance anime encore leurs éléments les plus dynamiques. Et il se trouve que ce principe est l'Église, religion de l'univers. Or l'Occident universaliste n'est que la répétition générale du rôle que l'Église s'apprête à jouer sur la scène internationale de la civilisation planétaire en mal d'enfantement. La combattre — je ne dis pas critiquer sainement les déviations qui gauchissent ses membres —, c'est contribuer à faire régresser l'humanité vers le chaos, vers des siècles obscurs autrement ténébreux que ne le furent ceux du Moyen Âge chrétien. La laïcisation est un projet à courte vue, car, à long terme, les peuples valent ce que valent les consciences religieuses et les institutions qui peinent à recoudre par-dessous le tissu lacéré des relations humaines trop humaines. Il y aura toujours des esprits à tendance laïque et athée ou agnostique, et il n'est pas question de les mettre en prison. Mais donner à tout un peuple, jeune encore et plein d'élan, l'idéal du laïcisme à outrance est une manifestation d'inculture, de ce que Jean-Baptiste Vico, le premier en date des grands philosophes de l'histoire, appelait la barbarie de la réflexion.

Une lecture de l'histoire ecclésiastique est possible où l'on ne retient que des événements et des institutions tels que l'inquisition et les autodafés, la scolastique décadente, l'affaire Galilée, la Rome papale d'Alexandre VI, le trafic des indulgences, la révocation de l'édit de Nantes, et où l'on considère le jansénisme comme un dogme de l'Église pour le lui reprocher! Cette caricature est une symbolisation morbide du rêve insensé d'une société spirituelle désincarnée où les hommes qui la composent et la signifient cesseraient d'être faillibles. Le miracle est que, malgré des écarts regrettables et des erreurs de tactique, l'Église soit en elle-même toujours pure et sans tache, ne pactisant jamais avec l'erreur, fidèle à la vérité et demandant à ses enfants de mourir pour elle. L'Église a partie liée avec tous les humanismes authentiques. Elle a sauvé la culture gréco-latine, annexé la Bible hébraïque, et c'est peut-être elle encore qui sauvera les trésors de l'Inde et de la Chine classiques, ceux des peuples primitifs, et la splendide recherche contemporaine. Il est radicalement faux qu'il y ait un conflit entre la science et la foi, et le prétendre est faire preuve d'inintelligence et de sottise. Il y a seulement conflit entre une attitude scientiste et une théologie de croyants aux prises avec des sciences dont les conclusions outrepassent les prémisses.

D'un autre côté, les croyants ne doivent pas s'identifier à la droite éternelle du Christ dont on a parlé ci-dessus, ni confondre les incroyants avec la gauche éternelle. La foi est un effet de la grâce du

Père attirant des libertés à Jésus-Christ, mais même les baptisés de naissance, qui renouvellent librement à l'âge d'homme les promesses de leur baptême, doivent travailler à leur salut avec crainte et tremblement, car ils ne sont sauvés qu'en espérance et ils ne le seront en fait que s'ils sont trouvés fidèles jusqu'à la fin. D'autre part, s'il faut tenir en même temps que Dieu veut efficacement le salut de tous les hommes et que le baptême est nécessaire au salut, il est certain aussi que «par un certain désir et souhait inconscient, tous sont ordonnés au Corps mystique du Rédempteur», et que, pour beaucoup qui ne peuvent connaître l'Église, le baptême de désir supplée au baptême d'eau. Il convient donc de nous affliger devant Dieu de ce que des baptisés de chez nous cessent de fréquenter les sacrements pour lesquels le baptême d'eau était une préparation; mais nous leur devons la charité de penser et d'agir comme s'ils étaient aussi authentiques que nous nous efforçons de l'être nous-mêmes, et d'espérer que le Sauveur les ramènera à résipiscence, et que notre nation, spirituellement favorisée à l'origine, retrouvera, approfondie, son unanimité d'antan. D'ici là, si Dieu nous fait cette nouvelle faveur, il faut organiser la coexistence pacifique, convaincus du reste que l'incroyance et l'agnosticisme peuvent être l'expression d'une foi qui se cherche, et que notre foi paresseuse ou pharisienne peuvent signifier une incroyance qui s'ignore.

Si étrange que cela paraisse à nos yeux de catholiques baptisés dès leur naissance, il y a une relation dialectique providentielle entre la foi et l'incrédulité. Nous sommes les témoins et les serviteurs inutiles de l'unique sauveur des hommes, et si notre témoignage et notre service sont sincères et authentiques, les incrédules connaîtront Jésus-Christ. Mais les non-chrétiens ou les chrétiens infidèles qui cherchent à tâtons le Dieu de leurs pères et ne trouvent pas en nous la joie rayonnante du Christ ressuscité, se détournent de nous comme de faux témoins, et l'humiliation que nous en avons peut être le moyen de nous ressourcer dans une foi plus véridique. En outre, il y a une réelle autonomie de l'art par rapport à la morale courante, des sciences par rapport à la philosophie, de la philosophie par rapport à la foi, et ce ne sont pas ceux qui disent Seigneur, Seigneur qui entreront dans le royaume des cieux, ni ceux qui recourent paresseusement à la providence et à la révélation, au lieu de se servir de leur raison là où elle est compétente, qui servent le mieux la cause de la justice et de la vérité. Les non-croyants, aux yeux de qui notre vie n'a pas la splendeur qui entraîne la conversion, ont donc un rôle positif à jouer dans l'histoire. Comme la question est délicate, voici quelques principes de discernement. Les intellectuels et les artistes de la gauche non chrétienne qui, au nom des vérités libres, prennent prétexte du nouveau savoir et de la nouvelle créativité pour se libérer de toute croyance et de toute norme de conduite, sont victimes d'une illusion plus ou moins entretenue, et ils sont blâmables dans la mesure où ils se cachent à eux-mêmes la vérité au nom de la sincérité. Et les fidèles de la droite, commis au devoir de la pensée et de l'action, qui, au nom de la vérité immuable, font obstacle au développement de la philosophie nouvelle, des sciences et des arts, de l'économie et de la finance, sont coupables d'ignorance et de paresse et en partie responsables de ce que les fils de ténèbres sont plus avisés que les fils de lumière. Mais les intellectuels et les artistes de la gauche qui, à la sueur de leur front, s'ingénient à inventer les modes de la pensée de demain et les formes de beauté qui révéleront l'invisible à la sensibilité de la prochaine génération, ont droit à l'admiration, au respect et à la gratitude de tous, quels que soient leur croyance et leur allégeance ou leur refus de tout engagement défini. Et les fidèles qui, malgré l'essor actuel des sciences, des techniques, des arts, continuent comme autrefois à croire ingénument en Dieu, en l'immortalité de l'âme, en Jésus-Christ et en son Église, et à se dévouer au salut du prochain, même si leur fidélité ne parvient pas à se formuler en un langage et un comportement renouvelés, ont un droit égal à l'admiration, au respect et à la reconnaissance de ceux qui pensent pouvoir prescinder de l'Esprit.

CONCLUSION

Il paraît maintenant possible de conclure cette série d'articles et d'aligner quelques règles plus générales de discernement sur la gauche et la droite. Premièrement: la droite, l'esprit conservateur, est une qualité chez tous ceux qui, n'étant pas doués pour inventer, acceptent les limites de leur talent et le font fructifier trente, soixante ou cent pour un; la gauche, l'esprit rénovateur, est une qualité chez ceux qui ont reçu un tempérament énergique et dynamique et qui se dépensent à faire évoluer leur milieu en respectant les personnes. Deuxièmement: la droite est un défaut si elle est un conservatisme possessif, en réaction contre toute réforme, comme si on était soi-même confirmé en grâce et les autres établis dans le péché; la gauche est un défaut si elle est révolutionnaire et partisane, plus soucieuse de dominer que de servir. Troisièmement: la gauche active est supérieure à la droite conservatrice qu'elle présuppose, mais la droite créatrice l'emporte sur la gauche laïcisante qui la persécute et qui remplace l'amour par la haine. Quatrièmement: la droite spirituelle est une attitude qui implique un dépassement personnel et jamais achevé de la gauche et de la droite naturelles ou historiques, et en même temps une familiarité de tous les instants avec l'Esprit, car c'est ainsi qu'elle est rendue compréhensive pour tout ce qui en elle s'oppose à l'esprit et pour tout ce qui hors d'elle s'oppose à elle-même, sachant que le Maître de l'histoire fait tout converger au bien de ceux qui l'aiment. C'est de cette manière et de cette manière seulement que la droite peut espérer inspirer à tout ce qu'il y a de noble dans la gauche le désir de se dépasser elle-même. Cinquièmement: la droite éternelle est l'objet et le terme d'un désir, naturel chez tous mais inconscient chez beaucoup, de voir Dieu face à face. Si les catholiques de cette province sont assez authentiques pour obtenir que la gauche, naissante et future, prenne conscience de ce désir et rêve de se dépasser dans un service désintéressé de la communauté des hommes, on peut être assuré que les générations prochaines transmettront à leurs enfants le souvenir d'un exemple admirable, opéré chez nous, de ce que le premier concile du Vatican appelle le miracle de l'Église. Sachant que cette merveille, le Christ ne l'opérera pas sans nous et que nous n'en serons pas les sujets sans lui, notre tâche est de nous y préparer par une contemplation assidue de la Cité de Dieu où il règne et d'où il envoie son Église vers la Cité des hommes comme messagère de paix et de charité. C'est dans la mesure où ceux qui habitent déjà en espérance dans la Cité de Dieu se rendent présents à la Cité des hommes, que celle-ci a le moyen d'inventer les structures qui la feront durer et qui aménageront l'espace spirituel où les âmes retrouveront le goût de Dieu et le désir de la droite éternelle.

Laïque, laïcité, laïcisme, laïcat[1]

I

LE SENS DU MOT LAÏQUE

Le mot laïque est morphologiquement intermédiaire entre l'adjectif désuet *lai* et le verbe *laïciser*, tout comme en grec ancien *laïkos* se situe à mi-chemin entre *laós* qui signifie peuple et *laïkoô* qui signifie rendre commun, désacraliser. Cette similitude structurale au plan morphologique et synchronique est fort instructive, car elle correspond, au plan historique et diachronique, à un parallélisme de développement sémantique: le premier terme de chaque série gravite dans un champ de significations religieuses, le second est mi-sacré et mi-profane, le troisième est décidément séculier. La première série déroule la suite de ses dérivations d'un bout à l'autre du cycle ancien — méditerranéen et gréco-romain — de l'histoire occidentale, la deuxième série épouse la succession des périodes du deuxième cycle: médiévale, moderne, contemporaine. Les mots ne planent donc pas dans un empyrée intemporel, mais leurs valeurs, sinon leurs sens, s'aperçoivent dans des contextes distincts et sont fonction de temps successifs. C'est pourquoi une étude de vocabulaire dont le mot *laïque* constitue actuellement le noyau peut être

1. Série d'articles parue dans *Relations*, XXIII, 265 (janvier 1963), p. 6-8; XXIII, 266 (février 1963), p. 30-32; XXIII, 267 (mars 1963), p. 59-61; XXIII, 268 (avril 1963), p. 87-90.

une contribution à la connaissance de notre temps et une introduction à l'analyse de quelques structures et tendances de notre société. Pour la commodité et l'agrément des lecteurs qui ne sont pas familiers avec les lexiques spéciaux où ces informations peuvent être cueillies, on a rassemblé ici les plus significatives d'entre elles et tâché de vérifier l'esquisse structurale et génétique proposée ci-dessus. Le caractère technique de tel ou tel paragraphe de l'exposé ne devrait rebuter personne de ceux qui sont intéressés à penser historiquement et à s'exprimer avec correction et propriété.

Histoire du mot grec ancien

Laïque est un adjectif où l'analyse discerne une racine *la-* et un suffixe *-ique*. La racine est une réduction d'un très ancien *lawa*, attesté en composition plus de mille ans avant J.-C. dans le grec égyptien, et qui signifie: peuple en armes, hommes de guerre, troupes en campagne, corps expéditionnaire. Homère l'emploie fréquemment en cette acception au singulier ou au pluriel sous une forme délestée de l'intervocalique: *laos*. En attique, aux Ve et IVe siècles, il signifie particulièrement l'ensemble des hommes en état de porter les armes et rassemblés à l'*Ecclésia* ou Assemblée du peuple pour délibérer surtout des opérations militaires en cours ou projetées.

Ces faits linguistiques procurent au logicien les ingrédients suivants du concept ancien: multitude, homme, guerre. Aperçu sous l'angle de la catégorie du nombre, le *laos* est un collectif qui est rendu par le singulier grammatical ou le pluriel; le mot est masculin et la collectivité en question est un groupe d'hommes à l'exclusion des femmes et des enfants; le rassemblement a une fin particulière qui est la guerre. De ces trois éléments les deux premiers sont faciles à entendre et n'exigent pas de commentaire, mais le troisième est moins familier aujourd'hui et appelle une explication. À date ancienne, toute guerre est une guerre sainte: les hommes combattent avec leurs dieux pour leur communauté locale d'autres dieux et d'autres fidèles. Et le service militaire ou la participation aux dépenses que les hostilités entraînent, tel l'armement d'une trière de combat, sont des fonctions sacrées, des *liturgies*, des services du peuple pour le peuple: tel est en effet le sens premier de ce mot que la langue religieuse a conservé et qui dérive de la même racine que *laos*. Le *laos* peut donc être défini: groupe d'hommes de guerre se portant religieusement à la défense de la communauté et de sa foi.

Laïkos a été formé au moyen du suffixe *-ikos* qui sert à exprimer l'appartenance à un groupe; est laïque, par conséquent, ce qui appartient au peuple en armes, au groupe des hommes de guerre. Le suffixe est grec, mais plusieurs indices laissent supposer que ce ne sont pas les Hellènes qui l'ont affixé au radical de *laos*. Car le mot est surtout connu par des papyrus égyptiens du IIIe siècle. Il est légitime d'en inférer qu'il a été créé par les Juifs de la diaspora. Un passage surtout mérite qu'on s'y arrête, car c'est avec un sens très sûr des possibilités immanentes du mot grec que les traducteurs alexandrins en ont infléchi le sens. Il s'agit de la demande que David, au cours d'un voyage qui se présente comme l'équivalent d'une expédition militaire, adresse au prêtre Ahimélek de lui donner les pains d'oblation. «Le prêtre répondit: Je n'ai pas de pain ordinaire ("laïque") sous la main, il n'y a que du pain consacré — pourvu que tes hommes se soient gardés de rapports avec les femmes.» (*1 S.* 21,5) David assure le prêtre que ses hommes sont en état de pureté rituelle et il obtient les pains consacrés. On peut faire ici trois remarques. Premièrement, l'usage de la Septante respecte le sens ancien du mot, puisqu'il est déterminé par le contexte d'une expédition guerrière. D'autre part, *laïkos* est infléchi dans le sens de ce qui est ordinaire, profane, populaire, par opposition à ce qui est sacré et réservé aux prêtres: cette spécialisation du mot était seulement virtuelle dans les emplois du grec archaïque et classique, qui n'était pas intéressé à rendre l'idée d'une opposition tranchée entre les laïques et les clercs. Enfin, troisième remarque, le peuple saint en campagne se soumet à la règle religieuse de la continence, qui lui permet de participer au pain consacré: prêtres et guerriers appartiennent donc à une même communauté nationale et religieuse, au sein de laquelle ils sont en rapports ou amicaux ou tendus mais où sont également et réciproquement reconnues leurs fonctions différentes et complémentaires. C'est avec cette signification que le mot passera dans le Code de Justinien où il figure à côté de *klèrikos*, clerc.

Il nous reste, pour achever cette esquisse de l'histoire ancienne du mot, à citer un passage du Deutéronome dans la version grecque d'Aquila, qui est du IIe siècle de notre ère et qui présente curieusement l'équivalent grec de notre mot *laïciser*. Il s'agit de la loi de la guerre sainte. Cela commence par une exhortation des prêtres: «Écoute, Israël, vous qui êtes aujourd'hui sur le point d'engager le combat contre vos ennemis, que votre cœur ne faiblisse pas! N'ayez ni crainte ni angoisse, et ne tremblez pas devant eux. Car Yahvé votre Dieu marche avec vous, pour combattre pour vous, contre vos ennemis, et vous sauver.» (*Deut.* 22,2-4) Après cela, les scribes enjoignent aux poltrons de retourner chez eux, de «se laïciser», de devenir des hommes ordinaires, indignes de s'engager dans la guerre sainte avec la bénédiction et l'encouragement des prêtres: «Qui a peur et sent mollir son courage? qu'il s'en aille et *retourne chez lui*, afin de ne pas faire fondre comme le sien le cœur de ses frères.» Le verbe *laïkoô* prend donc une valeur péjorative: il exprime une déchéance de l'ordre ou du niveau guerrier au niveau des hommes ordinaires, qui n'ont pas le courage d'être de bons soldats de Dieu. On notera en passant, en vue d'élucidations ultérieures, la structure tripartite de la communauté: prêtres, guerriers, autres; on entrevoit que la «laïcité» est une tension entre un ordre supérieur et un ordre inférieur et qu'elle implique la possibilité aussi bien d'une sanction que d'une désacralisation.

Histoire du mot en français

Au Moyen Âge, la langue du droit canonique translittéra le *laïkos* grec en *laïcus* latin. Mais la langue populaire eut vite fait de le défigurer: l'accent d'intensité de la première syllabe et la débilité naturelle de la finale concoururent à réduire le mot à *laï* ou lay (cf. anglais *layman*) Sous cette forme le mot est connu depuis le XIIe siècle: «Ne à laie justice les clercs ne liverra.» Villon exposera de même «prebstres et laiz», et encore en plein XVIIIe siècle Montesquieu emploiera l'expression archaïque de «cour laie» au sens de tribunal civil par opposition au tribunal ecclésiastique. La valeur juridique passe donc au premier plan, mais il convient de noter que la nuance guerrière n'est pas perdue. Car l'expression «moine lai» a pour sens: homme de guerre invalide que le roi plaçait dans une abbaye de nomination royale pour y être entretenu. Pas davantage l'aspect religieux n'est éliminé: un «frère lai» est un religieux qui n'est pas destiné aux ordres sacrés. Mais cette laïcité n'empêche pas les non-clercs d'être souvent de saintes personnes, comme en témoigne le savoureux Joinville à propos d'une personne du monde: «Oncques homme lay de nostre temps ne vesqui si saintement.»

Mais l'homonymie de l'adjectif *lai* avec *laid* entraînait au XVIe siècle des confusions fâcheuses et déplaisantes. À preuve, cette phrase de Des Périers: «La bonne femme, ne sachant que voulait dire un conseiller lai, entendit que ce dut être un conseiller laid.» Pour obvier à cet inconvénient et grâce au fait que *laicus* était encore d'emploi courant dans la langue latine du droit, on restitua la consonne finale au monosyllabe *lai*, qui devint *laïc* (Calvin: juges laïcs), et qu'on se mit assez tôt à écrire *laïque* aussi bien au masculin qu'au féminin. Les emplois relevés par les lexicologues font bien voir que l'adjectif sert à exprimer un jugement de valeur et non pas une constatation de fait ou une distinction juridique. Ainsi Bossuet lui imprime une valeur péjorative en parlant des «papes laïques des réformateurs», tandis que Voltaire le revendique avec fierté pour les «missionnaires laïques».

Il faut cependant attendre les environs de 1870, lors de la grande crise anticléricale, pour voir se généraliser les dérivés verbaux: *laïciser*, *laïcisation*, *laïcisme* et même *laïcat* et *laïcité*. *Laïcité* prend une valeur de neutralité juridique, mais *laïciser* signifie rendre laïque et, notamment, remplacer le personnel enseignant et hospitalier par un personnel non clérical, non religieux, non confessionnel, séculier. *Laïcisme* désigne une doctrine et un mouvement qui préconisent l'idéal laïque, la morale laïque, l'école laïque, et qui luttent pour cela contre l'Église et le clergé. *Laïcat*, lui, est réservé aux non-clercs catholiques en tant que groupe confessionnel plus ou moins engagé dans la lutte politique.

Dialectique du concept et de la chose

Sans majorer indûment les résultats de cette brève enquête que des recherches plus fouillées nuanceraient sans doute, il semble qu'on soit fondé à proposer les quelques conclusions provisoires suivantes.

Tout d'abord, malgré des variations dont le sens est prévisible et dont on va reparler, le concept de *laïque* garde un contenu constant, une structure permanente, une essence durable. Cette essence est dialectique, car le mot exprime fondamentalement et originellement la tension d'un groupe d'hommes entre deux communautés, existantes ou projetées, pour faire durer un mode de vie au détriment, si nécessaire, d'un autre qui paraît compromettre l'existence sentie précaire de celui-là. Cette tension était celle du *laos* primitif et elle est encore celle des mouvements laïques du XXe siècle. Exprimée abstraitement, l'essence visée par le concept et le mot *laïque* serait la *laïcité*, ou qualité propre aux laïcs comme tels et aux institutions qui dépendent d'eux comme aux idées dont ils dépendent. Il paraît aussi probable qu'on a là l'expression d'un aspect essentiel de la réalité humaine telle qu'elle est vécue historiquement. S'il en était autrement, il y a longtemps que le mot aurait été écarté, il n'aurait pas été capable de se prêter aux variations que nous lui voyons prendre. Il est donc sage de penser que le problème de la laïcité est en fait un mystère, une figure du drame de l'humanité en marche, où des communautés multiples travaillent à réaliser l'idée immanente d'une espèce qui ne parvient pas à se penser intégralement.

Ensuite, l'évolution grecque et française de cette famille de mots suit un cours identique: *laos*, *laïkos*, *laïkoô*, d'une part, *lai*, *laïque*, *laïciser* d'autre part, sont des séquences historiques dans lesquelles les termes successifs apparaissent à environ trois ou quatre siècles d'intervalle. Ensemble, ces séries semblent illustrer la loi qui veut que, dans le complexe historico-culturel où la religion est le principe de la culture et celle-ci le principe de la civilisation, ce soit d'abord la religion qui prédomine, puis la culture et enfin la civilisation séculière. *Laos* et *lai* ont ceci de commun à l'origine qu'ils désignent ou qualifient des membres d'une société dominée par la religion. L'idée de réduction à l'état laïque ou d'éviction du clergé n'est exprimée dans la langue vernaculaire qu'à la fin de chacune des deux histoires. *Laïkos* et *laïque* sont créés au milieu des cycles, et ils sont propres à exprimer la tension entre une adhérence sociologique à une communauté religieuse ou athée et une adhésion intellectuelle à des valeurs de foi ou de raison. Le processus de laïcisation a donc quelque chose de fatal à l'intérieur de chaque communauté historique, mais non pas de définitif.

Car, à côté du laïcisme, il y a le laïcat chrétien. Les groupes humains sont sans doute soumis pour une part à la loi d'entropie ou de dégradation de l'énergie: d'essentiellement religieuse et spirituelle qu'elle est tout d'abord, celle-ci finit par dégénérer en puissance technique et matérialiste. Mais il y a un inverse de l'entropie. Car, en même temps que l'énergie se dégrade et se disperse dans le système fermé d'une constellation particulière de personnes et de communautés, elle se concentre ailleurs et repart de plus belle, forte de toutes les réalisations antérieures, qui sont pour elle comme une neuve piste d'envol. Appelons syntropie cette plus noble forme de l'énergie spirituelle qui anime notre espèce. Il suit de là que la tendance laïcisante qui prend forme et se donne des institutions à la fin des petits et grands cycles historiques, est largement compensée par la tendance spiritualisante qui était déjà là, qui y sera toujours, et qui se prépare à reprendre avec d'autres groupes ce que la faiblesse des hommes les rend incapables d'achever en aucune collectivité particulière dont le métabolisme interne a commencé de floculer. Les hommes ont beau proclamer qu'il faut écraser l'infâme et éliminer l'opium du peuple, la religion renaît toujours de ses cendres de façon inattendue, par où est confondue la sagesse des sages de ce siècle qui avaient cru comprendre mieux que d'autres le sens de l'histoire et être en avance sur leur temps. Quand le laïcisme, exagérant une tendance normale, paraît devoir triompher, le laïcat s'éveille de sa torpeur et son apathie. Le premier a l'apparence du pouvoir et du futur et le gonflement du verbe, mais c'est le second qui possède la réalité de la puissance dans l'apparente indigence du Verbe incarné.

Ces quelques considérations, amenées par l'étude du vocabulaire, veulent être une introduction à des analyses plus détaillées portant sur la laïcité, le laïcisme et le laïcat.

II
L'ÉTAT ET LA LAÏCITÉ

La laïcité, le laïcisme et le laïcat sont trois aspects importants du problème actuel de notre société. Ils intéressent: le premier l'État, le second l'École, le troisième L'Église. Une introduction générale d'ordre linguistique et philologique annonçait quelques études particulières sur chacun de ces aspects. En voici la première, qui portera sur la laïcité. On fera voir d'abord comment la laïcité affecte en premier lieu l'État, puis comment l'État laïque est, à côté de l'École et de l'Église, un des trois organes essentiels de l'humanité intégrée, enfin comment l'État mondial et laïque, et l'Église catholique et sainte ont besoin l'un de l'autre pour exercer correctement leurs fonctions[1].

Qualité de l'État...

La laïcité est une qualité de ce qui est laïque. Cette qualité affecte un être, et cet être est avant tout l'État. Est laïque, en effet, ce qui appartient au *laos*, c'est-à-dire au groupe des hommes valides, entreprenants et courageux qui défendent l'être physique et promeuvent le bien-être matériel du Peuple. Le Peuple, au sens étymologique de multitude et au sens éthique de valeur, c'est la masse, la pluralité anonyme et faible qui accède grâce à l'État à un statut juridique favorable. La laïcité est donc la qualité par laquelle l'État est qualifié pour s'occuper de tout le côté naturel, séculier, temporel, profane, économique et politique du Peuple.

Or l'une des manières d'agir habituelles de l'État laïque consiste à administrer les affaires publiques sans tenir compte des opinions et des options religieuses de ses ressortissants. Incroyants et croyants, ou croyants de diverses confessions sont en principe égaux devant la loi et également éligibles aux charges publiques. La qualité de laïc est ainsi un principe intrinsèque à l'État, et c'est une qualité

1. On trouvera dans l'ouvrage collectif intitulé *La Laïcité*, publié en 1960 aux Presses universitaires de France, les principaux renseignements historiques et juridiques sur le problème de la laïcité dans la plupart des pays modernes.

non seulement au sens prédicamental du mot, mais encore au sens moral: c'est en vertu de sa nature d'organe du bien commun que l'État est ou tend à devenir non confessionnel. S'il est sectaire, c'est en vertu d'autre chose que la laïcité, et s'il est confessionnel, ce n'est pas en vertu de sa nature.

La laïcité est donc l'endroit dont la non-confessionnalité est l'envers, c'est le contenu positif d'une réalité qui apparaît d'abord comme négation d'une autre, qui lui était antérieure. Sous cet aspect négatif, on peut la caractériser comme un ensemble de dispositions juridiques destiné à sauvegarder l'autonomie de fonctionnement des institutions publiques contre les empiétements et les retours possibles d'un régime antérieur et vénérable de confessionnalité unanime.

Car si l'État n'est pas par essence confessionnel, il faut reconnaître que par accident il peut l'être et qu'en fait il l'a été le plus souvent. D'ordinaire, en effet, la confessionnalité a précédé la laïcité, qui est toute récente et qui est loin d'être établie partout. La confessionnalité est la règle dans les pays que domine l'Islam et dans les États protestants issus de la Réforme, où la religion officielle est celle du prince ou de la constitution. C'était aussi le cas des vieux empires méditerranéens astreints au culte impérial, et, malgré les apparences, il n'est pas exagéré de dire que c'est le cas de l'U.R.S.S. où se perpétue le césaropapisme de l'État byzantin. La pure essence de l'État a du mal à se dégager de la gangue où l'enserrait l'idéologie de la royauté sacrée et de la monarchie de droit divin de l'Ancien Monde et de l'Ancien Régime, dans lesquelles restaient indifférenciées des fonctions que la suite de l'histoire devait faire apparaître comme distinctes. C'est ce qu'il faut comprendre.

... corrélative...

Le développement des organismes ne se fait point au hasard, mais il est soumis à une structure triphasée qui impose à son cours une direction et un sens, et qui peut être décrite en trois mots: indifférenciation, différenciation, intégration. Dans une première phase, les vivants sont compacts, globaux, potentiels; dans une deuxième phase, des parties se distinguent, des différences s'accusent, des oppositions se dessinent, des spécialisations s'ébauchent; dans une troisième phase, il y a ou bien raidissement des oppositions et hypertrophie des différences, ou bien régression à la compacité première et confusion de ce qui avait été distingué, ou bien intégration dynamique des fonctions différenciées et spécialisées. Le terme idéal auquel tendent les organismes est évidemment l'intégration parfaite des parties dans l'unité d'une totalité vivante et progressive, et ce terme fait connaître aussi bien le chemin qui y conduit que les déviations qui en éloignent.

Le théorème général du développement peut être appliqué à l'humanité, moyennant une définition assez compréhensive de son être concret. Deux traits fondamentaux le cernent assez bien. D'une part, il est nature, raison et esprit, et sa nature, sol nourricier de sa raison et de sa liberté, est une capacité d'absolu, d'infini, de totalité, de transcendance spirituelle qui poursuit, par la médiation de la connaissance et de l'amour, la perfection de la raison et de l'esprit. D'autre part, cette capacité d'opération perfective est celle d'une espèce comprenant non pas un seul individu comme les espèces angéliques, mais un grand nombre d'hommes contemporains ou successifs, dont le destin est de constituer peu à peu, par production, échange, conservation et progrès cumulatif, un organisme unifié où la nature, la raison et l'esprit soient intégrés.

On peut dire la même chose plus techniquement en recourant au langage de la théologie trinitaire. L'humanité est une espèce de nature spirituelle à membres multiples en qui tendent à procéder une même vérité et un même amour. Elle est ainsi constituée par une triple relation: à la nature qu'elle couronne, à elle-même comme conscience en devenir et à Dieu comme terme dernier de son élan. Ces relations tendent chacune à une sorte d'autopossession et de libre donation de soi aux autres pour l'unité du tout au sein duquel elles se déploient. Elles acquièrent ainsi de plus en plus la capacité de subsister et de survivre aux individus en qui elles s'incarnent successivement. Elles sont donc des personnes, des personnes morales, douées d'une forme de conscience et de volonté empruntée aux personnes spirituelles qui les composent. Ces personnes morales sont trois, à l'imitation des personnes divines, et leur fonction est de rendre les personnes spirituelles capables d'accueillir la Trinité ici-bas et d'être accueillies par elle dans l'éternité de la présence. Elles s'appellent l'État, l'École, l'Église. Elles sont spécialisées dans l'exploitation, respectivement: de la nature, par le travail et la répartition équitable des biens; de l'intelligence, par la recherche et la communication de la vérité; de la liberté, par la maîtrise de soi et le rayonnement de la charité. Et elles imitent de ce fait le Père à qui est appropriée la création de la nature, le Verbe à qui est appropriée la révélation de la vérité salutaire, l'Esprit d'Amour à qui est approprié le don de la charité sanctifiante. Ainsi se trouve obtenue par l'action une et conjointe des divines personnes l'intégration dynamique de leur unitrinité dans la circumincession de leurs activités propres.

Les trois institutions de l'humanité adulte sont horizontalement autonomes et verticalement hétéronomes. Chacune a, en principe, les moyens d'atteindre ses fins propres, mais aucune ne peut les atteindre pratiquement que par sa collaboration avec les deux autres en vue de la fin suprême qui les dépasse toutes. Par exemple, l'État a besoin de l'École pour connaître la nature et de l'Église pour donner aux citoyens la force de vouloir le bien commun. L'École a besoin de l'État pour son équipement matériel, et de l'Église pour les normes spirituelles de sa pensée. L'Église a besoin de l'État pour maintenir la paix et la prospérité sans lesquelles la liberté est rare et difficile, et de l'École pour progresser dans l'intelligence de la foi au rythme du développement de l'homme et de sa maîtrise sur la nature.

Mais l'humanité n'est pas encore parvenue à sa phase d'intégration. Les différences se méconnaissent, les fonctions s'opposent, et la tendance de la partie à se prendre pour le tout est puissante. L'État voudrait subjuguer l'École et absorber l'Église, l'École voudrait abolir l'Église et réduire le rôle de l'État, l'Église voudrait faire de l'État un simple bras séculier et de l'École une simple servante. D'autre part, ni l'État ni l'École ni l'Église ne sont encore vraiment des institutions universelles. Nous sommes toujours dans la deuxième phase du développement des organismes. Les États s'opposent, les Écoles se disputent, les Églises sont séparées. Pourtant il n'y a qu'un Dieu, qu'une humanité, qu'une Nature, et, dans l'unique humanité, il y a une tendance à ce qu'il n'y ait qu'une religion, qu'une culture, qu'une civilisation. Pour s'intégrer, le monde a besoin que l'Église soit et qu'elle soit catholique, que l'École soit et qu'elle soit œcuménique, que l'État soit et qu'il soit mondial. Et il a besoin que ces trois soient un seul.

... à la catholicité de l'Église

C'est ce terme idéal — d'une part, autonomie horizontale et hétéronomie verticale, d'autre part, mondialité de l'État, œcuménicité de l'École, catholicité de l'Église — qui fait comprendre les étapes antérieures de l'histoire et la situation présente. L'humanité ne pouvait pas manifester dès le début l'Idée qui la traverse: les hommes étaient chacun intérieurement divisé, ennemi de son frère et même physiquement éloigné de lui sur la terre immense. Le rassemblement était rêvé par tous, mais empêché en chacun par l'impuissance où il était de connaître l'Idée à la fois immanente et transcendante qui l'habite, et, à supposer qu'il la connût, de consentir à sortir de soi et à accepter l'entrée des autres en lui. Le besoin sans doute vint au secours de l'intelligence et de la volonté déficientes, et l'humanité apprit à faire de nécessité vertu: on finit par se résigner à de plus vastes communions. Mais les choses violentes ne durent pas, l'unité extérieure sans l'unité intérieure à chacun est inopérante, la totalité sans le maintien des différences est une entrave. La royauté sacrée unifiait bien de grandes masses d'hommes, mais en elle la politique, la culture et la religion restaient confuses; elle cumulait les fonctions, ayant sous elle les travailleurs, les scribes et les prêtres. Il n'y avait pas d'intelligentsia indépendante, sûre de ses objets, de ses méthodes et de ses buts, ni de sacerdoce vraiment libre et capable de critiquer la mythologie de la royauté sacrée dont elle profitait et, dans cet imbroglio savamment entretenu, l'État n'était pas encore lui-même, organe dévoué au bien commun de tout le peuple confié à sa garde.

C'est alors qu'en Méditerranée, Rome, la Grèce et Israël se sont spécialisés dans la politique, la culture et la religion, que la théorie, spéculant sur la pratique, a commencé d'entrevoir leurs spécificités propres et leur complémentarité, et que la conversion de Constantin a rendu possibles une première application de l'Évangile et un premier essai d'intégration. La distinction commença à devenir réelle du domaine de César et du domaine de Dieu, de la compétence de la raison et de la compétence de la foi, et un désir d'unifier tous les ordres commença d'animer les esprits. De là et de là seul devait sortir, pour le bien de toute l'humanité, l'idée de l'État comme organe distinct du bien commun matériel, de l'École comme organe du bien commun intellectuel, et de l'Église comme organe du bien commun spirituel. Le Moyen Âge européen poussa plus avant cette idée, mais il était limité à un continent, et la découverte des autres devait provoquer l'effondrement de cette synthèse provisoire et exemplaire, le retour momentané à des structures inférieures et la libération anarchique des autonomies horizontales. Le monde est de nouveau en miettes et menacé par le feu, mais c'est peut-être dans ce four que sera cuit le pain de la nouvelle et peut-être définitive intégration de l'humanité. Nous sommes peut-être à la veille de voir de grandes choses.

Cependant, l'intégration ne se réalisera pas automatiquement, comme par un progrès nécessaire de la raison. Les esprits les plus avertis en Occident seront revenus de cette utopie. L'intégration sera l'œuvre des trois divines personnes, travaillant au moyen de l'État, de l'École et de l'Église, à faire du plus grand nombre d'hommes possible des instruments intelligents et libres pour l'exploitation accélérée de la nature, de la raison et de l'esprit en vue de l'achèvement de l'histoire. Il n'est pas dit que l'opération réussira et il est possible que la fin de l'histoire soit au-delà de l'histoire, et que le sens de l'histoire soit seulement de la signifier et de la poursuivre. Nous avons quand même le devoir de faire comme si elle devait réussir et comme si notre collaboration avec la Trinité avait une réelle efficacité sur le futur. Il faut pour cela que les parties cessent de se considérer comme le tout et qu'elles reconnaissent les autres comme complémentaires d'elles-mêmes. Voici trois principes susceptibles d'éclairer le jugement et de guider la réflexion concrète en vue des options locales qui prépareront, dans les groupes partiels, le passage à la limite.

L'autonomie, ou la laïcité de l'État, doit être considérée en dernière analyse comme un fruit de l'Évangile qui apprend à donner à César ce qui est à César et à Dieu ce qui est à Dieu, et de la théologie augustinienne qui distingue la Cité de Dieu et la Cité terrestre. Les conceptions politiques de l'Orient méditerranéen, au contraire, n'ont pu se départir de l'«aura» de divinité qui entourait le *Basileus*, et elles ont même reçu une espèce de justification par la voix d'un évêque de cour, Eusèbe de Césarée, à qui les largesses de l'Impérator ont un peu fait oublier sa théologie. *Mais si la laïcité est un produit de la chrétienté, si elle n'existe que là où l'Église a enseigné l'Évangile et la «politique tirée de l'Écriture Sainte», il n'est pas impensable que son sort soit lié à celui de l'Église catholique.* Il n'est peut-être possible de rendre longtemps à César ce qui lui appartient que là où un organisme indépendant de César enseigne à ses fidèles, qui sont aussi des citoyens, qu'il faut pareillement rendre à Dieu ce qui est à Dieu, et donne le moyen de mettre en pratique ce que l'on considère comme bien.

Inversement, dans une civilisation planétaire au moins, la laïcité, loin d'être en soi antireligieuse, est une qualité par laquelle l'État, en se limitant à régler les activités économiques et profanes, en admettant implicitement que la religion n'est pas de son ressort, se trouve à en favoriser la liberté et le rayonnement. *S'il est vrai que la catholicité est essentielle à la laïcité, il est probable aussi que la laïcité est une condition nécessaire de la catholicité pleine et entière de l'Église du Christ.* L'Évangile n'aura pas été prêché à toutes les nations, aussi longtemps qu'il y aura des religions d'État, sacrales ou séculières, qui imposent une foi ou une absence de foi à leurs sujets.

Il ne faut donc pas plus souhaiter une fusion et une confusion de l'Épée et de la Croix, qu'une séparation hostile du Sacerdoce et de l'Empire. *Il faut souhaiter que l'École serve de médiation entre l'État et l'Église, comme le Verbe entre le Père et l'Esprit.* Nous sommes conviés à la table de l'intelligence et de la sagesse. La paix est un fruit de la reconnaissance réciproque, de la réconciliation du ciel et de la terre, de Dieu et du Monde. En tant que la chose dépend de notre libre arbitre, c'est la culture intégralement humaine qui rendra possibles l'État mondial et la conversion à l'Église catholique. C'est par là que l'État est au dedans de nous, et l'Église aussi. Car l'École est une institution mixte et intermédiaire; ni exclusivement profane ni exclusivement sacrée, elle emprunte aux domaines inférieur de l'État et supérieur de l'Église, elle assure un va-et-vient continuel entre les ordres. C'est pourquoi la laïcité ne se pose pas de la même façon pour elle que pour l'État. Ce sera l'objet d'un prochain article.

III
L'ÉCOLE ET LE LAÏCISME

Il y a une essence, une vérité et une valeur du laïcisme qui, si elles sont comprises par ses adversaires comme par ses partisans, rendront moins probables les simplifications, les préjugés et les dépréciations abusives. Essentiellement, le laïcisme est un mouvement qui tend à universaliser la culture rationnelle; sa vérité consiste dans son adéquation virtuelle à une réalité que la raison désire mieux comprendre; sa valeur s'aperçoit dans le service qu'il rend à la communauté en contribuant à corriger un aspect de son déséquilibre. Mais le laïcisme peut être infidèle à son essence, populariser l'erreur et desservir des intérêts plus élevés. Telles sont les articulations maîtresses de cette analyse. La position adoptée n'est que superficiellement paradoxale. Car, d'une part, si l'Église condamne le laïcisme, elle conserve un grand respect pour la raison laïque, et, d'autre part, bien que le sens qui sera reconnu aux mots laïcisme et laïciser ne soit certifié ni par le lexique ni par l'usage, il nous semble mieux correspondre à l'idée que ces deux mots ont été contraints, dans des contextes polémiques, de convoyer d'une façon violente qui en faussait l'intention profonde.

L'essence du laïcisme

Sachant que le mot «peuple», apparenté au grec *polus* qui signifie «nombreux», désigne la multitude, et que le mot *laos* désigne le corps d'élite des défenseurs de la communauté, on peut dire que l'essence du laïcisme est d'être un mouvement qui tend à «laïciser» la culture, c'est-à-dire à généraliser dans le peuple le mode de sentir, de penser et d'agir qui était précédemment celui du *laos*. Il présuppose une différenciation de la société en classes supérieure et inférieure, et poursuit une intégration meilleure par la suppression des privilèges et la communication au plus grand nombre de la culture acquise par la classe jusque-là privilégiée. Il est ainsi contemporain de la démocratie et endosse comme elle les dépouilles de l'antique noblesse. La distinction des sociétés en Sauvages,

Barbares et Civilisées, proposée par certains préhistoriens, fera mieux comprendre le sens de ce mouvement.

Les primitifs sont pacifiques, ayant assez à faire de lutter contre la nature: ils habitent la forêt (*silva*), et c'est pourquoi on les appelle techniquement des Sauvages (*silvatici*). De la masse diffuse et informe des petites peuplades de Sauvages, se détachèrent un jour, dans les steppes, des sociétés plus vastes et plus ambitieuses, plus mobiles aussi et dont la guerre fut le métier et l'empire universel le rêve grandiose; en les appelant Barbares, on entend dire que l'instinct de défense et de domination les porte à asservir d'autres hommes, introduisant ainsi dans l'histoire la distinction des peuples de maîtres et des peuples d'esclaves. Mais les esclaves finirent par tourner leur servitude en maîtrise et par amener la classe supérieure des Barbares anoblis à tourner leur maîtrise en service: ainsi sont apparus les peuples Civilisés, de nouveau pacifiques et soucieux d'unifier un plus grand nombre d'hommes par le droit. Les Civilisés sont des habitants de la *polis* grecque et de la *civitas* romaine, et ils sont en principe adonnés à la Politique et à la Politesse, à la Civilisation et à la Civilité. L'excellence physique et guerrière cède la place à l'excellence intellectuelle et morale, pour laquelle tous peuvent rivaliser.

Dans cette perspective, il apparaît que le *laos* — le groupe primitif des hommes de guerre — qui n'avait été à l'origine qu'une mince portion de la société civilisée, est une dignité à laquelle tous désormais peuvent prétendre. La dynamique interne et le jeu dialectique des services rendus et des besoins réciproques amènent peu à peu tout le peuple à s'élever au niveau du *laos*, et le *laos* à faciliter à tout le peuple cette promotion. Quand cette double tendance devient consciente et effective, le laïcisme devient lui-même un mouvement historique et facteur d'histoire. Telle est l'essence du laïcisme.

La vérité du laïcisme

Une essence n'est ni vraie ni fausse: c'est une idée, peut-être un idéal, pas nécessairement une réalité. Mais le laïcisme a une vérité. Car un mouvement comme celui-là se définit d'abord par sa quête positive d'un surcroît de raison et sa volonté de faire reculer les frontières de l'irrationnel, et ensuite seulement par la négativité qui le porte à s'en prendre aux institutions et aux structures témoins de l'état de moindre rationalité de la société antérieure. La raison cherche à se désimpliquer du magma au creux duquel elle était auparavant confondue avec la nature, en même temps que freinée par les limites étroites des groupes humains adverses. L'École, c'est-à-dire l'organisation internationale de la pensée créatrice et conservatrice, cherche à exister en prenant une forme distincte en face de l'État et de l'Église qui l'ont devancée dans cette voie. Elle aspire à devenir une dimension organique et organisée de la conscience universelle ouverte sur tout le connaissable et le faisable. Et les hommes qui travaillent à élargir ainsi la conscience humaine, et dans la mesure où c'est à cela qu'ils travaillent, sont dans la vérité, et ce sont leurs adversaires qui sont dans l'erreur et victimes du mensonge. Sur ceux-ci, le laïcisme se voit obligé de porter un jugement d'inadéquation à tout un réel en puissance qui demande à naître. De sa nature, le mouvement n'est pas antireligieux, ni antichrétien, ni anticlérical. Il attaque les religions établies, le christianisme et les clercs comme le reste: dans la mesure où ils lui paraissent faire obstacle à un élan qu'il juge correctement orienté. Découvrant de vastes provinces du savoir encore inexplorées et que des gardiens de la vision du monde traditionnelle dédaignent, il se met en colère contre l'obscurantisme. Par accident, il peut même penser que les vérités nouvelles infirment les vérités anciennes. Mais cette erreur de fait n'enlève rien à cette vérité de principe que la raison est une puissance de connaître qu'aucun interdit ne peut museler. En cela réside la vérité du laïcisme.

La valeur du laïcisme

C'est à cause de cela que le laïcisme est, historiquement parlant, une valeur. C'est un produit de la faculté royale de l'homme: la raison. Il faut donc le comprendre dialectiquement avant de le juger dogmatiquement. Car il contribue à rééquilibrer une société où, par suite de circonstances historiques dont aucun contemporain n'est personnellement responsable plus que d'autres, des déséquilibres sont institués et menacent de s'éterniser. Car, on peut, contre la religion, pécher par excès autant que par défaut. La superstition n'est pas une vertu. Le surnaturalisme est la tentation d'une société sacrale, et il n'est pas plus sain que le naturalisme, qui est la tentation d'une société profane. L'excès de religiosité implique une dépréciation indue du profane, dont un petit nombre seulement éprouve tout d'abord l'injustice, mais qui finit par peser sur les épaules du grand nombre et par être généralement sentie comme intolérable. Et la réaction en sens contraire, prévisible, ne charrie pas que du mauvais dans ses flots tumultueux.

Car la révélation elle-même a besoin que la raison se conforme à ses propres principes et ne donne son assentiment qu'à l'évidence rationnelle, lorsqu'elle a saisi que toutes les conditions nécessaires à une affirmation sont remplies. Et, comme il faut constamment réviser la présentation de la foi pour éviter que les formules se vident de substance, reconnaissons que c'est la raison critique dedans la foi qui joue ce rôle. L'éveil de la raison critique chez nous est donc un signe de vitalité et une promesse de renouvellement. La collusion d'une foi unanime et d'un état national unilinguistique est probablement un accident de l'histoire et ne saurait être prise pour norme. On peut être fidèle à la devise que d'autres ont frappée pour nous, *Je me souviens*, sans se sentir obligé de canoniser une situation de fait dont certains éléments sont périmés. Or la possibilité de n'être pas astreint à l'enseignement catholique est un droit strict de la personne, et un catholique a, plus que d'autres, le devoir de le respecter. Il y a des moments où presque personne ne songe à se réclamer de ce droit, parce que le très grand nombre éprouve le bienfait de l'unanimité nationale et religieuse. Mais à notre époque, le laïcisme qui revendique ce droit contribue à la promotion d'un *laos* pacifique où chacun aura la possibilité de suivre les dictamens de sa raison, sans être rendu agressif par l'obligation où il est mis d'adhérer fût-ce à ce qu'un croyant est bien obligé de considérer comme la seule doctrine qui, non seulement enseigne la liberté de la foi, mais aussi donne le moyen d'être réellement libre.

Infidèle à son essence

Ce laïcisme-là est un idéal, et il est aussi difficile pour les laïcistes de bien laïciser que pour les bons chrétiens de bien christianiser. Le laïcisme est infidèle à son essence, premièrement, quand il ne «laïcise» pas et, secondement, quand il ne laïcise pas tout ce qu'il y a à laïciser. Laïciser, c'est généraliser dans le peuple le mode d'être et d'agir du *laos*; ne pas laïciser c'est, pour l'«élite», la classe favorisée, garder pour soi les avantages de sa culture et de sa civilisation, en jouir égoïstement, se constituer en aristocratie fermée et hautaine, abandonner le grand nombre à sa misère, utiliser la religion établie pour maintenir dans le peuple le sens de la «justice». Mais une supériorité n'est jamais concédée qu'en vue d'un plus haut service. Or les supériorités et infériorités qui existaient en Occident depuis des siècles sont bien près d'être nivelées, et le problème vient de se déplacer: c'est l'Occident comme un tout qui est sociologiquement supérieur au Tiers-Monde et moralement obligé de partager avec lui les biens dont il a le dépôt. Nous avons le devoir de «laïciser» le peuple immense de la terre que son retard économique infériorise. Si nous y manquons, nous nous enfermons dans une morale close, égoïste et pharisaïquement repliée sur sa «justice». Le laïcisme qui ne travaillerait pas avant tout à cela serait un témoin du passé et non un ferment d'avenir, il manquerait le tournant, croyant être en avance. Il penserait encore selon les idéaux d'un Occident maître du monde colonialisé et en même temps divisé en nations rivales et en classes ennemies — Clergé, Noblesse, Tiers-État, Peuple — dont il y aurait lieu de faire triompher l'une sur l'autre. Ce n'est pas l'Église qu'il faut combattre, c'est l'École qu'il faut libérer en passionnant les masses pour la Vérité — fût-ce contre l'État totalitaire ou politico-militaire et contre certaines gens d'Église. Le laïcisme vulgaire s'attarde à des querelle vaines et académiques.

Et il est à craindre qu'il n'ait pas souci de laïciser tout ce qu'il y a à laïciser. Ce qu'il faut généraliser dans le peuple de la civilisation planétaire, c'est tout l'ensemble des valeurs cultivées par le *laos*, et non seulement le secteur limité par où la raison revendique son autonomie en face d'une source supérieure de vérité. Or le *laos* est un corps d'élite d'hommes qui croient que la communauté humaine a le devoir de durer et de progresser, et que ce devoir sacré lui est intimé par une Autorité qui embrasse dans son amour non seulement les vivants mais aussi les morts, non seulement ceux qui profitent ou profiteront d'un meilleur standard de vie ici-bas, mais encore ceux qui souffrent pour la justice et ont souffert autrefois. Le *laos* antique prenait sur lui d'assurer la continuité avec la Patrie, les Pères et la Paternité. Cette foi vive et vivifiante est ce qu'il y a de meilleur dans le *laos*, dans la classe privilégiée de l'humanité présente, et ne pas la transmettre est une infidélité à l'essence du laïcisme. Les guerres pour lesquelles le *laos* antique partait en campagne étaient des guerres sacrées, où le Dieu de vérité combattait avec ses gens d'armes contre les idoles de mensonge. Des guerres laïques contre la religion lieraient un nœud de contradictions au cœur du *laos*, lequel alors, tôt ou tard, sombrerait dans la masse gyrovague qu'aucun absolu n'élève assez au-dessus des autres pour lui donner le moyen de redescendre avec des richesses que les autres n'auraient pas.

Insensible à l'erreur

Dans les universités, les instituts de recherche, qui sont les hauts lieux où s'exerce la combativité sublimée des modernes, Dieu est présent comme la vérité cachée dont le foyer attire les intelligences, ou à la façon dont un aimant invisible oriente la limaille éparse et donne sa structure au champ de forces qui gravitent autour de lui. On ne le voit pas, mais sans Lui, les hommes ne seraient pas si amoureusement tendus vers la parcelle de vérité — la précision d'une décimale — pour laquelle ils peinent pendant des années. Il n'est pas besoin qu'on parle beaucoup de Lui, dans le discours; c'est assez qu'on en parle en actes par cette tension au-delà des apparences. Les hommes de science ont la pudeur de leurs sentiments, et, pour tout dire, comme l'avait vu Nietzsche, de la foi qui les meut. Mais s'ils ne croyaient pas tant qu'au fond le réel est intégralement pensable, où trouveraient-ils la force et l'élan pour traverser les longs marais où, si longtemps parfois, leurs recherches s'enlisent dans l'impensable?

L'université n'a donc pas à être un sanctuaire où s'étalent les professions de foi expresses. Mais il n'en est pas de même aux niveaux inférieurs de l'École, et ici le laïcisme peut manquer de clairvoyance et accorder une prime à l'erreur. L'enfant et l'adolescent, parce qu'ils sont faibles et n'ont que rarement — dans leurs rêves et leurs jeux — le sentiment d'une possible toute-puissance personnelle, sont spontanément métaphysiciens et religieux. Ils se posent constamment les questions fondamentales et ultimes, et avec un sérieux qui montre bien qu'elles sont vitales pour eux. C'est de confiance dans la réalité totale que les jeunes ont besoin, quand ils ont commencé à goûter de l'arbre de vie. Ils ont besoin qu'une réponse soit donnée à leurs questions. Il est apaisant et stimulant à la fois pour les jeunes de savoir que, aux yeux de ceux sur qui ils appuient leur faiblesse, il y a quelque part une Connaissance, une Puissance, un Amour parfaits, une Durée sans fin, une Fidélité sans défaillance, et que tout cela a un Nom qui est au-dessus de tout nom qui se puisse nommer au ciel et sur la terre. Si on leur refuse cet aliment de l'intelligence, on les infantilise, on les frustre de ce qui est le plus capable de les faire grandir à la hauteur du monde d'aujourd'hui et de les sécuriser. Le monde moderne, qui tend à être de plus en plus athée à mesure qu'il se fait plus technique, est profondément névrosé et névrotisant: c'est en le dominant par un regard qui le voit comme Dieu le contemple et le veut, qu'on surmonte l'angoisse de n'en être apparemment qu'une partie fragile, fugace et éphémère dans un canton détourné de la nature. Il est certain que, mal présentée, l'idée de Dieu et des fins dernières peut être traumatisante. Mais pense-t-on que l'idée que peut-être il n'y a pas de Dieu n'est pas génératrice de névroses? On sait que Jung s'était spécialisé dans le traitement des hommes d'affaires qui, après avoir vécu comme si Dieu n'existait pas, tombent subitement, au milieu de la vie, dans de profonds états dépressifs. Leur psychisme était tronqué, et la pyramide de leur conscience, coupée à mi-hauteur, ne pointait plus vers son soleil. L'idée de Dieu, l'attention à sa présence, est rentable, et l'économie de la psyché ne peut s'en passer longtemps.

Mais beaucoup d'adultes ont, en cela et de nos jours surtout, plus d'illusions que les jeunes, ayant davantage par l'expérience et la technique, le sentiment de leur compétence. Ils pensent avoir assez domestiqué la nature pour ne plus dépendre de quelqu'un d'autre qui l'aurait faite. Ils prennent tout pour accordé et ne se posent pas les questions fondamentales. S'ils sont longtemps sans être frappés par la maladie ou l'infortune, leur attention se limite au champ étroit de leurs intérêts et de leurs succès, ils ne retiennent de leur passé que le peu qu'ils doivent à leur initiative individuelle, et ils restent inattentifs à l'innombrable enchaînement de circonstances favorables indépendantes de leur volonté qui ont fait qu'ils sont ce qu'ils sont — pour quelque temps encore — et ils évitent de prévoir l'avenir. L'instinct métaphysique est en sommeil. Et s'ils s'en trouvent bien et si leur agressivité mal contrôlée les incline à tenter de justifier leur attitude en la généralisant, alors ils veulent que leurs enfants soient comme eux, libérés de toute inquiétude religieuse, de tout sentiment de culpabilité, et que les enfants des autres soient pareillement «libérés». Ils cherchent à généraliser dans le peuple non pas ce qu'il y avait de noble dans le *laos* antique — le dévouement jusqu'à la mort au bien de la communauté humaine —, mais la composante la plus triviale, l'individualisme jouisseur et barbare.

Insouciant des valeurs supérieures

On comprend alors pourquoi le laïcisme vulgaire, inconscient de sa propre visée, soit si étriqué et si superficiel. Sa conscience est sans épaisseur, il ne se doute pas que l'homme passe l'homme et que notre condition existentielle est plus chargée de densité ontologique que la définition formelle de l'homme comme animal raisonnable ne le laisse supposer. Au lieu de travailler à favoriser l'humanisme intégral et le plein épanouissement de la raison — dont l'objet adéquat, la totalité de l'être, donne son sens et sa profondeur à l'objet proportionné, qui est la connaissance du monde sensible —, il décrète que la raison ne dépassera pas telles limites, qu'il y a des questions qu'on cessera de se poser et qu'on interdira de poser aux enfants et aux adolescents. Il devient ainsi, contre son intention profonde, plus retardataire que ceux à qui il reproche de l'être.

S'il découvrait son essence, sa vérité, sa valeur, il décuplerait le fruit de son action. L'École, pour laquelle il combat, est intermédiaire entre l'État mondial et l'Église catholique, entre l'organisation de la Nature et l'organisme de l'Esprit. Nous sommes à une époque où il faut exploiter à fond toutes les potentialités du réel: de la nature, de la raison et de l'esprit. Si le laïcisme prenait conscience de ses obligations vis-à-vis de la raison en même temps que de l'existence à côté de lui de sociétés qui ont des obligations complémentaires, il s'apercevrait qu'il n'a pas de plus fidèle alliée que l'Église de Jésus-Christ. Qu'il cesse de perdre son temps à lutter petitement contre le cléricalisme — que tous les hommes sensés réprouvent. Qu'il se mette à chercher la vérité passionnément, comme les enfants, et la fin du cléricalisme lui sera donnée par surcroît. S'il redécouvre la charité et recommence à aimer les autres — même les clercs! — comme lui-même, il contribuera puissamment à délivrer dans notre milieu les puissances d'émerveillement qui font progresser la connaissance et la liberté.

Mais peut-être, en fait, le laïcisme est-il incapable d'être fidèle à son essence? Peut-être est-ce le laïcat qui est la riposte au défi du monde moderne? Peut-être le *laos* n'est-il au-dessus du peuple et ne descend-il vers lui par l'École où se communique le Verbe, que parce Dieu est au-dessus du *laos* et descend vers lui dans l'Église de son Fils où se communique l'Esprit? C'est ce qu'on tâchera de mieux saisir dans un prochain article.

IV

L'ÉGLISE ET LE LAÏCAT

Le radical laïc- reçoit les trois principaux suffixes nominaux *-ité*, *-isme*, *-at*, qui expriment respectivement la qualité, le mouvement, l'état. La laïcité est une qualité de l'État non confessionnel, le laïcisme est un mouvement de l'École aristocratique, le laïcat est un genre de vie de l'Église militante. Il nous reste à soumettre à l'analyse cette dernière notion et à mettre en évidence les rapports qu'elle entretient avec les deux autres: il apparaîtra bientôt que la réalité qu'elle désigne est la riposte au défi que la laïcité et le laïcisme lancent à la religion. Fidèle à notre point de départ étymologique, nous montrerons successivement comment le laïcat est une promotion du *laos* antique, une sublimation de l'esprit guerrier et un haut lieu du combat spirituel.

Promotion du laos

La plus ancienne humanité semble bien avoir été pacifique. Faite d'une poussière de petites bandes de cueilleurs-chasseurs nomadisant, chacune sur un territoire immense qu'elle occupait en exclusivité, elle livrait au monde animal et à la nature une guerre harassante qui épuisait en peu d'années ses meilleurs sujets et leur enlevait d'ordinaire le temps et le goût de s'attaquer aux autres hommes. Mais depuis le Néolithique au moins, la pratique intense de la pêche, de l'agriculture et de l'élevage inaugura une première et importante différenciation parmi les hommes. Il y eut désormais ceux qui continuaient à vivre libres et besogneux dans le monde infini des steppes arides, parasites d'un gibier toujours plus rare, et ceux que la production de nourriture enrichissait et sécurisait. Parmi ceux-ci, les pasteurs de porcs, d'ovins et de bovins, puis d'ânes et de chevaux, durent apprendre à résister aux prédateurs, et c'est ainsi que certains d'entre eux devinrent des gardiens et des guerriers, à charge seulement pour les éleveurs-agriculteurs de les faire vivre pendant qu'eux-mêmes s'occuperaient de la défense du groupe. Cette disposition finit par être sanctionnée par un pacte sacré et un sacrifice, et des spécialistes du rituel furent chargés de célébrer périodiquement l'alliance et de veiller à l'adapter aux conditions nouvelles. Ainsi dut se constituer la grande famille des peuples de langue indo-européenne avec cette admirable structure trifonctionnelle que les travaux de Georges Dumézil ont si bien mise en lumière: au sommet, les prêtres; au milieu, les guerriers; au bas, les nourriciers.

Mais cette structure était idéale et elle ne pouvait régir les relations entre les membres des diverses fonctions qu'aussi longtemps que ceux qui étaient en situation de la maintenir devant les esprits — les prêtres — s'appliquaient à l'adapter aux circonstances changeantes, et que ceux qui devaient en bénéficier cultivaient les vertus propres de leur état. Difficile et précaire équilibre! En Inde et en Iran, avec le triomphe des brahmanes et des disciples de Zoroastre, les fonctions se durcirent en classes sociales et celles-ci en castes fermées; la caste sacerdotale confisqua à son profit la fonction guerrière et élabora la doctrine à certains égards ruineuse de la non-violence. À l'autre bout du monde indo-européen, la Germanie tendait au contraire à absorber la fonction sacerdotale dans la fonction guerrière, avec la force pour seule loi et le surhomme pour idéal. Entre ces extrêmes, la Russie soviétique officielle semble tenir au rêve marxiste d'une société sans classe et homogène, faite uniquement de travailleurs humanisant la nature et naturalisant l'humanité.

Cependant, la structure idéale, si bien fondée en nature, n'a pas cessé de solliciter la conscience de l'humanité historique. Dès l'antiquité, on la voit resurgir dans la *République* de Platon, qui conçoit la cité juste comme composée de gouverneurs, de gardiens et de laboureurs-artisans. Au IXe siècle de notre ère, c'est elle qui inspire Alfred le Grand quand il déclare: «Un roi a besoin d'hommes de prière, d'hommes de guerre et d'hommes de travail.» Et c'est encore à elle que se réfère ce prédicateur hargneux du XIVe siècle qui coiffe la formule d'une pointe maligne: «Dieu a fait les clercs, les chevaliers et les laboureurs, mais le démon a fait les bourgeois et les usuriers.» On sait enfin que l'Ancien Régime s'est achevé avec la dernière assemblée des États généraux, c'est-à-dire du Clergé, de la Noblesse et du Tiers-État. Pourtant l'idéal ne meurt point, et la période contemporaine est en train d'élaborer la formule peut-être définitive de la structure, désormais plus humaine que naturelle et plus divine qu'humaine: l'Église, l'École, l'État.

C'est ici qu'apparaît le rôle du laïcat chrétien. Car le XIXe siècle et la première moitié du XXe ont été occupés à dégager les pures essences de l'État et de l'École par le moyen de la laïcité et du laïcisme. Mais la question se pose maintenant de savoir jusqu'à quel point il est souhaitable de laïciser. N'est-il pas préférable de laisser ceux que cela regarde sanctifier de larges secteurs de l'existence pour qu'elle redevienne authentique? Le binôme du sacré et du profane peut-il sans danger être réduit à l'un de ses termes? Si l'Occident échoue à inventer la réponse, c'est toute l'humanité qui, pour longtemps peut-être, manquera de structure et sera livrée à l'anarchie. Le laïcat chrétien est ce qui peut apporter cette réponse.

Et la raison en est qu'il sera peut-être bientôt le seul à conserver l'indispensable esprit guerrier. En effet, la laïcité et le laïcisme semblent caresser un même espoir: il ne devrait pas y avoir de guerres, et surtout pas de guerres de religions. Tout irait mieux si la religion n'intervenait pas dans les structures de la cité et du savoir, et même dans celles de la conscience; un jour viendra où il n'y aura plus de clercs ni de religions, où le monde enfin rationnel sera délivré de toute aliénation et jouira d'une paix définitive. Mais l'humanitarisme qui incite de bons esprits à anticiper ainsi l'élimination de la guerre les force à se déprendre en même temps de toute attache au *laos* antique, au groupe des hommes d'armes qui se portaient à la défense de la communauté et de sa foi. Et comme ils envisagent une époque où la guerre ne sera plus, c'est à un temps où il n'y aura plus de laïcité ni de laïcisme qu'ils sont forcés de songer, s'interdisant par là de se penser et de se prévoir autrement qu'en se néantissant. Peut-être ont-ils raison, la laïcité de l'État mondial et le laïcisme de l'École marquant la fin des guerres nationales ou impériales et l'apaisement des conflits scolaires et idéologiques.

Pourtant il reste un résidu de vérité dans le *laos* préchrétien que le rêve de paix universelle, même réalisé, ne parviendra sans doute pas à entamer. Déboutée peut-être des relations politiques et culturelles, la guerre subsistera au fond des cœurs, et l'humanité aura encore à lutter contre la Puissance des ténèbres que saint Paul appelle fortement le dieu de ce siècle. C'est pourquoi, même dans une société planétaire régie par une même politique et protégée par une même police, il y aura place encore pour le laïcat chrétien, pour la promotion dernière du *laos* antique, la sublimation ultime de l'instinct guerrier, l'accomplissement de la violence.

Sublimation de l'esprit guerrier

Ce paradoxe d'une situation faite de paix et de guerre à la fois, de pacificateurs qui sont en même temps des trouble-fête, mérite considération. Il en est de l'humanité comme de tout vivant. De même que l'animal ne peut rester en vie que s'il se défend contre la constante déperdition de son énergie interne, et que l'homme qui cesse de chercher la vérité et de la faire est à la merci des forces de désagrégation qui l'habitent, ainsi l'humanité ne résiste aux puissances de mort que par la conscience du danger qu'elle court de perdre son âme si elle ne renouvelle pas ou ne laisse pas renouveler son énergie spirituelle. Or, si le rêve des laïcisants à outrance et des marxistes se réalisait, il n'y aurait plus de guerre ni de dialectique, plus de différence de potentiel, plus d'échange par conséquent au plan profond des intelligences et des libertés créatrices, mais une distribution homogène des biens de civilisation à laquelle pourvoirait un État omnipotent. Quoi qu'ils en aient, tôt ou tard, une des fonctions, et ce serait sans aucun doute la fonction nourricière, absorberait les deux autres, s'assujetissant d'abord l'École, puis, grâce à l'*engineering* monstrueux du conditionnement de la pensée par la propagande, endormant les intelligences et les volontés dans la pseudo-possession d'une fin de l'histoire qui ne peut être qu'un non-but décevant.

Mais cela ne sera pas, car les laïques chrétiens maintiennent et maintiendront de plus en plus la société planétaire en état d'alerte et sur pied de guerre. Ils l'empêcheront de s'affadir, et on ne pourra pas rester tranquilles avec eux. Ils entrent et ils entreront dans la littérature et dans l'art, dans la science et dans la philosophie, dans la technique et dans la politique, avec fracas ou sur la pointe des pieds selon leurs tempéraments, et ils poseront les questions ultimes qu'un civilisé ne peut éluder. Paradoxalement peut-être pour ceux dont l'horizon historique ne dépasse pas vers le passé la révolution française, et vers le futur la génération présente, la laïcité et le laïcisme ont besoin du laïcat pour être et pour demeurer des institutions d'histoire universelle. Car celui-ci a un sens trop aigu de l'essentielle hétéronomie verticale des trois personnes morales qui s'instituent au sein de la nature humaine historiquement déployée, pour permettre longtemps qu'aucune ne s'insularise ou n'asservisse les deux autres. Bien plus, il est assez au-dessus de ce qu'il y a de relatif dans sa vie religieuse elle-même pour se mettre courageusement au service, non seulement de l'Église et de sa catholicité, mais aussi de l'École et de son œcuménicité supra-nationale, ainsi que de l'État et de son ordination à l'ensemble de l'espèce laborieuse. C'est ainsi que, à temps et à contre-temps, le laïcat rend Dieu présent au peuple immense des hommes à qui ses jeunes autonomies horizontales montent à la tête et qui est tenté d'oublier son Seigneur et Maître.

Quelle est donc la force qui agit ainsi dans le cœur des laïcs croyants et militants? Comment la considération des mystères fondamentaux de l'existence ne les écrase-t-elle pas? Pourquoi, sachant que les rochers des hautes cimes dévalent sans cesse au fond des ravins, ne concluent-ils pas comme d'autres au mythe de Sisyphe et s'acharnent-ils à édifier la cathédrale du monde futur au sommet de la montagne? Pour le comprendre, il nous faut revenir sur un aspect de l'histoire que la section précédente avait réservé et qui trouve ici sa place. Nous voulons parler du progrès historique de la vertu, sur lequel les travaux de quelques brillants philologues ont jeté, ces dernières décades, une vive lumière.

Dans les sociétés de pasteurs nomades et de guerriers qui se formèrent au Néolithique en marge des agglomérations paysannes, la *ver-tu* était la force *vir*ile, le courage du héros, du beau gars aux pieds légers et aux muscles de bronze qui l'emportait sur ses rivaux dans la bataille comme dans la joute sportive et qui aspirait à l'excellence en toutes choses, à l'*arétè*; ainsi se sont formées les aristocraties indo-européennes et presque toutes les noblesses. Puis, après la fusion des Nordiques et des Méditerranéens, l'âge héroïque prit fin; alors les sages et les législateurs s'appliquèrent à convertir le courage guerrier en justice civique, la vertu de la noblesse en sens de l'équité et de l'égalité devant la loi. Cette vertu était en principe accessible à tous par l'éducation et la culture. Mais ceux qui possèdent la culture ne la communiquent pas toujours, et d'ordinaire le grand nombre n'est pas vertueux. Aussi, la cité prit fin à son tour, et le peuple devint une populace en proie aux démagogues. C'est alors que Platon, Aristote, les Stoïciens rêvèrent d'une nouvelle conversion de la puissance, et c'est depuis ce temps que les vertus intellectuelles de sagesse, d'intelligence, de science et tout l'empan des vertus morales figurent dans le vocabulaire philosophique. Malheureusement, l'absentéisme des hommes qui s'exerçaient à ces hautes vertus laissait le grand nombre sans guide dans le fatras des mythes et des magies. La tradition judéo-chrétienne prit alors la relève, et c'est à elle surtout que l'humanité présente doit la dernière et définitive conversion de la force, celle qui unit directement à la source de toute puissance par les vertus théologales de foi, d'espérance et de charité.

On comprend dès lors ce qu'est un laïc chrétien. C'est un homme qui possède dans la foi une réponse suprêmement intelligente aux problèmes fondamentaux de l'existence humaine, qui est par là délivré de l'angoisse d'avoir constamment à les reprendre à pied d'œuvre à partir de son seul *cogito*, et qui dispose ainsi d'une énergie qui manquera toujours aux sceptiques et à ceux qui ne sont pas sûrs de leur âme ni de Dieu. C'est un homme encore qui espère en l'homme parce qu'il espère en Celui qui a fait l'homme à son image, et parce qu'il sait que toutes nos humbles activités servent à un admirable dessein de salut et de parfaite connaissance au-delà du mode présent sous lequel la conscience s'éprouve, et que les fruits de nos labeurs ne seront pas engouffrés dans l'avenir abyssal d'une hypothétique société bienheureuse dont les membres devront bien mourir à leur tour. C'est un homme enfin qui s'abandonne aux prises et aux entreprises d'un Amour infini, dont il lui arrive de sentir la présence ineffable et qui le lance sur les chemins du monde pour Le faire connaître à ceux de ses frères à qui les humaines amours et aussi les déceptions en ont fait pressentir la douceur et la puissance. À cause de toute cette Lumière et de cette Vie qui l'habitent, il lutte sans défaillir contre les Ténèbres et la Mort.

Haut lieu du combat spirituel

Encore faut-il qu'il y ait des chrétiens et que les chrétiens s'engagent dans la milice du laïcat. Car nul n'est chrétien naturellement, mais il est donné à certains de le devenir par grâce. Et nul n'est prêtre par droit de naissance, il y faut une ordination singulière. Pareillement, on ne naît pas laïque, on le devient, ou plutôt on est mis en état de le devenir. C'est le Baptême qui fait que le mouvement des âmes converties à Dieu s'achève dans le Christ; c'est l'Ordre qui confère les pouvoirs du Seigneur sur son Corps eucharistique et mystique; c'est la Confirmation qui habilite les baptisés à être des laïcs d'Église au sein d'un monde séculier.

Mais si les signes sensibles que sont ces sacrements impriment nécessairement un caractère qui fait de ceux qui le reçoivent des participants à des degrés divers au Sacerdoce de Jésus-Christ, il est certain aussi qu'ils ne produisent leur effet dernier de grâce sanctifiante que chez ceux dont la foi vive est informée de charité et de componction. Les sacrements donnent la possibilité d'être fidèles, une réelle assurance que la grâce qui rend la vertu efficace est à la portée du croyant, mais la réalité de l'union au Christ et à sa Puissance dépend de la conversion constante de chacun. D'après cette théologie, on voit qu'un laïc est un soldat du Christ qui, vainqueur du ressentiment qui incline à rejeter sur autrui sa propre culpabilité, a décidé de porter la lutte d'abord contre les ennemis du bien qui sont en lui: l'avidité, l'ambition, la sensualité, l'orgueil, la colère. Un laïc chrétien est donc en premier lieu un homme engagé par la foi et par l'aveu dans le combat spirituel.

C'est par là surtout qu'il agit en ce monde et témoigne d'un autre. C'est à le voir honnête, fidèle, chaste, humble, patient, charitable, que les autres se posent des questions à son sujet et se demandent d'où lui vient la force d'être différent. Beaucoup pensent d'abord que c'est à la faveur d'un tempérament moins passionné et d'une éducation particulièrement heureuse qu'il doit l'aisance apparente de sa vertu et de son rayonnement discret. Mais avec le temps, les plus incrédules, même s'ils répugnent à en convenir, finissent par douter de toutes les explications réductrices: il y a une Force qui vient d'ailleurs, il y a un Amour qui fait de ces choses dans l'âme de ceux à qui il accorde de répondre à ses avances. Par contre, le laïc qui ne pratiquerait pas la vertu et ne serait pas fidèle à sa confirmation aurait beau faire retentir comme une cymbale le nom de Jésus, il ne serait pas écouté, parce que les autres sentiraient que ce n'est pas l'Amour de Dieu qui passe à travers Lui, mais l'amour de soi et l'agressivité contre autrui.

Les vrais laïcs, remplis de la Parole qui sort de la bouche de Dieu, débordent d'amour effectif. L'Action catholique, organisée ou non, est une redondance, le déversement d'un trop-plein, la mise au service de l'Église hiérarchique d'une énergie spirituelle en disponibilité. Le laïc qui a commencé d'acquérir la vertu sent d'instinct qu'il a le devoir de s'offrir au Christ et à l'Église. L'opinion courante et stupide qui croit voir une opposition radicale entre clercs et laïcs ne l'émeut pas, parce qu'il sait que ce n'est pas aux clercs comme tels qu'il soumet son action, mais à Jésus-Christ par le sacrement de l'Église, et que l'unique façon de rendre moins brûlants les frottements inévitables consiste pour l'homme de vertu, soit prêtre soit laïc, à triompher de sa suffisance mesquine. Comme le Christ lui-même, il apprend à obéir par la souffrance, et sachant par la foi qu'il ne sera jamais un homme de Dieu et un collaborateur de son Fils s'il ne consent à être un «serviteur souffrant», il profite des épreuves que lui infligent ses contacts avec des clercs plus imbus d'eux-mêmes que du Christ, pour devenir peu à peu obéissant jusqu'à la mort. C'est seulement lorsque la crainte angoissée d'un retranchement existentiel qui serait dépourvu de toute signification a été exorcisée et évacuée par des mortifications pénibles et salutaires, qu'un homme devient un instrument efficace entre les mains du Christ-Roi. C'est dire qu'on ne devient pas un laïc fervent et un militant d'Action catholique du jour au lendemain par la simple inscription au registre d'un mouvement dûment mandaté par l'autorité ecclésiastique. Le laïcat aussi a son noviciat, et les rigueurs de son ascèse ne le cèdent en rien aux épreuves par lesquelles la Providence achemine les candidats au sacerdoce ou à la vie religieuse vers leur maturité apostolique.

Ainsi vainqueur de la mort, le laïc ne perd pas courage même au milieu des pires persécutions — car il est persécuté un jour ou l'autre, parce que les gens du monde n'aiment pas ceux qui ne sont pas des leurs. Conscient de sa responsabilité envers le genre humain tout entier, il prend modèle sur l'Unique et ne se laisse ni décontenancer par le fait que les amis de Jésus sont un petit troupeau dispersé au milieu des loups, ni enorgueillir par la faveur qui lui est départie d'être un des porteurs de la Bonne Nouvelle du salut à un monde distrait qui pense n'en avoir pas besoin. Il a beaucoup de projets où il peine à faire avancer le Projet de son Seigneur, mais l'échec des siens ne le déprime pas, parce qu'il sait que la puissance de Dieu éclate dans la faiblesse de l'homme, et que l'échec apparent est souvent la matière d'un réel succès dans l'âme au moins de celui qui a couru le beau risque de ne réussir qu'aux yeux du Père qui voit dans le secret.

CONCLUSION

Ces considérations inactuelles ont paru de nature à éclairer la signification historique du laïcat et à encourager nos confirmés à être fidèles au sacrement qui fait d'eux des soldats de Jésus-Christ. En guise de conclusion générale, on aimera sans doute expliciter des corollaires d'intérêt plus immédiat. En voici quelques-uns.

Premièrement, il ne faudrait pas que les laïcs se résignent à la laïcité de l'État comme à un moindre mal, mais il convient qu'ils s'en réjouissent comme d'une condition favorable à la catholicité de l'Église et, s'ils sont doués pour y agir, ils ont le devoir de s'engager dans la politique et dans l'administration, pour y produire les effets admirables qui sont le propre des vertus civiques quand elles sont animées par les vertus théologales.

Deuxièmement, le laïcisme de l'École, qui ira vraisemblablement croissant, doit peiner les laïcs chrétiens à cause de cette essentielle ambiguïté que l'article précédent a mise en relief, mais non pas au point qu'ils refusent de contribuer à dépouiller le monde et la science de la fausse sacralité dont trop d'incroyants les affublent encore avec un splendide illogisme. Et qu'ils travaillent à rendre l'École, à tous ses niveaux, capable de former des esprits qui pensent planétairement et qui se préparent à agir dans un monde où l'Église, l'École et l'État devront s'essayer enfin à monologuer ensemble, à s'orienter vers l'unique *Logos*, la seule Parole en qui nous puissions nous entendre et que beaucoup adorent déjà sans en connaître le nom.

Troisièmement, il y a les sacrements et la technique, les merveilles de Dieu et les merveilles de l'homme. Les laïcs ne bouderont pas la technique, mais ils se convaincront que leur rôle propre consistera à rendre sensible l'extraordinaire efficacité des sacrements pour le progrès de l'humanité, en tous ceux, par exemple, chez qui le sentiment complexuel de culpabilité — qui ronge d'autant plus nos contemporains que l'Idée qu'ils se font de l'homme est plus sublime, tandis que les moyens pour la réaliser sont de plus en plus reconnus pour inadéquats — fait place à l'humble aveu de la culpabilité réelle, qui débloque les puissances d'agir comme aucune thérapeutique et aucune éducation «rationnelle» ne peuvent le faire.

Quatrièmement, les laïques seront prêts à utiliser tous les moyens modernes de diffusion afin que l'Évangile soit au plus tôt prêché à toutes les nations et à toutes les classes sociales. Mais ils se prémuniront aussi contre le scandale que la disparition probable et prochaine des dernières traces de chrétienté de type médiéval, et aussi la diminution du nombre des chrétiens par rapport à la masse de ceux qui ne le sont pas et dont la multitude, du moins actuellement, s'accroît proportionnellement plus vite, ne manqueront pas de provoquer chez eux qui avaient été habitués à vivre dans une société chrétienne et à entendre célébrer la marche triomphale de l'Église. Nos laïcs devront méditer les paraboles évangéliques du Royaume et s'efforcer de croire d'une foi plus vive que l'Église, qui peut être un grand arbre ou une ville en évidence au sommet d'un mont, peut aussi être ce ferment minuscule et invisible dans la pâte que son fondateur avait dit qu'elle serait. Aux yeux de beaucoup, l'Épouse du Christ va peut-être, pour quelque temps, passer dans la clandestinité et cacher sa beauté, et se retrouver, comme le pense le père Karl Rahner, dans une situation de Diaspora. On peut croire que les plus grandes choses du monde qui vient, dans l'ordre temporel comme dans l'ordre spirituel, seront dues directement à l'action de l'Église, mais il se peut que seules les âmes que la souffrance aura invitées à l'attention s'en aperçoivent et le trouvent admirable, et nous devrons peut-être nous passer de l'estime qu'on a coutume d'accorder aux institutions d'utilité publique. L'Église ayant appris aux hommes à instruire et à éduquer les enfants, à soigner les malades, à protéger les faibles, passera peut-être pour retardataire aux yeux de ceux qui, marchant sur ses brisées, s'attribueront le mérite de tout le bien accompli. Et l'heure est peut-être proche où ceux qui persécuteront les envoyés de Jésus-Christ penseront rendre gloire à Dieu.

Cinquièmement, il serait messéant et anachronique que le laïcat que nous espérons voir agir puissamment bientôt chez nous reproche à l'Église d'hier d'avoir été cléricale, puisqu'elle ne pouvait pas ne pas l'être, faute de monde qui s'opposât à elle, et parce que les laïcs étaient bien aises qu'elle le fût. Que nos hommes d'action et de pensée fassent plutôt en sorte que l'Église de demain soit rayonnante et qu'ils s'ingénient à lui donner plus de prêtres. Car c'est en favorisant les formes supérieures de participation au sacerdoce du Christ que le laïcat s'accomplit, et c'est en étant activement intermédiaire entre les clercs et la masse qu'il accomplit le *laos* antique. Celui-ci est désormais, du moins en principe, différencié sous la triple forme de la laïcité de l'État, du laïcisme de l'École et du laïcat de l'Église. S'il est vrai que sans ce dernier les deux autres ne peuvent éviter d'être infidèles à leur essence, il est également certain que sans le clergé le laïcat est absolument incapable d'être fidèle à sa sublime vocation. Nous terminerons donc par un souhait qui est une prière: que le même Seigneur qui appelle les uns au Sacerdoce, d'autres à l'Action catholique, et qui permet que des masses innombrables travaillent à leur salut dans un monde laïcisé, accorde à tous d'être trouvés fidèles au Jour de son dernier avènement.

III

LE RELIGIOLOGUE

Dans les années 1960, s'effectue un passage de la théorie de l'histoire à l'histoire des religions ou religiologie. Les articles retenus ici réflètent ces déplacements d'accent. Les trois premiers se préoccupent davantage de questions d'Église, et particulièrement de l'Église postconciliaire; les suivants, de religiologie; les derniers donnent indirectement un aperçu de l'idéal qui a animé leur auteur.

«Le sacerdoce et le sacré» introduit à une conception dynamique des rapports entre ces termes. Plutôt que deux sphères distinctes, sinon opposées, il s'agit de les comprendre génétiquement. Antérieurement au sacré, il y a l'expérience du «saint»; cette expérience se cristallise en un objet qui la rappelle et la fait durer. À la longue toutefois, le sacré a tendance à proliférer, si bien qu'il devient nécessaire que des objets sacrés soient «désécrés», c'est-à-dire rendus au profane légitime. De cette façon, d'expériences nouvelles du saint peuvent jaillir de nouvelles cristallisations.

«Je vous précéderai en Galilée», dit Jésus à ses disciples. Mais par là, selon cette Méditation, il ne veut pas d'abord dire qu'il sera là avant eux, mais bien qu'il passe devant eux pour montrer le chemin. Et ce chemin, c'est celui de la Galilée des nations, c'est-à-dire le monde, dans lequel l'Église est appelée à s'engager.

Le christianisme décline, dit-on... Raymond Bourgault s'emploie à mettre en place des catégories plus complexes. Il y a eu différentes figures de l'Église au cours des siècles: la communauté apostolique, le christianisme des Pères, la chrétienté médiévale... mais au-delà, il y a une essence qui préside à ces formes, la christianité[1]. De plus, une nouvelle figure est en train de naître, le

1. Dans des articles ultérieurs (voir «L'expérience spirituelle dans le bouddhisme et le zen»), R. Bourgault parlera de «christité» pour désigner l'essence du christianisme et emploiera le terme «christianité» pour désigner la figure de l'âge apostolique.

«christisme». Si bien que ce à quoi nous assistons est davantage une «dé-chrétientéisation», laquelle est nécessaire en vue de permettre à cette autre figure, plus universelle, de se constituer.

Le court article sur l'enseignement de la religion est important, car il présente concrètement le déplacement de l'enseignement des sciences religieuses à l'histoire des religions. Rappelons que c'est ce déplacement qui a fait accepter, à la création de l'Université du Québec à Montréal, la présence d'un département consacré aux études religieuses.

L'article sur la définition de l'homme en religiologie constitue la contribution de l'auteur à un colloque de religiologie tenu à l'Université du Québec à Montréal, colloque où l'on tentait de définir une approche particulière dans les études en histoire des religions. De même, lors d'un colloque sur les religions populaires, l'auteur tente de clarifier «La notion de merveilleux».

Quant à l'étude sur «L'expérience spirituelle dans le bouddhisme et le zen», il s'agit de la mise par écrit d'un enseignement donné à l'assemblée des religieuses contemplatives. Il est intéressant par les perspectives qu'il révèle et que livre l'Extrait retenu. À l'arrière-plan de cette présentation, se trouvent en effet les questions: quel sens a pour un chrétien l'étude d'autres religions? comment accueillir en christianisme l'apport d'autres religions?

Enfin, les trois derniers articles nous parlent davantage de la tâche ou de la vocation de chercheur. Comme nous l'avons signalé dans l'introduction générale, il existe trois types de chercheur: le chercheur spécialisé, le chercheur fondamental et ce chercheur de fondements à faire advenir... Mais le chercheur peut aussi devenir un maître, c'est-à-dire un maître à penser, un guide... Et enfin, ce chercheur est aussi un veilleur, quelqu'un qui sait intervenir sur la place publique, quand le besoin s'en fait sentir, comme en témoignent un certain nombre de lettres au *Devoir*, dont l'une parue en pleine Crise d'octobre.

Le sacerdoce et le sacré[1]

Bon nombre de prêtres ne savent plus bien ce qu'ils sont et ce qu'on veut qu'ils soient, les qualités jadis caractéristiques du sacerdoce font à plus d'un l'effet d'être des défauts, des anomalies ou des vices, et leurs fonctions paraissent archaïques ou même aberrantes. Pour remettre le sacerdoce en valeur, il faudrait, dans notre société qui se pense en termes de progrès et de laïcité, faire voir que le sacerdoce est moins primitif que fondamental et autant profane que sacré. On va s'y essayer ici en analysant quelques mots du vocabulaire qui concerne le prêtre.

Sacerdoce

Le français *sacerdoce* vient du latin *sacerdotium*, qui est le neutre correspondant au masculin *sacerdos*. Ce dernier comprend quatre éléments: *sacer-do-t-s*. La sifflante finale est une simple désinence de nominatif et n'ajoute rien au sens lexical du mot. Le *-t-*, qui au nominatif est fondu dans la sifflante qui suit, est un actualisant morphologiquement identique à la désinence de la troisième personne du singulier des verbes, et désigne celui qui effectue présentement l'action signifiée par les éléments lexicaux qui précèdent. La syllabe *-do-*, malgré les apparences, n'est pas de la même racine que celle du verbe qui signifie *donner*: elle est apparentée, non à *do*,

1. Article paru dans *Relations*, 316 (mai 1967), p. 133-136.

donner, mais à latin *facio* et grec *tithèmi*, dont la racine est *dhe/dho*, qui signifiait en indo-européen: poser quelque chose qui est destiné à durer. Enfin, *sacer-* résulte d'une transformation phonétique d'un plus ancien *sacro-*, qui joue ici le rôle d'un complément direct par rapport à la racine verbale qui suit. Le «*sacro-dhô-t-s*» est donc celui qui accomplit actuellement le geste (déclaratoire) de rendre une chose définitivement sacrée. Celui-là est un personnage officiel, un représentant de la collectivité remplissant une fonction que le groupe juge essentielle. Mais le mot ne désigne pas proprement un fonctionnaire: le «*sacrodhôts*» n'est pas préposé à un sacré préexistant à son acte, son acte est constitutif du sacré. Corrélativement, le sacerdoce originel n'est pas un état, mais quelque chose comme l'expression abstraite d'un acte accompli par un homme représentatif.

Le sacré

Quel est donc ce sacré en fonction duquel on a défini le sacerdoce? *Sacer* est un mot latin issu d'un plus ancien *sacros*, et il signifie ce qu'on ne peut toucher sans être souillé ou sans souiller, ce qui est intouchable, inviolable, interdit, tabou, soustrait à l'usage ordinaire. Pour comprendre le sens fondamental du mot, nous disposons de quelques parallèles indo-européens: hittite *sak-lai*, coutume, rite; gotique *sak-an*, tout ce qui se règle au moyen de formules; grec *hazomai*, avoir un respect religieux pour quelque chose, *hagios*, saint, *hagnos*, pur. En latin même, *sancio* est le verbe correspondant à l'adjectif *sacer*: il signifie rendre sacré, et en particulier établir solennellement comme une loi. *Sanctus* est le participe de ce verbe et signifiait primitivement rendu sacré, sanctionné. Le *sacramentum* est un dépôt fait aux dieux d'une certaine somme comme garantie de sa bonne foi ou de la bonté de sa cause dans un procès; le dépôt devait être accompagné d'un serment, et c'est le sens que le mot a fini par prendre en latin et dans son dérivé français; mais à côté de serment, le latin ecclésiastique restituera le doublet savant, sacrement.

Ce relevé permet de nouer en un faisceau les éléments suivants de la notion: *(1)* la croyance à l'existence d'une sphère privilégiée distincte du reste et dans laquelle quelque chose peut être introduit qui n'y était pas auparavant; *(2)* le caractère déclaratoire de cette introduction et le fait que cette détermination s'opère de façon rituelle et d'ordinaire officielle; *(3)* l'inviolabilité de ce qui reçoit ce qualificatif; *(4)* le respect que les membres du groupe sont invités à éprouver vis-à-vis tout ce qui a été ainsi qualifié; *(5)* l'impureté encourue par celui qui viole les interdits.

Le caractère fascinant et terrifiant qu'Otto, dans un livre célèbre, considère comme fondamental n'est peut-être pas essentiel à la notion latine et indo-européenne. Il n'y a pas tant à l'origine un sentiment du sacré qu'une volonté de consacrer. À date ancienne, le sacré n'est pas un nom mais un adjectif, non une substance obvie qui s'impose à l'expérience immédiate, mais une qualité que l'intelligence attribue à certaines choses et que la volonté décide devoir être respectée. Le sacré, si l'on veut en faire un nom, est moins un objet-agent, cause de sensation, qu'un objet-terme, produit d'intellection et de volition. Là où l'esprit n'intervient pas, il n'y a pas de sacré. À proprement parler, il n'y a donc pas de «hiérophanie»: le sacré n'est pas quelque chose qui se manifeste. La différence entre les Primitifs et les Modernes ne consiste pas en ce que, peuples enfants, ils éprouvaient de la fascination et de la terreur devant des puissances qui ne nous émeuvent pas, mais en ce que, moins sophistiqués que nous, ils jugeaient convenable de mettre à part du reste certains objets, lieux ou personnes, et de les vénérer particulièrement.

Le profane

Mais comment qualifier les objets avant qu'ils soient sacrés par le prêtre? Faut-il dire profanes? Les anciens Latins ne le pensaient pas. L'explication de ce mot procédera en trois temps: elle ira du substantif *fanum* à l'adjectif *profanus* et au verbe *profanare.* Le *fanum* est un emplacement sacré, et nous appelons encore fanatique ce qui appartient au sanctuaire, en particulier les fidèles qui le défendent farouchement. *Pro-fanus* est de la même famille: il contient un préfixe adverbial que l'on peut rapprocher du préverbe de *pro-hibeo,* interdire, tenir à l'écart, et qui veut donc dire: à l'écart de. Est donc profane ce qui, ayant appartenu au temple, est écarté du sanctuaire.

Par conséquent, pour les Anciens au moins, un objet n'est pas intrinsèquement profane. On ne vient au profane qu'après avoir été désécré. Profane ne se dit pas des choses «telles qu'elles sont», dans leur «évidence» empirique, mais des choses telles qu'elles sont qualifiées dans un réseau de relations humano-divines. On comprend ainsi le sens du verbe *profanare:* c'est un acte par lequel l'autorité compétente, premièrement, consacre quelque chose, par exemple un animal destiné au sacri-fice, et secondement, décide qu'il peut être consommé en dehors du sanctuaire. *Profanare*, c'est consacrer en vue de la «profanation», du banquet sacré qui est célébré hors du temple après immolation rituelle de l'animal sacrifié.

Le saint

Rien n'est profane qui n'ait été désécré, rien n'est sacré qui n'ait été consacré. Mais si le sacré ne vient pas du profane, d'où vient-il? Il est clair que la dichotomie du sacré et du profane est inadéquate, il faut une troisième catégorie: appelons-la le «saint», en substantifiant encore une fois un adjectif. Cette fois, ce mot ne trouve pas son explication à l'intérieur du latin, car on a vu que *sanctus* est de même racine que *sacer*. Mais l'usage qui en a été fait dans l'Occident chrétien l'a rendu héritier des valences sémantiques du grec *hagios* et de l'hébreu *qodesh:* ces mots désignent proprement le séparé, le «tout autre» cher à Otto, le transcendant de nos philosophes, l'Être Suprême des historiens des religions.

Qu'est-ce donc que le saint comme catégorie spirituelle? Comme les autres catégories, un moyen de connaître et de vouloir le réel. L'homme peut avoir l'expérience du saint comme il a celle des objets «profanes» du monde et celle de lui-même comme sujet-objet inviolable et sacré. L'esprit habite l'être et est habité par lui. Or l'être qui est objet d'expérience est toujours sensible, rationnel et spirituel et, dans l'expérience, l'esprit peut faire attention soit à une composante sensible et phénoménale et l'analyser scientifiquement, soit à une composante rationnelle et pensante et l'analyser philosophiquement, soit à une composante spirituelle et voulante et l'analyser théologiquement. Quand, dans l'expérience spirituelle, l'esprit se saisit comme esprit, il se connaît comme traversé par une intentionalité pour ainsi dire totale, une ouverture sur l'univers de l'être, une capacité d'adéquation à l'intégrité du réel. Ce qu'il connaît alors, ce n'est pas l'être des choses en elles-mêmes, ni son être unique de sujet pensant, mais une sorte d'auto-affirmation de l'être au fond de lui, dont il est le sujet plus que l'agent. La totalité du monde fait irruption dans sa conscience et l'extasie: en lui quelque chose qui n'est pas lui s'introduit par effraction violente ou lente imprégnation. Et cette totalité s'irradie à partir d'un fragment d'univers dans les deux directions de la subjectivité potentiellement infinie et de l'objectivité sans limite. Les objets qui apparaissent dans le champ de l'expérience spirituelle ouverte sont de possibles centres de concentration et de condensation de l'infinité du monde et de l'infinité du vouloir. Car l'homme est d'emblée un infini désir de liberté qui se trouve lié à un corps et limité par sa situation dans le monde, dans un monde cependant où chaque chose est un fragment qui concourt à rendre tout le reste signifiant. C'est pourquoi il arrive que le vouloir s'éveille à sa propre transcendance et autonomie par l'aperception d'une chose qui devient phénomène, c'est-à-dire qui apparaît, fait une apparition dans une constellation où tout le reste est obscurément signifié. Le tout de l'être et le tout de la personne assoiffée de liberté se rencontrent dans cette miniature et dans cet instant. L'homme et la chose sont en même temps et l'un par l'autre transfigurés: le sentiment de la limite fait place à la reconnaissance de l'infinitude possible, et l'homme décide, pour faire durer le bienfait de cette illumination, d'accrocher son appétit illimité à ce condensé d'infini grâce auquel il a été éveillé à sa propre infinitude en même temps qu'à celle du monde auquel il est commis. Il met donc cette chose à part du reste, il la déclare sacrée pour lui et pour ceux de son entourage, il s'interdit et il interdit à quiconque d'y toucher: c'est par là qu'il a été délivré de l'angoisse de la limite et de la mort et qu'il continue à bénéficier de la révélation inaugurale et, si elle était abîmée, il serait moins sûr de son destin.

On voit ainsi comment ce n'est pas à partir de l'observation d'un soi-disant profane préexistant et «déjà là» que le sacré est défini. Il surgit d'une conscience rendue attentive à plus intime que son intime, au saint des saints, à une plénitude interne qui demande à être dite et effectuée tout au long du temps. C'est pourquoi il y a sans doute lieu de réévaluer notre appréciation des tabous primitifs: l'interdit collectif n'est que l'envers d'une volonté de vivre en beauté qui, par ses responsables, anime un groupe de ferveur: cette volonté suspend son vœu à un objet, de soi quelconque, mais existentiellement privilégié par le rapport qu'il entretient avec l'«apparition» qui a révélé l'être du monde et l'être de la conscience et qui, en étant racontée solennellement, continue son office de révélateur.

Chose et culpabilité

La séquence saint-sacré-profane (S-S-P) est parallèle à la structure de l'esprit qui est conscience, verbe et amour (C-V-A), et au groupe des trois fonctions religieuses de prophétie, de sacerdoce et de royauté (P-S-R). Le prophète est celui qui fait l'expérience du Saint — songer à Moïse, à Isaïe —, le prêtre est celui qui, conformément à l'enseignement des prophètes, rend les choses correctement sacrées et les désècre, le roi est celui qui utilise pour le bien de tous les choses qui ont été rendues au profane et qui permettent de «régaler» le grand nombre des sujets du royaume, sans que personne ne se sente entravé par le poids des choses et la culpabilité. Car, entre le réel et la coulpe, il y a un lien étroit.

Qu'est-ce donc qu'une chose? Les anciens Latins disaient *res*. Or ce mot, avant de définir une réalité par rapport à elle-même, à son essence, ou au monde des phénomènes en général, désigne les richesses et en particulier les biens que l'on accumule en vue d'en faire don aux autres. L'appropriation des biens par les plus doués est sentie par la collectivité comme un moyen de faire plaisir aux moins favorisés. L'avoir libère l'être, la liberté ayant besoin d'un certain champ pour s'épanouir. Mais le moindre-avoir est asservissant pour tous les autres qui interprètent spontanément leur état comme un abandon qui les livre à l'angoisse. On est bien aise que les riches possèdent davantage si, au moins de temps à autre, ils régalent les pauvres. La chose c'est la *res*, mais l'homme qui possède la chose est un *reus*, un homme de la chose, *re-jus* (cf. *e-jus*, *hujus*); il est possédé par la chose autant qu'il la possède, elle est un lien, une obligation, un poids, *culpa*. L'homme riche qui ne s'acquitte pas de son devoir de donner courbe sous le poids de ses richesses, c'est un coupable, *culpabilis*, et *reus* désormais prend aussi ce sens. Livré à l'angoisse de la culpabilité, il retient avidement son avoir comme quelque chose de sacré, démoniaquement. Pour être déculpabilisé et se remettre dans le courant, cet homme aurait besoin que ses biens soient désécrés et que lui-même soit rendu sensible au sacré authentiquement libérateur. Comment cela peut-il se faire?

La religion

Par la religion. La triple séquence: S-S-P (saint sacré-profane), C-V-A (conscience-verbe-amour), P-S-R (prophète-sacerdoce-royauté), est celle de la religion. La religion, c'est le mouvement même qui va de la conscience au verbe et à l'amour, de la prédication prophétique à la consacration sacerdotale et au service royal, de l'expérience du Saint à la détermination du sacré et à la constitution d'un domaine profane qui ait un sens. Il n'y a de religion authentique que là où les trois termes sont dynamiquement liés les uns aux autres. Ce mot de religion aussi vaut d'être étudié. Il n'a pas d'étymologie absolument sûre, mais on est enclin à y voir un dérivé hybride de *religo*, *-as*, lier fortement, et de *religo*, *is*, qui appartient à la racine qui en latin veut dire cueillir et lire et en grec cueillir et dire. Le nom voudrait donc dire l'acte par lequel on se lie en le disant et sans doute en se recueillant, en faisant de ses images préférées un faisceau puissant comme en ont les *lic*-teurs, ou comme un homme *lige*, *lié*, *obligé* envers un maître, un suzerain. L'emploi ancien de l'expression *mihi religio est* illustre bien cette signification complexe: *j'ai scrupule à* toucher un objet qui a été taboué, et en général à transgresser un interdit, à agir contre la conscience ou contre l'opinion qui réprouve certains actes. Toute la collectivité est impliquée dans la religion, dans le système de liens qui rattachent les membres d'une communauté les uns aux autres. Car les interdits protègent le bien d'autrui, la sphère où il lui est possible d'épanouir sa liberté et de se déterminer vis-à-vis la totalité et d'abord du groupe.

Ainsi la religion est un système de systèmes, elle est le système supérieur qui englobe la totalité de l'activité d'un ensemble, et même de l'ensemble de tous les membres. Or un système supérieur peut être considéré à la fois comme intégrateur des systèmes actuellement organisés et comme opérateur de développement, source de nouveaux systèmes, de dépassement des situations acquises, de transcendance. Mais la liberté qui fait partie de ce système supérieur et qui l'engendre a besoin de sécurité: avant de pousser plus avant, elle assure ses bases. Le malheur est qu'elle est tentée par ses assurances mêmes et aussi soumise au principe d'inertie: elle ne transcende plus ses états si elle n'y est forcée. La religion alors tend à se structurer autour de la deuxième fonction, du sacerdoce, du faiseur de sacré, d'intouchable, d'inviolable. Quand l'expérience de la Sainteté et de la Totalité n'est pas assez vive pour opérer la refonte du sacré, le sacré s'immobilise et fait obstacle au profane légitime. Et il prolifère indûment, multiple les assurances, les inhibitions: les totems des parents sont aussi ceux des enfants, si bien que ceux-ci peuvent finir par être emprisonnés dans un cercle étroit de tabous où il ne leur est guère possible d'avoir quelque chose à donner.

C'est alors que la Prophétie proteste et vocifère, afin que l'intentionalité se remette à traverser toute la structure de l'esprit et de la société et que les médiations ne soient pas des obstacles à l'amour et à l'action royale. Peut-être est-ce ainsi qu'il convient d'interpréter le geste du Saint Père Paul VI, invitant l'Occident trop riche à donner de son surplus aux peuples sous-développés, et aussi la réaction du journal de Wall Street, qui cherche à préserver les biens accumulés par l'Occident comme chose sacrée et intangible. Mais cet Occident est profondément culpabilisé par sa richesse: de *reus* qu'il est il ne pourra revenir au *réel* que s'il écoute les prophètes, et sacrifie devant qui de droit les biens qui peuvent régaler la communauté des hommes.

Le prêtre aujourd'hui

Dans ce cadre de référence, si l'on essaie de définir le prêtre, on peut tenter la formulation suivante, un peu pédante mais compréhensive. C'est un homme de l'esprit, livré au dynamisme de sa structure intentionnelle C-V-A (conscience-verbe-amour), c'est-à-dire de la religion, de la puissante liaison et alliance (*al-lig-are*) qui, de proche en proche et de façon accélérée, tend à relier les uns aux autres les actes de l'esprit et tous les esprits entre eux, par le jeu des fonctions religieuses P-S-R (prophétie-sacerdoce-royauté) et la séquence récurrente des catégories fondamentales de l'expérience spirituelle S-S-P (sacré-saint-profane), qui s'originent, se déploient et s'achèvent dans le Trisagion, le Saint-Saint-Saint, c'est-à-dire le Père, le Fils et l'Esprit (P-F-E).

Longtemps simplement vécue, cette structure doit être aujourd'hui pensée de façon de plus en plus personnelle pour garder la même efficace. Un aperçu de l'histoire de la religion et du sacerdoce mettra ceci en lumière. Tout homme, quand il lui est donné d'être un moment ébloui par la Sainteté de l'Être infini, consacre quelque être fini à lui servir de mémorial en même temps que de soutien dans sa tâche d'usager des choses désormais profanes. Il est donc un *sacerdos*. Et quand une communauté humaine juge bon de considérer les mêmes choses comme sacrées, parce qu'elle a l'expérience historique du bienfait de la révélation qu'elles font durer, elle délègue un homme représentatif à accomplir les actes sacerdotaux et sacrificiels qui la rassemblent comme en un seul esprit: le *sacerdos*, le faiseur de sacré, devient alors une des fonctions du chef de village. La société s'agrandissant et le rituel se compliquant, un homme est délégué et consacré à plein temps à cette fonction. Plus tard, c'est toute une corporation sacerdotale qui est chargée de ce service, de cette lit-urgie ou œuvre du peuple. Mais quand les royaumes se constituent, que les sanctuaires se multiplient et qu'ils font de la surenchère sacrale pour attirer des pèlerins ou des clients, alors le sacré prolifère au-delà de toute mesure, la religion se sclérose autour de la deuxième fonction. C'est le moment où les prophètes remettent en marche le cycle entier de la vie spirituelle et religieuse en protestant contre l'hypocrisie et les fausses assurances. Et il advint en Israël que la prédication prophétique contre un régime sacrificiel oublieux de la sainteté divine et de la signification profane des choses, aboutit à une réforme radicale, à la loi d'unité du sanctuaire: toute la Terre Sainte fut désacralisée, à l'exception du seul temple de Jérusalem où le sacré fut comme condensé. L'économie de la religion qui allait être universelle devait passer par là. Et parce que désormais la Sainteté peut être ressaisie n'importe où sur la terre, parce que l'on doit pouvoir adorer le Père en esprit et en vérité en dehors du Garazim ou de Jérusalem, il fallait que ce temple même fût détruit afin que la Sainteté ne fût nulle part entravée par un Sacré figé et localisé. Mais cette destruction était corrélative à la destruction et à la reconstruction en trois jours du temple du corps du Christ, qui ne cesse de se construire en s'agrégeant une Église qu'il remplit de son Esprit et par laquelle il répand la gloire de Dieu son Père jusqu'aux extrémités de la terre. Il n'y a plus de dieux, plus de puissances hostiles défendant des lieux interdits où Dieu ne serait pas: la foi au Dieu unique et à son Oint a bousculé les idoles, et en principe plus rien ne fait obstacle à l'extension de la charité.

Mais le progrès spirituel s'opère par étapes, et quand un palier a été atteint il faut s'attendre à quelque piétinement, à une prise de possession du domaine, le temps qu'il faut pour que la structure nouvelle se soumette le plus d'éléments possible. Puis vient un temps où la poussée verticale qui anime l'humanité et la force à dépasser toute forme qu'elle se donne prépare une nouvelle structure qui oblige à une refonte plus ou moins profonde des éléments antérieurs désormais dissociés et dispersés ou remis en question. Pendant une durée variable, les prêtres, qui font eux aussi partie de la structure antérieure et sont soumis à son inertie, s'agrippent au sacré malgré la tendance générale à sa dissolution dans une profanité. Cette position inconfortable a une signification: c'est qu'il est nécessaire de préserver le minimum indispensable pour rendre possible la remontée vers les sources d'une nouvelle consécration, lesquelles se trouvent dans l'expérience de la sainteté divine et de ses exigences. Quand les temps sont mûrs, les prêtres redeviennent des prophètes, retrouvent et recommuniquent le sens authentique du sacré et du profane. Il n'est pas demandé aux prêtres de jouer un rôle en tous points identique à lui-même au cours de l'histoire.

Nous sommes dans une période intermédiaire, où il est difficile aux prêtres de savoir ce qu'ils sont. Ils sont soumis à une tension humainement insoutenable. Ils sont pris entre un monde largement sécularisé et laïcisé qui a l'air de se bien porter, et une sainteté divine qui les sollicite et qui les effraie, qui les fascine et les terrifie, qui les invite à aimer plus que les autres et à donner leur vie pour ceux qu'ils aiment. Ils éprouvent dans leur chair mortelle combien le sacré dont ils sont dépositaires est médiateur et combien de ses formes actuelles, et eux-mêmes, peuvent être des médiations aliénantes, parce qu'aliénés dans le péché, culpabilisés dans le temple étroit de l'injustice. Ils sont donc acculés ou bien à suivre un certain courant mondain et à se faire séculariser et laïciser, à profaner leur sacerdoce, ou bien à remonter le courant et à se laisser saisir par la puissante main de leur Père. Comme l'Église a les promesses de la vie éternelle, il est assuré que, si ceux-là font défection, d'autres seront appelés et promus, et que l'humanité rachetée sécrétera de ses relais vitaux les plus cachés les stimulants, les hormones, les biotiques qui lui permettront de poursuivre sa marche en avant. Mais aux prêtres d'aujourd'hui, tendus et tentés, la grâce ne sera pas refusée d'une conversion sincère et d'un appel à la miséricordieuse sainteté de Celui en qui ils ont cru, devant qui ils ont fait serment d'être fidèles et qui les a faits siens par son sacrement. On a dit que c'est là où le plus grand désespoir est possible que jaillit la plus haute espérance, et on sait de reste que la vie mystique progresse par l'approfondissement du sens de Dieu et du sens du péché. Or le péché n'est rien d'autre qu'un arrêt ou un retard dans le mouvement qui conduit les créatures vers leur créateur et leur sauveur. La catégorie spirituelle du péché a toujours une valeur incommensurable pour aider à comprendre et à vouloir la réalité intégrale. Et les prêtres ont le privilège de connaître le péché, non seulement par expérience personnelle comme tous les autres, mais aussi par expérience pastorale. Le péché est l'envers de Dieu, et le prêtre qui connaît le péché connaît Dieu comme à travers un miroir déformant. La remise en marche du monde est conditionnée par la conscience que quelques-uns ont que toute structure figée et sacralisée est peccamineuse, et qu'une Puissance de bonté existe qui remet les péchés à ceux qui acceptent la souffrance qui le révèle. Ceux-là sont surtout les prêtres, et le monde aura besoin d'eux jusqu'à la consommation des siècles.

Si donc le prêtre d'aujourd'hui cesse de se définir seulement en fonction du sacré et du profane, s'il redécouvre le saint qui est à l'origine de l'un et de l'autre, et, plus généralement, s'il redevient conscient de la structure de l'esprit et de la vie religieuse, il comprendra qu'il n'est pas seulement un homme de la deuxième fonction, un gardien du sacré, un conservateur de rites, un *sacerdos*, mais aussi un prophète à qui il est donné d'être sensible à la présence de Dieu, et un roi qui a reçu l'onction du Saint Esprit pour gouverner un peuple d'esprits libres et créateurs, imitateurs de la Trinité. Ce sera sa consolation et sa récompense, aux heures de persécution que lui vaudra son attitude, dont il ne peut faire qu'elle n'apparaisse aux «réalistes» comme une généreuse illusion. «Nul n'aura quitté maison, frères, sœurs, mère, père, enfants ou champs à cause de moi et de la Bonne Nouvelle, qu'il ne reçoive le centuple dès maintenant... avec des persécutions et, dans le temps à venir, la vie éternelle.»

Méditation pascale sur le prêtre selon l'évangile[1]

Je vous précéderai en Galilée

Cette phrase, que Matthieu et Marc mettent dans la bouche de Jésus avant la passion et dans celle de l'ange après la résurrection, peut éclairer d'un jour nouveau la définition du prêtre et sa fonction pastorale. Le temps pascal se prête bien à une méditation de cette sorte, inspirée d'une exégèse rigoureuse et à la fois spirituelle. Il y a trois groupes de mots à expliquer: les deux pronoms, le verbe, la locution de lieu. Car, malgré les apparences, aucun de ces termes n'est parfaitement clair. Qu'est-ce que précéder? comment concevoir la présence du Christ ressuscité et la relation des disciples avec leur Maître dans sa nouvelle condition? qu'est-ce que la Galilée? Il convient de commencer par l'explication du verbe.

Le verbe

Précéder peut s'entendre d'une précession dans le temps ou dans l'espace. Ou bien: j'arrive avant vous, ou bien: je marche devant vous. Le plus souvent, on a compris que Jésus devançait ses disciples, arrivait avant eux en Galilée où ils retourneront après la fête de Pâque. Cependant, les exégètes qui soulignent la dimension spatiale du préverbe de *pro-axô* relancent notre méditation dans une voie

---

1. Article paru sous le titre «Je vous précéderai en Galilée», dans *Relations*, 327 (mai 1968), p. 148-151.

neuve et plus excitante. Notons en premier lieu que c'est d'emblée le sens le plus fréquent dans le grec classique. En second lieu, observons que, dans Marc qui emploie le verbe trois fois, cette signification est la seule qui convient à 10,32: devant ses disciples apeurés, Jésus prend résolument la direction de Jérusalem. En troisième lieu, il est légitime d'inférer que ce sens est probable a priori en 14,28 et 16,7 où se lit la phrase de notre titre. Enfin et surtout, il faut remarquer que le contexte immédiat de Marc suggère le sens local. Après avoir cité l'oracle de Zacharie: «Je frapperai le pasteur et les brebis seront dispersées», Jésus ajoute: «Mais après ma résurrection je vous précéderai en Galilée.» Or, en Orient, le berger marche devant ses brebis, et celles-ci le suivent répondant à sa voix. Jésus déploie donc les implications de l'image employée par le prophète: ma passion vous scandalisera, vous vous disperserez parce que votre pasteur, frappé à mort, cessera pendant quelque temps de marcher devant vous; mais, quand j'aurai donné ma vie pour vous, je la reprendrai et vous me reverrez, et de nouveau je vous rassemblerai par ma parole familière et je vous précéderai comme un pasteur ses brebis.

Ainsi, pasteur et prêtre, c'est tout un. Car tel est le sens original de ce dernier mot, dont on aimera connaître l'étymologie. L'accent circonflexe du mot *prêtre* dénonce la chute d'une consonne sifflante qui, jadis, suivait la voyelle. Cette consonne, l'anglais l'a préservée dans *priest*, et l'ancien français, qui disait *prestre*, ne l'avait pas encore perdue. Mais, plus anciennement, le mot s'est écrit *presbtre*: la séquence insolite des trois consonnes — *sbt* — avertit que, cette fois, c'est une voyelle qui a été escamotée: effectivement, *presbtre* continue le latin *presbyter* et le grec *presbyteros*. Nous voici à pied d'œuvre pour disséquer le mot en ses éléments constitutifs: *pres-by-ter*. La dernière syllabe est un suffixe qui sert à rapprocher et à distinguer des termes binaires situés aux deux extrémités d'une représentation ou d'une classe d'êtres: ciel-terre, montagne-plaine, droite-gauche, vieux-jeune. Ce dernier couple est celui qui importe ici, soit, en grec, *presbyteros* et *néôteros*. Une fois écarté le suffixe latin *-ter* ou grec *-teros*, il reste *presby-*, qui est longtemps resté rebelle à l'analyse. Mais on s'est avisé que *pres-* peut être expliqué par l'alternance bien connue e/o comme degré plein de *pros-*, et *-by-* comme le degré zéro (absence de voyelle) de *-bou-*: car on sait qu'en grec le i grec (y) est un *u*! Or *pros* signifie *devant*, et *bou* signifie *bœuf*. Le *pres-by-s* est donc, originellement, celui qui est ou qui marche devant les bœufs et, plus généralement, le pasteur qui conduit un troupeau quelconque aux verts pâturages et aux points d'eau. Plus tard, les peuples pasteurs sont devenus les maîtres des sédentaires cultivateurs et, par analogie, on appela leurs chefs rois-pasteurs, leur reconnaissant pour fonction de défendre et de nourrir leur troupeau. Plus tard encore, ou ailleurs, ce furent les Anciens qui dirigèrent les communautés humaines, et les Grecs les appelèrent *presbyteroi*. C'est le mot que les premiers chrétiens ont repris pour désigner ceux qui présidaient à leur communauté et dont ils attendaient qu'ils continuent l'œuvre du Pasteur suprême, les nourrissant de sa Parole et de sa Chair et marchant devant leurs ouailles afin qu'elles ne soient pas dispersées comme des brebis qui n'ont pas de pasteur. Ce sont ces *presbyteroi* que nos *prêtres* continuent.

Les pronoms

Reprenons notre texte: «Je vous précéderai en Galilée.» Le pronom personnel de première personne peut référer soit au moi phénoménal de Jésus de Nazareth, à l'homme qui a pérégriné jadis sur les routes de Palestine, soit à son moi transcendantal, s'il est permis d'appliquer cette expression à la personne éternelle du Verbe incarné. Se laissant guider par cette seconde suggestion, on se souviendra des paroles de Jésus: «Qui vous écoute m'écoute», «Quand plusieurs sont réunis en mon Nom, je suis au milieu d'eux.» Si, alors, on se demande quel porte-parole de Jésus a bien pu marcher devant les disciples après la résurrection et les réunir en son Nom de manière que le Maître soit au milieu d'eux, la réponse n'est pas malaisée à trouver: c'est Simon-Pierre. Il faut essayer d'entrevoir comment les choses se sont passées.

Relisons le paragraphe entier de l'Évangile selon saint Marc d'où nous avons tiré le verset-titre:

> «Après le chant des psaumes, ils partirent pour le mont des Oliviers. Et Jésus leur dit: "Tous vous allez être scandalisés, car il est écrit: Je frapperai le pasteur et les brebis seront dispersées. Mais après ma résurrection, je vous précéderai en Galilée."

> Pierre lui dit: "Même si tous sont scandalisés, du moins pas moi!" Jésus lui répond: "En vérité, je te le dis, aujourd'hui, cette nuit même, avant que le coq chante deux fois, tu m'auras renié trois fois." Mais lui reprenait de plus belle: "Dussé-je mourir avec toi, non, je ne te renierai pas." Et tous disaient de même.» (*Marc* 14,26-31)

Et voici le texte parallèle de l'Évangile selon saint Luc:

> «Simon, Simon, voici que Satan vous a réclamés pour vous cribler comme le froment; mais j'ai prié pour toi, afin que ta foi ne défaille pas. Toi donc, quand tu seras revenu, affermis tes frères.» — «Seigneur, lui dit-il, je suis prêt à aller avec toi et en prison et à la mort.» Mais il reprit: «Je te le dis, Pierre, le coq ne chantera pas aujourd'hui que par trois fois tu n'aies nié me connaître.» (*Luc* 22,31-34)

Il ressort de ces passages que, en même temps que Jésus annonce la dispersion de ses brebis et en particulier le reniement de Simon, il prédit leur regroupement par le moyen de ce même disciple renégat dont il a décidé de faire l'assise de sa communauté, le Roc de son Église, la Pierre de fondation. Il ressort aussi que la faute de Simon est une péripétie importante dans le drame qui aura pour dénouement la naissance de l'Église. C'est que, quelque inconfusible qu'ait été la foi de Pierre, il reste qu'il connaît encore bien mal Celui auquel il donne son assentiment et lui-même qui le profère. Il soupçonne seulement le vrai Nom de Jésus — ce Nom de Seigneur qui n'est connu que dans la foi à Celui qui par sa mort enlève le péché du monde. Et il ne soupçonne pas du tout que lui-même, loin d'être le juste agréable à Jésus et à Dieu qu'il pense être, est un pécheur qui a besoin de pénitence et une brebis égarée tout comme les autres. Mais l'œuvre de Jésus a été de révéler que Dieu est Père et les hommes des créatures pécheresses, mais que Dieu est miséricordieux et que les hommes doivent être parfaits comme leur Père céleste est parfait. Si cette œuvre de Jésus, accomplie en principe une fois pour toutes, doit se poursuivre dans le temps autrement que par la présence phénoménale du prophète de Nazareth miraculeusement prolongée, ce ne pourra être que par la médiation d'hommes qui, ayant cru au

Nom véritable de Jésus, auront aussi éprouvé, dans la faiblesse de leur chair, combien est humainement infranchissable l'écart qui sépare le vœu de l'esprit de son accomplissement. Aussi a-t-il choisi pour lui succéder à la tête des brebis que son Père lui a confiées celui de ses disciples qui était le plus présomptueux et le plus fragile en même temps que le plus sincèrement croyant.

Mais Jésus avait prié pour le généreux fils de Jonas, Simon Bar Jona, afin qu'il se convertisse et affermisse ses frères. Cette conversion est un grand miracle moral dont les ressorts profonds sont le secret de Dieu; pourtant ses prodromes du moins ne sont pas entièrement cachés à notre quête et à notre besoin de modèles. Tout indique que Marie de Magdala a joué dans ce revirement le rôle infiniment délicat de confidente et de médiatrice. N'est-ce pas elle qui, ayant trouvé le tombeau vide, courut en avertir Simon, et comment ne serait-ce pas elle qui aura rappelé au disciple désemparé l'enseignement du Maître sur la miséricorde? Elle a dû lui répéter, avec toute la féminine délicatesse de Dieu même, que le Rabbôni qui avait expulsé d'elle sept démons était bien capable d'exorciser le Satan qui envenimait le cœur de son apôtre depuis ce jour où, après sa belle profession de foi, Jésus lui avait dit: Arrière, Satan! Elle lui murmurait encore que, lorsqu'elle avait pleuré à ses pieds au cours du banquet que son homonyme Simon le Pharisien lui avait offert, il avait dit à son hôte qu'il était beaucoup pardonné à la pécheresse parce qu'elle avait beaucoup aimé — laissant entendre que, puisque Simon pleure amèrement sa faute, c'est qu'il a beaucoup d'amour, l'amour cette fois humble et repentant d'un homme qui sait désormais d'expérience que lui aussi a besoin de pardon. Et si, encore incapable de comprendre jusqu'où peut aller l'Amour, Simon répondait à Marie Madeleine qu'il croyait entendre Jésus le railler et lui dire: Simon, est-ce bien vrai que tu m'aimes? tiens-tu encore à plastronner et à déclamer devant les autres que tu m'aimes plus qu'eux? tiens-tu à occuper la première place? À ce coup, la grande passionnée dut l'aider à se ressouvenir que, puisqu'il se mettait désormais à la dernière place, sans doute était-ce un indice que Jésus était disposé à le faire monter au premier rang, comme il l'avait insinué, et à le préposer à la tête de ses brebis encore dispersées. Vint ainsi un moment où les larmes de Simon devinrent celles de Pierre, du Croyant indéfectible qui se sentait poussé par l'Esprit de Jésus à affermir ses frères, à leur révéler précisément qu'ils sont frères, fils du Père dans le Fils unique, parce qu'ils ne sont plus esclaves du péché du moment qu'ils consentent à faire l'aveu de leur faute, de leur très grande faute.

De nouveau lui-même, enthousiaste et convaincant, Pierre commença à répéter aux autres ce que le Seigneur lui avait fait entendre par Marie de Magdala, et peut-être par Lazare le ressuscité et Marie mère de Jésus. Il les affermit un à un et, à leur tour, ils s'assuraient que leurs visions de Jésus n'étaient pas des hallucinations mais des apparitions du Ressuscité qui pardonne. La paix et le courage qu'ils ressentaient étaient en eux les fruits de l'Esprit de leur Seigneur. Tant et si bien qu'un jour «Simon-Pierre — car c'est désormais son vrai Nom — dit à six des disciples de Jésus: Je vais pêcher. Ils lui disent: Nous venons avec toi.» Le troupeau des brebis de Jésus a donc de nouveau son pasteur. Sous les apparences, sous les apparitions, sous les espèces sensibles, sous le sacrement de Pierre, c'est le Seigneur qui marche devant les siens ou, selon une autre métaphore, qui en fait des pêcheurs d'hommes.

Cette interprétation du «Je» de notre texte est au moins vraisemblable et ne heurte aucune vérité assurée par ailleurs. Peut-être fait-elle mieux comprendre en cette Année de la Foi comment en vérité la foi opère le dessillement de nos yeux: croire c'est apercevoir le Christ ressuscité et régnant près du Père dans la gloire à travers les porteurs de sa Parole miséricordieuse qui rassemble les hommes que le péché séparait et opposait. Sur ce thème, on reviendra en conclusion. La même analogie de la foi guidera notre effort de compréhension de l'autre pronom de notre verset-titre: «vous». En première approximation, le texte oblige à voir dans ce pronom de deuxième personne du pluriel les premiers disciples de Jésus. Mais il semble possible de faire apparaître que bien d'autres sont expressément visés par le texte sacré tel que l'Esprit Saint l'a définitivement voulu et que la tradition l'a transmis. Il nous faut, cependant, élucider d'abord le sens de la locution de lieu: en Galilée.

Le complément de lieu

Au sens obvie, la Galilée est la partie septentrionale de la Palestine ancienne: c'est là que Jésus a exercé la plus grande partie de son ministère et que les disciples ont commencé à se rassembler. Mais dans le Nouveau Testament, en plus d'être un lieu géographique, la Galilée est un symbole d'histoire sainte, l'indication d'une étape dans le temps archétypal et normatif de l'Église primitive. Au début des Actes des Apôtres, Luc rapporte un dit de Jésus ainsi libellé: «Vous serez mes témoins à Jérusalem et en Judée, en Samarie et jusqu'aux extrémités de la terre.» La terre, ici, a pu signifier d'abord la Terre Sainte, la Palestine, et les extrémités de la terre peuvent être la Galilée. Saint Luc conforme ensuite à ce schéma son exposé du développement de l'Église: elle se déploie d'abord à Jérusalem et en Judée, après la persécution consécutive au martyre d'Étienne elle se répand en Samarie, un peu plus tard on la voit à Antioche s'agréger des Gentils. Saint Jean a adopté le même procédé d'exposition pour le début du ministère de Jésus: il le fait prêcher d'abord à Jérusalem et en Judée, il raconte ensuite son passage par la Samarie et finalement son accueil chaleureux par les Galiléens. Un tel arrangement, différent de celui des Synoptiques, résulte d'un choix intentionnel opéré parmi les matériaux disponibles: connaissant la suite des étapes parcourues par la prédication de l'Église primitive, Jean en a trouvé le modèle dans la vie publique de Jésus et il a tâché de montrer comment son ministère avait été une préfiguration et une préparation de l'activité de ses apôtres. Avec d'autres moyens, Matthieu ne fera pas autrement: quand il introduit Jésus à Capharnaüm au début de la vie publique, il épingle en exergue le texte d'Isaïe qui exalte la «Galilée des nations», insinuant par là que le Maître a précédé ses apôtres auprès des païens.

L'interprétation de la valeur en partie symbolique du mot Galilée se confirme davantage et se complète, si l'on porte son attention sur le syntagme entier où il figure: *eis tèn Galilaian.* N'importe quel débutant dans l'étude du grec connaît la différence entre les prépositions *en* et *eis*, comme entre le datif-locatif et l'accusatif-latif, entre l'expression du complément de lieu sans mouvement et avec mouvement. Bien que dans la *koinè,* qui est le grec qu'écrivent les auteurs néotestamentaires, il arrive que la préposition *eis* perde sa nuance propre de l'indication du lieu avec mouvement, il reste que l'expression du mouvement lui est connaturelle et doit être maintenue à moins de preuves contraignantes à l'encontre. Or, dans le cas présent, le sens paraît être meilleur si on maintient la valeur distinctive de la préposition. Il convient donc de comprendre que Jésus va marcher devant ses disciples, non pas quelque part à l'intérieur du territoire galiléen, mais bien en prenant la direction de la Galilée. La question se pose maintenant: à partir d'où? Il faut répondre: en partant d'une Jérusalem qui, elle aussi, en même temps qu'un lieu de l'espace terrestre, est un symbole de l'espace-temps ecclésial. Jérusalem était dans l'Ancien Testament et dans l'esprit des disciples le symbole du lieu où devaient se rassembler toutes les nations — les *Gentes*, les Gentils — aux derniers temps, quand s'achèverait le long pèlerinage de l'humanité dans l'histoire. Mais la lettre a étouffé l'esprit, le symbole s'est dégradé en chose de ce monde, et les Juifs espéraient réellement qu'il serait donné à leur ville sainte d'être la capitale d'un empire universel. Mais ici, par son Esprit, Jésus révèle à l'Église qui commence son propre pèlerinage que ce lieu est en fait une figure et que, pour eux, Jérusalem doit être comprise comme un point de départ et non comme un point d'arrivée. Il ne faut pas attendre que les nations perçoivent le signe du Fils de l'Homme dans le ciel avec les yeux de leur corps et viennent d'elles-mêmes vers la Jérusalem terrestre. Il faut plutôt tourner les yeux vers la Jérusalem d'en haut: car le temple de pierre sera rasé, la gloire de Dieu qui était enfermée dans le Saint des Saints sera libérée et rendue visible en tous lieux de la terre, parce que ce que le temple signifiait, le vrai sanctuaire de Dieu parmi les hommes, c'est le Corps du Christ qui, détruit et rebâti en trois jours, édifie son Église à longueur de siècles sur le roc de la foi et de l'amour pénitent de Pierre. Les apôtres doivent donc marcher en direction de la Galilée des nations, comme le petit troupeau rassemblé par le Bon Pasteur et envoyé par lui au milieu des loups. On voit donc que dans l'expression *Galilée des nations*, c'est l'addition isaïenne et matthéenne des «nations» qui porte le poids de la signification, de l'accomplissement du sens. La Galilée, c'est le monde entier ouvert à l'apostolat des disciples de Jésus Ressuscité et Roi-pasteur.

De cette manière, on s'explique bien le «vous» devant qui le Seigneur marche: ce sont tous ceux qui, animés de l'Esprit du Christ, travaillent, en quelque lieu du monde que ce soit, à rassembler un petit troupeau et, en véritables *presbyteroi*, à le défendre contre les loups, à le nourrir de la Parole et de la Chair du Verbe de Vie, et à le guider dans ses transhumances au milieu des nations, le soulevant par l'espérance prophétique qu'il y aura un jour un seul troupeau et un seul pasteur, et s'efforçant de le garder ou de le remettre sous la houlette de Pierre — d'un Pierre qui apprend toujours de nouveau qu'il est pécheur mais dont la foi en Jésus Seigneur ne saurait défaillir.

Il est maintenant possible de définir le prêtre, ce «vous» indéfini auquel le Seigneur ressuscité s'adresse dans l'Esprit Saint. Ce sera notre conclusion. Le prêtre est un homme qui croit que le monde de péché et de mort qui tourmente ses frères est totalement intelligible pour Quelqu'Un et que Celui-là a donné la clé de son dessein d'amour en Jésus-Christ; un homme qui sait par expérience qu'il est pécheur et que Dieu a été pour lui un Père miséricordieux tout disposé à l'introduire auprès de lui dans la gloire avec son Fils; un homme qui croit que la mort est un gain et que son aiguillon n'a plus de pouvoir sur ceux qui font confiance au Vainqueur de la mort; un homme enfin dont la foi est contagieuse et qui tâche de nourrir de la Parole et du Pain de Vie les brebis que Jésus, par son témoignage et par celui de tant de martyrs qui l'ont précédé, rassemble autour de lui pour qu'il les oriente vers l'unique bercail dont le successeur de Pierre, le Presbytre visible du Grand Prêtre éternel, est le fidèle gardien.

Christianité et christisme[1]

Nous considérons volontiers les montagnes comme le type des choses solides et durables et, faute d'envelopper d'un seul regard tout l'empan des longues durées des âges géologiques, nous ne portons pas notre attention sur les puissantes orogenèses qui ont soulevé ces masses de pierrre, et , en conséquence, notre langue n'a pas de mot pour dire, à l'intransitif: «il montagne», c'est-à-dire, «il se fait de la montagne». De même, hommes de peu de foi, quand nous voyons des masses d'hommes au cœur de pierre qui ne croient pas au Christ, nous ne pensons pas que Dieu a donné ordre que toute montagne et toute colline soient abaissées, et que Jésus nous a reproché de ne pas avoir la foi qui transporte les montagnes. Si nous avions cette foi, peut-être notre langue pourrait-elle créer l'expression, au transitif cette fois et avec une majuscule: «Il montagne», c'est-à-dire Dieu élève son Église peu à peu au sommet de la montagne pour en faire la lumière des nations. Pour renouveler notre langage et nous réhabituer à voir les choses dans la foi, il faut donc nous rendre attentifs, non seulement à ce qui apparaît au ras de l'écorce, mais tout autant à ce qui s'ourdit et se trame dans les profondeurs de la Terre.

Cette conversion du regard est devenue aujourd'hui une nécessité. Car bien des descriptions de ce qui arrive sous nos yeux à l'Église de Jésus-Christ s'expriment dans un langage très approximatif et

---

1. Article paru dans *Relations*, 334 (janvier 1969), p. 5-7.

même involontairement tendancieux. Les mots employés prétendent circonscrire objectivement les phénomènes, mais souvent ils ne font que monter en épingle des aspects superficiels et secondaires, et ils prennent la partie pour le tout. Il en est probablement ainsi, pour une part, de ce qu'on appelle la sécularisation et la déchristianisation. Ces mots désignent — dans une mauvaise langue, croyons-nous — l'aspect négatif de la transformation actuelle d'une certaine figure de la religion chrétienne, et ils peuvent empêcher les observateurs et les croyants de se rendre compte de ce qui se passe en réalité, surtout des lignes de forces qui se dessinent déjà et qui, pour être moins apparentes, n'en sont pas moins grosses d'avenir. Cet article voudrait, à partir de l'histoire et des mots qui en caractérisent les périodes et les processus, être une contribution à une clarification du vocabulaire qui encourage la pensée à regarder au fond des choses et l'action à faire émerger des nappes souterraines de la vie de l'Église, les sédiments que la vie mystique y a déposés et mis en réserve pour notre temps.

Chris-t-ian-is-me. La racine *chris-* est grecque et veut dire oindre, frotter d'huile. C'est une pratique des guerriers, et plus tard des athlètes, qui assouplissaient ainsi leurs membres avant de se porter au combat contre les ennemis de leur communauté tribale ou nationale. Sur ce modèle, ce fut ensuite un rite de consécration des rois-guerriers sauveurs de leur peuple: on versait de l'huile sainte sur la tête du chef, qui devenait ainsi un oint, un messie, un chris-t. En effet, le *-t* final est un suffixe d'adjectif verbal qui fait que christos, et en français christ, signifie celui qui est oint, consacré par l'onction. Le groupe suivant, *-ian-*, est un suffixe latin qui, dans les plus anciens emplois du mot, oppose probablement les partisans du Christ Jésus aux partisans du roi Hérode: le *christianos*, qui est devenu notre *chrétien*, est donc, pour les occupants romains, une façon de caractériser un groupe d'hommes qui, dans le monde judéo-oriental, semblait participer à un mouvement de libération que dirigeait un chef, soit profane (roi) soit sacré (christ). La syllabe *-is-* est un suffixe verbal d'action que le français a hérité du grec et qui sert encore à composer des mots tels que celui qui fait l'objet de la présente analyse: christianiser désigne donc l'ensemble des activités par lesquelles les partisans du Christ Jésus travaillent à augmenter le nombre de leurs adhérents. Enfin, *-me* est un suffixe nominal de mouvement: il oppose ici le mot christianisme à judaïsme et hellénisme, et désigne donc le mouvement par lequel les disciples de Jésus qui croient qu'il est Christ annoncent leur foi afin que d'autres la partagent. Ce terme suppose donc un monde qui n'est pas gagné à la foi à Jésus-Christ et en même temps l'activité missionnaire d'une minorité.

Déchristianisation. Or, cette minorité a fini par éliminer ses concurrents sur tout le pourtour de la Méditerranée et à s'imposer comme religion officielle de l'empire romain. Le processus de christianisation s'est alors intensifié; pourtant, il a à peine entamé la population des campagnes, les habitants des *pagi* ou *pagani*, qui est devenu notre mot *païen.* Les invasions barbares et arabes ont ensuite ruiné la culture méditerranéenne et remis au creuset les éléments auxquels la religion issue de la foi à Jésus comme Christ avait donné une forme définie, quoique limitée. Au septième siècle, les pays riverains de la Méditerranée étaient menacés de barbarisation ou d'arabisation, et aussi de déchristianisation.

Chrétienté. Puis, après la tourmente, le mouvement missionnaire a repris de plus belle, mais cette fois l'Église n'apparaissait plus comme un parti opposé à d'autres: elle était plutôt l'héritière de la romanité qui, dans ses derniers siècles, s'était trouvée être chrétienne. Quand les barbares furent en principe convertis avec leurs chefs à cette tradition complexe — et non seulement à la foi au Christ —, les élites prirent conscience que la société prenait une forme nouvelle qui, par opposition à la romanité et peut-être à l'islamité, reçut le nom de *chrétienté.* Le mot et le suffixe ne désignent plus un mouvement mais un état. On n'a plus le sentiment d'avoir à christianiser, la foi au Christ ne se saisit plus tout à fait comme un mouvement de christianisation, un christianisme. On estime que la vie selon le Christ est désormais une réalité historiquement instituée qu'il n'y a plus qu'à approfondir. Les Celtes et les Germains romanisés et christianisés s'éprouvent plutôt comme les héritiers de l'empire romain tout entier converti et dépassé, et ils donnent à l'aspect politique de leur société le nom de Saint Empire romain germanique. Or l'empire est, non point missionnaire, mais conquérant, il n'est pas tant au service d'une foi en l'universalité du salut apporté par le Christ qu'un moyen de combattre le paganisme, l'hérésie et l'Islam. Les moines eux-mêmes qui avaient mystiquement porté la croix du Christ et ainsi converti les barbares exhortent maintenant les chevaliers à porter la croix physiquement sur leur armure et à faire croisade contre les Albigeois et les Sarrasins.

Déchrétientéisation. Une telle symbiose de l'Église et de l'État ne pouvait durer. Sans être contradictoire, elle était une synthèse forcément provisoire de deux universalismes différents, obligés l'un et l'autre d'arrêter leur élan à ce qui était pour lors la frontière du possible. Le rêve de la catholicité et celui de l'empire universel étaient restreints à l'Europe et ils ne pouvaient longtemps demeurer côte à côte sans se heurter et tenter chacun de nier l'autre. Il était dans la force des choses que l'Église et l'État prennent chacun leur autonomie, et que l'universalisme recouvre son dynamisme créateur et déborde hors d'Europe et hors de la chrétienté. C'est pourquoi, en même temps que l'Europe s'ouvrait aux autres continents, les structures socio-politiques et la culture se sont-elles laïcisées de plus en plus. Mais sans doute le caractérise-t-on mal en parlant de déchristianisation, car il s'agit en réalité de déchrétientéisation. C'est du christianisme comme mouvement méditerranéen des fidèles du Christ qu'il est exact de dire qu'il a été soumis à un processus de déchristianisation. La chrétienté européo-atlantique ne peut être que déchrétientéisée.

Christianité. Faudrait-il dire alors que le «christianisme» reste intact tandis que la forme historique qu'il a prise au Moyen Âge se décompose? Sans doute le langage courant peut-il le dire. Mais peut-être la science historique soucieuse d'explication ne dispose-t-elle pas ici d'un vocabulaire assez précis pour éviter, même chez les doctes, une ambiguïté fallacieuse. Si la foi au Christ est ce que l'Église catholique soutient qu'elle est, il convient de chercher un mot qui exprime le continu au sein du discontinu. C'est pour faire face à un problème comme celui-là que Heidegger a créé le terme allemand *christ-lichkeit*, qu'Henri Birault a traduit par christianité. Le christianisme méditerranéen s'est déchristianisé, la chrétienté européo-atlantique s'est déchrétientéisée, mais la christianité qui a fait et le christianisme et la chrétienté continue sa marche historique, et elle s'apprête à créer une nouvelle forme de la foi au Christ, héritière sans doute des anciennes mais radicalement nouvelle dans la figure qu'elle cherche à se donner. Peut-on définir la christianité? C'est l'esprit du Christ ressuscité actuellement régnant dans la gloire sur une humanité qu'il s'applique à sauver par le moyen de ceux qui croient en son Nom et qui, dans la mesure où la chose dépend d'eux, se disposent à accueillir les inspirations de l'Esprit par le moyen des Écritures, de la Tradition, du Magistère et de la Prophétie.

Christisme. La nouvelle forme de christianité aura un nom. Ce nom devrait, comme les précédents, conserver une référence à l'idée d'onction qui fait des guerriers au service du roi sauveur, non plus d'un peuple en particulier, mais de l'humanité entière. Mais peut-être le Christ ne sera-t-il plus celui dont les baptisés sont les partisans à côté d'autres groupes de pression et contre eux, ni celui au nom duquel s'organisait en chrétienté la répartition des pouvoirs politico-religieux. Ce pourrait être celui qui, du dedans, conduit l'histoire et mène l'humanité à son salut par le moyen de tout ce qui, de quelque manière, émane de lui ou converge vers lui: d'abord, les groupes locaux ou nationaux de catholiques, d'orthodoxes et de protestants, ensuite les groupes interconfessionnels et œcuméniques entretenant une mentalité pluraliste qui cherche à s'étendre même aux autres traditions spirituelles de l'humanité, enfin tous les individus et les groupes qui sont en quête de justice et de vérité.

Cette troisième forme historique prise par la christianité n'apparaîtra peut-être plus aussi immédiatement comme mouvement ou comme état. Penser que le Christ est ici *et non point là* sera une tentation de la «fin des temps». Les chrétiens catholiques devront être paradoxalement fiers et modestes à la fois, penser que Dieu a besoin des hommes et en particulier des chrétiens fidèles au successeur de Pierre, et en même temps réapprendre qu'ils sont des serviteurs inutiles, que Dieu peut se passer de leur zèle, que quiconque n'est pas contre eux est avec eux. Ce n'est pas nous dont l'activité est efficace, mais c'est le Christ qui opère en nous et par nous son œuvre de rassemblement des hommes. Peut-être voyons-nous maintenant la forme que prendra bientôt la christianité; la foi au Dieu qui intervient dans l'histoire, toujours identique à elle-même, ne se pensera plus seulement comme activité des fidèles pour convertir les autres ou l'activité de Rome et du successeur de Pierre pour établir un royaume de Dieu ici-bas, mais aussi comme activité du Christ lui-même qui choisit ici et là dans le monde ceux qu'il veut pour accomplir visiblement ou invisiblement son œuvre, mener à terme la lutte contre les ennemis de l'homme qui sont en l'homme, et oindre pour être ses auxiliaires des ouvriers imprévisibles. La tentation d'Élie est la nôtre: «Je suis rempli d'un zèle jaloux pour Yahvé, parce que les enfants d'Israël t'ont abandonné... et je suis resté seul.» Mais Dieu lui dit d'aller *oindre* Jéhu comme roi et Élisée comme prophète, et il ajoute: «J'épargnerai en Israël sept mille hommes qui n'ont pas plié le genou devant Baal.» Ce qui veut dire: «Tu te pensais seul fidèle ô Élie, mais c'est moi qui donne la foi au Dieu des armées, qui donne le goût de combattre pour le royaume de Dieu et qui donne à qui je veux l'onction prophétique sacerdotale et royale.»

Pour exprimer tout cela, on suggère ici le mot *christisme*. Il n'exprime ni un mouvement ni un état des chrétiens comme tels, mais l'activité constante du Christ pour transmettre son onction et son esprit, pour faire de ceux qui croient en lui moins des partisans que des oints, pour encourager la hiérarchie à renoncer à ce qui peut rester de pouvoir temporel, pour redonner à tous les groupes locaux de fidèles, en communion vitale avec une hiérarchie de service, la hantise d'être, lumière sur la montagne, le reflet de la lumière éternelle qui brille sur la figure de l'unique Oint de Dieu de qui toute onction tire son efficacité.

Cette analyse peut nous aider à comprendre que ce que certains sociologues décrivent comme déchristianisation est en fait, pour une part, une déchrétientéisation salutaire et l'envers trop apparent d'une christisation qui s'ourdit dans les profondeurs de la vie de l'Église. Pour que l'Église cesse d'apparaître comme occidentale et qu'elle soit planétaire, comment n'est-il pas nécessaire qu'elle se déchrétientéise? La ruine des structures imposantes, fruits de tant de labeurs de nos pères dans la foi, nous émeut et nous scandalise. Mais n'est-ce pas le temps de nous rappeler que l'universalisme de la foi d'Israël a fait un bond gigantesque en avant précisément au moment où toutes les structures politiques de la royauté terrestre s'écroulaient et où le peuple était exilé dans la lointaine Babylonie? La Diaspora n'est-elle pas le nom que doit prendre la dissémination de la semence qui est la parole de Dieu? Bientôt sans doute, si ces prospectives sont fondées, les géographes de la religion chrétienne ne dessineront plus sur la carte de larges surfaces correspondant à des nations chrétiennes, mais plutôt des pointillés délicats et discrets signalant, sur la mappe-monde tout entière, l'existence ardente de millions de groupes de ferveur qui seront véritablement le levain dans la pâte — peut-être après avoir été, comme leur Maître, le grain de blé jeté en terre qui ne porte beaucoup de fruit qu'au-delà de la mort vie-créante.

Une expérience d'enseignement de la religion en douzième année[1]

À la fin de l'année scolaire 1965-1966, le Département de Sciences Religieuses du collège Sainte-Marie a pris un virage difficile dont il a tout lieu de se féliciter maintenant. Depuis deux ans, le nouveau cours a été donné à environ deux mille étudiants qui, en général, l'ont fort bien accueilli. Il a semblé à des amis que notre expérience méritait d'être connue. Sans entrer dans les détails de programme et d'organisation et sans rien dire des autres cours que nous avons mis sur pied, nous raconterons brièvement comment les choses se sont passées en douzième année.

Il y a seulement cinq ou six ans, les cours de religion n'étaient pas contestés, les professeurs, religieux et prêtres pour la plupart, étaient acceptés des étudiants et s'ingéniaient à adapter leur enseignement aux besoins et aux intérêts de leur classe. Mais on n'était pas sans percevoir des craquements symptomatiques. Les grands élèves de 14e et de 15e années étaient las d'une catéchèse indéfiniment répétée où Abraham et le mystère pascal revenaient plus souvent qu'à leur tour. Sans beaucoup d'effort, ils obtenaient beaucoup de points, car les professeurs étaient débonnaires. Mais, contrairement aux autres cours, ils apprenaient peu de choses qu'ils ne sussent déjà. Le christianisme commençait à leur faire l'effet

1. Article paru dans *Relations*, 328 (juin 1968), p. 188-189.

d'une superstructure contraignante plus que d'une école de liberté spirituelle. Ils sentaient que l'Église était en état de siège et que des chevaliers pleins de cœur et d'inquiétude la défendaient avec des armes médiévales.

Aussi, en 1963-1964, avons-nous jugé bon d'offrir un certain éventail de cours de religion: Bible, Théologie, Morale, Psychologie religieuse, Religion et Culture, parmi lesquels les étudiants pourraient faire leur choix. Mais grande fut notre surprise de constater, deux années de suite, que l'achalandage était inversement proportionnel au caractère proprement religieux des cours: ceux qui impliquaient un engagement de la foi étaient délaissés, et la masse des étudiants se résignait à s'inscrire à des cours dits de religion, mais où le surnaturel devait se déguiser en nature et en humanisme pour se faire accepter. L'équivoque devint rapidement intolérable.

C'est pourquoi en février 1966 nous avons décidé d'un commun accord de ne plus offrir, l'année qui suivrait, et en douzième année seulement mais obligatoire pour tous à ce niveau, qu'un seul cours de religion, d'en faire un cours de science religieuse, et plus précisément d'Histoire des Religions.

Durant les derniers mois de cette même année scolaire et durant les mois d'été nous avons multiplié les réunions du Département pour déterminer la matière et la manière. Il nous est apparu: premièrement, que la méthode devait être scientifique, positive, descriptive, phénoménologique; deuxièmement, qu'il fallait discuter les hypothèses explicatives et, dans la mesure du possible, tenter une théorie cohérente; troisièmement, que nous devions nous départir de toute préoccupation apologétique. Mais, même positive, la science opère à plusieurs niveaux. Un cours d'Histoire des Religions proposé à l'ensemble des étudiants de douzième année ne peut être qu'une initiation et ne peut prétendre au type de rigueur auquel un Département habitue d'ordinaire les candidats à la licence et les futurs chercheurs. L'exposé d'une série de monographies ou de problèmes de méthode, fruits de longues recherches sur le terrain, dans les textes ou dans l'histoire de la science elle-même, aurait été vite fastidieux et aurait lassé le plus grand nombre de nos jeunes auditeurs. Nous avons donc opté pour une vue rapide de la totalité de l'histoire religieuse de l'humanité, basée sur les conclusions des spécialistes et sur un schème général d'explication à la fois ferme et souple. En septembre, les premières esquisses étaient prêtes et nous pûmes même commencer à distribuer aux étudiants des notes de cours, qui allaient être mises au point dans les réunions hebdomadaires du Département.

Pour notre jeune équipe de professeurs, l'aventure avait quelque chose de passionnant. Il fallait relever un défi et nous n'avions pas le sentiment d'avoir des modèles. Nous devions à mesure acquérir et assimiler une somme énorme de connaissances positives, les interpréter en fonction de l'histoire mondiale, éviter d'infléchir l'explication sous l'effet de nos croyances, inventer des méthodes d'exposition et de dialogue, ajuster notre enseignement aux réactions des étudiants, et d'abord nous rompre nous-mêmes à la dure ascèse qu'exige la science et au respect absolu des voies spirituelles autres que celle dont vivait traditionnellement notre milieu. Nous avons appris le pluralisme en nous exerçant à la sympathie pour tout ce qui est humain, et en tâchant de résoudre dans la dialectique même de notre recherche et de notre enseignement le problème de la brusque accession du Québec à la cité séculière. Si nous avons réussi, c'est en grande partie au travail d'équipe que nous le devons: pendant plusieurs heures chaque semaine nous nous exercions à être encore plus exigeants pour nous-mêmes que les étudiants ne pouvaient l'être. Car le tournant que prenaient le monde, l'Église et notre pays, et que les étudiants sentaient viscéralement, c'est en notre âme et conscience d'abord qu'il devait accéder au langage. Ainsi, grâce aux savants qui étaient nos maîtres, grâce aux confrères et grâce aux étudiants, nous avons essayé de dire ce qui se vivait et devait se vivre.

Nous nous sommes donc attelés à la tâche de comprendre et d'expliquer. Avec les phénoménologues, les préhistoriens, les ethnologues, nous avons décrit avec le plus de rigueur que nous pouvions ce qui est connu des religions de la préhistoire et des primitifs actuels. Nous avons assisté aux séances des chamanes, des guérisseurs et des sorciers, aux fêtes des paysans néolithiques, à la chasse aux têtes, aux initiations des jeunes gens, aux assemblées des associations d'hommes. Et sans cesse nous demandions aux fonctionnalistes, aux structuralistes, aux sociologues et aux psychologues quelques éléments d'explication. Et nous avons entendu les hommes archaïques raconter leurs récits exemplaires du Temps Primordial qui donnaient à leurs activités et aux événements leur sens et leur norme. Avec les archéologues et les philologues, nous avons ensuite exploré les villes mortes et ressuscité des hautes civilisations du Proche-Orient, visité leurs pyramides et leurs hypogées, fait l'ascension de leurs pylônes et de leurs ziggourats, et nous avons entrevu la signification des vieux textes, des rituels, des chants et des mythes. Puis ce fut la ronde des civilisations classiques de la Chine, de l'Asie du Sud-Est, de l'Inde et de l'Iran, d'Israël, de la Grèce et de Rome, de leurs arts et de leurs lettres, de leurs sagesses, de leurs théologies et de leurs mystiques. Ensuite, l'Orient et l'Occident ont pris forme à nos yeux: expansion du bouddhisme et du christianisme dans un monde déserté par le rationalisme de l'âge antérieur, puis montée de l'Islam entre ces deux mondes, enfin chrétienté ardente et modernité de nos expériences. Partout nous avons cherché à saisir dans le concret des âmes et dans le concret de la vie matérielle le rôle de la religion, de ses équilibres instables, de ses aurores radieuses, de ses apogées, de ses déclins crépusculaires, de ses renaissances imprévisibles.

Dans la poussière des faits, dans le labyrinthe des documents et des monuments, notre fil d'Ariane fut celui de l'histoire mondiale: comme il fallait choisir et qu'il n'était pas possible de tout rapporter, nous nous sommes évertués à discerner les événements et les mouvements qui étaient significatifs pour l'histoire collective de l'humanité et qui, la faisant avancer, l'avaient conduite jusque là où nous voici. Nous revivions le passé comme un moment de notre histoire commune, nous nous donnions une mémoire, nous faisant une âme fraternelle pour toutes les spiritualités, tous les produits de l'esprit par lesquels l'Humanité travaille à se faire. Notre espèce, comme à Pascal, nous apparaissait comme un seul homme qui apprendrait toujours et qui, pour aller plus avant, devait d'abord se souvenir, regretter et redresser les écarts du passé comme les siens propres, et promouvoir ses réussites. Nous récupérions une enfance bien des fois millénaire, nous revivions la crise d'adolescence de l'espèce tout entière, et nous nous trouvions confrontés aux tâches d'une difficile maturité.

Autant nous ne cachions pas que nous étions croyants, autant nous évitions d'étaler notre foi ou de la laisser interférer avec la science et la philosophie. La foi en l'homme et en ce qui dépasse l'homme nous semblait être une condition indispensable à la compréhension des autres fois, mais notre idéal eût été de nous exprimer de telle sorte qu'aucun savant ne nous prît en faute et qu'aucun croyant ne se sentît incompris et mésestimé. Le cours n'était pas fait pour des savants spécialisés ni pour des croyants fanatisés, mais il voulait tout autant disposer à la science universelle qu'à l'engagement personnel, et notre rêve était que des étudiants à qui notre cours aurait inspiré le désir de devenir savants en religiologie ne renieraient pas plus tard l'initiation que nous leur aurions donnée, et que des croyants de confessions diverses auraient été encouragés chacun à demeurer fidèle à sa foi. L'idéal était sans doute au-delà de nos forces, mais il était beau d'y prétendre.

La réponse des étudiants fut, en général, plus que favorable; chez plusieurs elle fut enthousiaste et rarement avons-nous eu à affronter sérieusement des manifestations d'agressivité contre la foi ou la religion en général. Au contraire. La religion leur était révélée comme ayant été dans le passé un facteur de culture de toute première importance et comme capable de jouer encore un rôle de premier plan dans notre civilisation présente. Beaucoup souscriraient aujourd'hui, tout autant qu'à la thèse marxiste du primat des infrastructures, à la thèse bergsonnienne du rapport causal qui relie la technique à la mystique; ils entrevoient que, pour que la technique reste humaine, il faut à l'homme un supplément d'âme, et que la religion authentique ne remplit pas ici une simple fonction de suppléance. Et même, connaissant avec une certaine rigueur quelque chose d'un bon nombre des religions du monde, ils sont nombreux à souhaiter qu'on s'étende plus longuement sur un exposé critique de la religion chrétienne.

Tout se passe comme si un juste équilibre des savoirs positif, philosophique et transcendant était par soi libérateur, et que, un peu plus libérés et pacifiés nous-mêmes, nous contribuions à pacifier les autres et à libérer des énergies utiles pour notre petit pays et pour le vaste monde en gésine. Il existe peu, actuellement, dans les programmes officiels, de cours qui ouvrent ainsi les horizons de la culture et de l'histoire. Aussi, la poursuite de pareille expérience s'impose-t-elle au niveau collégial, afin d'accentuer la preuve que cet enseignement est utile et bienfaisant et peut-être moralement nécessaire, et de susciter d'autres équipes, dûment formées et engagées dans des voies analogues, au service de l'homme d'ici.

De la définition de l'homme en religiologie[1]

Religiologie est l'équivalent français de l'allemand *Religionswissenschaft*, dont l'emploi est déjà ancien, et de l'anglais *religiology* qui a commencé d'être employé aux États-Unis. Ce mot est à religion ce que sociologie est à société et psychologie à psyché. La religiologie est donc la science des religions. C'est une science irréductible à toute autre, et la religion comme telle ne relève pas des sciences humaines, en particulier de la psychologie et de la sociologie, qui sont pour la religiologie des sciences auxiliaires et qui ne connaissent de la religion que ses retentissements dans le psychisme et le milieu culturel: elles prennent les faits religieux comme des données et non comme des produits, et elles n'ont pas le moyen de rendre compte du principe de production.

D'autre part, la religiologie n'est ni une théologie ni une anthropologie, elle ne part ni de Dieu ni de l'homme, ni d'une définition de l'homme ou de Dieu, mais de quelque chose en l'homme qui, quand il est acte de religion, l'indéfinit et le divinise. L'homme religieux authentique, tel qu'il se comprend lui-même, se saisit ou se sait saisi au cœur d'une relation vive dont les deux termes ne sont pas véritablement des termes, mais d'abord des mots au moyen desquels il éprouve l'infinitude du mouvement de référence où il est entraîné et l'impossibilité où il est de lui assigner des limites. Les

---

1. Article paru dans *Religiologiques*, Montréal, Presses de l'Université du Québec, 1970, p. 11-33 (Cahiers de l'Université du Québec).

deux termes, s'ils étaient déterminables, s'appelleraient sans équivoque *Dieu* ou *Homme*, chacun étant extérieur à l'autre et signifié par identité avec soi et différence d'avec l'autre. Mais, comme on va le voir, le langage religieux fait s'interpénétrer profondément ces mots et leur contenu; l'un et l'autre sont infinis, le premier en acte et le second en puissance, et, paradoxalement, l'infini entre dans leur définition à tous les deux. C'est que la relation homme-Dieu ou Dieu-homme est un mystère, et chaque terme est aussi un mystère, le même, c'est-à-dire une image qui ouvre une fenêtre sur l'infini. Contrairement à la pensée de l'homme religieux authentique, des philosophies et des gnoses ont prétendu que Dieu et l'homme sont identiques. Cependant il est vrai de dire que l'homme ne se définit pas sans l'infini ni l'infini sans l'homme: ils sont faits l'un pour l'autre et à l'image l'un de l'autre. Vue du côté du terme «interminable» qui éprouve la finitude de l'infini, la relation vive est une visée de transcendance; du côté du terme qui est posé comme transcendant, elle est une volonté d'immanence. L'homme religieux tend à un absolu, et il croit que l'absolu veut se manifester à lui et réclame d'être par lui présent au monde.

Voilà l'objet spécifique de la religiologie. C'est dire combien il est malaisé en cette science de définir les termes premiers et d'accéder à la rigueur. Une science est rigoureuse quand elle peut définir et, dans le cas limite, ériger en axiomes et même formaliser, tous ses termes, principes, postulats et inférences. La religiologie est loin de jouir d'un pareil statut: les religiologues emploient des mots aussi fondamentaux que mythe, magie, mana, esprit, religion, dieu, sacré, profane, dans des acceptions très diverses. Mais on s'explique bien la carence en cette matière d'un vocabulaire technique universellement reçu. D'abord, si la religion est plus ancienne que la réflexion conceptuellement équipée et que le savoir-faire spécialisé et méthodique, la religiologie est plus jeune que la philosophie et la science. En second lieu, les traditions spirituelles sont diverses et diversement formulées, et la compréhension d'une tradition par une autre passe obligatoirement par la délicate mise entre parenthèses par le chercheur de ses propres formulations, et par l'accès à un point de vue pour ainsi dire universel qui n'est point le fait du savant comme tel et qui exige la collaboration humble et patiente de longues suites de générations de savants. Enfin et surtout, tandis que les nombres dont se servent les sciences de la nature sont univoques et que les mots qu'utilisent les sciences humaines sont plurivoques, les images et les symboles, qui sont le langage des religions et la matière première des religiologues, sont toujours concrets et totivoques: chacun d'entre eux exprime tout le réel, et chacun est inséparable de l'indétermination profonde de la volonté finie qui ne s'autodétermine qu'en ajustant constamment ses représentations à l'infini. Tout est dans tout, et il faut bien cependant parler singulièrement des totalités partielles. L'entreprise est donc difficile, mais elle n'est point impossible, puisque beaucoup y travaillent et de plus en plus efficacement.

Nous nous proposons d'étudier plus à fond ailleurs la nature de la religiologie. Nous voudrions plus simplement ici contribuer au progrès de la définition des termes premiers, en montrant que le mot *homme* se définit, au moins aux yeux des Anciens, en fonction d'un champ de relations où *dieu* est un autre terme. La question de savoir si Dieu existe n'importe pas à notre propos, pas plus que celle de décider si l'homme existe ou si le rôle des sciences humaines, au sens où certains structuralistes les comprennent, n'est pas plutôt de le dissoudre. Nous essaierons de comprendre quelles expériences et quelles démarches sont présupposées aux emplois que diverses traditions spirituelles font de mots que, dans notre langue, nous traduisons par homme ou par Dieu. Notre choix porte sur quelques mots de nos langues mères et sur quelques autres d'autres langues dont il nous a été possible, sans faire d'enquête systématique, de connaître les emplois et même l'étymologie. Nous espérons que les erreurs et les inexactitudes qui auraient pu se glisser dans nos analyses n'infirmeront pas la thèse générale, et nous serions reconnaissants aux spécialistes d'apporter, le cas échéant, les corrections convenables.

Dema

Du mot *dema* des Marind-anim de Nouvelle-Guinée, aucune autorité ne nous propose d'étymologie; en revanche, les emplois sont abondamment illustrés. Ce n'est pas un mot de la langue de tous les jours, mais il appartient à la langue aujourd'hui couramment appelée mythique: on ne le prononce qu'avec respect et crainte. Il désigne les personnages qui figurent dans les récits d'origine, dans les rappels normatifs des événements exemplaires du Temps primordial où les lieux, les choses, les espèces, les coutumes, la naissance, la maladie et la mort ont commencé à être ce qu'ils sont. Ce sont des acteurs des drames ancestraux, des *dramatis personæ*. Les *dema* sont dits avoir vécu dans le Temps mythique, ils sont donnés comme les ancêtres des clans et associés aux totems. Le plus souvent ils sont représentés de façon anthropomorphique. À la fin du Temps mythique, ils ont disparu sous terre: on montre les endroits où ils ont passé et ceux où ils séjournent encore — souvent sous une pierre de forme phallique —, et parfois on honore ces lieux sacrés de quelque offrande. Omniprésents dans le mythe, ils le sont aussi dans les drames rituels qui sont des représentations de leurs activités inauguratrices. Parfois on appelle *dema* un vieil homme qui a survécu à toute une génération, car tout ce qui est ancien est vénérable. La négligence à accomplir les rites peut offenser un *dema*. Il y a une langue des *dema* que connaissent les hommes-médecine et qui rappelle aux hellénistes la langue des dieux dont parle Homère.

Tout se passe comme si les *dema* étaient de grands ancêtres divinisés, l'équivalent des grands hommes dont nos histoires racontent les exploits et que les éducateurs proposent comme modèles à la jeunesse. Mais l'adjectif *divinisés* induit presque fatalement en erreur les Occidentaux post-chrétiens, qui ne peuvent guère penser aux dieux que dans le contexte de la prédication prophétique du Dieu unique et de la polémique contre les faux dieux. Comme nous le montrerons ailleurs, *dieu* a dû vouloir dire *héros* avant de désigner ce que nos ethnologues appellent, à la suite des déistes, l'Être suprême. Les dieux se définissent moins en fonction de l'espace que du temps, en fonction du monde infra-humain que de l'histoire des hommes. Les *dema*, donc, devaient être de grands hommes créateurs dont on montrait encore les œuvres et auxquels on faisait remonter telle coutume et telle technique. Et comme ils ont été les instruments et porteurs géniaux d'une puissance multiforme qui les dépassait, on a donné leurs noms aux principes permanents et divers de leurs œuvres durables. Et comme ils étaient craints et respectés de leur vivant et qu'on leur offrait les prémices de la cueillette et du butin, on continue parfois longtemps après leur départ de ce monde à faire des offrandes sur leurs tombes et à évoquer leur souvenir. Car un des plus grands actes de religion, comme le souligne Jensen, c'est de se rappeler le Temps primordial et d'être fidèle à l'Idée et à la Chose pour laquelle les grands ancêtres ont œuvré.

D'entrée de jeu, par conséquent, un Occidental ne doit pas d'abord se demander si les Marind-anim croient naïvement à l'existence des *dema* mais, entretenant un préjugé de faveur, les considérer en première instance comme l'équivalent des acteurs de nos légendes et paraboles. De même que nous ne croyons pas à l'existence du Petit Poucet et de l'Ogre ou de la Bête apocalyptique à sept têtes et dix cornes, qui ressemble à une panthère avec des pattes d'ours et une gueule de lion, et de même que nous ne pensons pas que les figures déformées de Picasso existent quelque part, mais que par là nous sommes induits à admettre qu'il peut exister dans un ordre métempirique une raison mystérieuse à ce qui n'a pas de raison assignable — la contingence des coutumes et le mal —, de même, l'équité exige que nous admettions comme plus vraisemblable la manière de voir selon laquelle ceux que nous appelons primitifs, démunis comme nous devant le mystère, racontent à leurs enfants des histoires vraies afin de les apprivoiser peu à peu avec le réel surintelligible. Les *dema* sont des médiations au sein desquelles, dans un jugement de sagesse et une volonté de justesse, les hommes archaïques cherchent à comprendre et à vouloir quelque chose d'un réel qui reste, pour les meilleurs d'entre eux comme pour les meilleurs d'entre nous, un mystère auquel il faut consentir comme à une source inépuisable de questions totales, de réponses partielles et de responsabilités contingentes.

Inouk

Les Esquimaux s'appellent eux-mêmes *Inouit.* Ce mot est le pluriel de *Inouk*, que les ethnologues traduisent par *homme*, *personne.* Birket-Smith, qui fournit ce renseignement, ajoute: «De même que de nombreux peuples primitifs, les Esquimaux se considèrent comme la race humaine par excellence, par opposition à toutes les autres.» Il est certain que la plupart des peuples indépendants, et pas seulement les primitifs, ont un sentiment de supériorité assez compréhensible qui leur vient de leur richesse et de leur puissance, et assez ordinairement aussi de la comparaison qu'ils font de leur comportement avec ceux des misérables qui sont repoussés à la périphérie des autres peuples indépendants. Mais la notion d'*homme* chez les Esquimaux ne doit pas inclure en premier lieu cet élément de comparaison dépréciatif des autres. Il semble qu'on puisse le démontrer par l'étymologie du mot *Inouk*.

En effet, comme le note Birket-Smith lui-même, *iné* veut dire lieu; *In-ouk* est donc «celui du lieu», le propriétaire d'un territoire. Sous sa forme possessive — *inoua* et pluriel *inoué* — le mot s'emploie au sens de maître, propriétaire, possesseur. Or chaque chose, chaque objet culturel, chaque animal, chaque lieu a son maître. Il y a beaucoup d'*Inoué*, et ils sont conçus comme revêtus de formes humaines. Est-ce bien interpréter ces faits que de dire avec Birket-Smith encore que «les *Inoué* sont des manifestations de la vitalité de la nature, le résultat de l'auto-projection inconsciente de l'homme dans la nature normale»? Sommes-nous assez assurés de nos concepts d'inconscient, d'autoprojection, de vitalité et de nature pour réduire les catégories esquimaudes à certaines catégories de certains occidentaux de la première moitié du vingtième siècle? Il faut tenter une approche plus phénoménologique et religiologique.

Nous proposons de comparer les *Inoué* d'abord au «boss» des Algonquins anglophones, et au «grand frère» des Iroquois. Là aussi, chaque chose a son modèle là-haut, son exemplaire normatif et efficient. Mais nous nous exprimons mal: ces derniers mots voilent encore plus qu'ils ne révèlent l'identité de ces êtres aux yeux des indigènes. Pour les Algonquins et les Iroquois, les «boss» et les «grands frères» ne sont pas des êtres impersonnels, des modèles, des archétypes, des abstractions en somme, mais ils sont par rapport aux hommes ce que sont les maîtres par rapport aux serviteurs ou aux apprentis et les aînés par rapport à leurs cadets. Et ce sont des êtres qui apparaissent, qui «se font voir» — et non pas, en langage occidental moderne — des êtres dont certains ont des visions. Le maître-propriétaire est aussi celui qui montre son métier à l'apprenti, et le grand frère est celui qui protège et initie son cadet. Ainsi, au-delà de la médiation des plus expérimentés de son entourage, l'homme est pensé comme instruit par des êtres célestes qui lui envoient des visions où ils se font voir eux-mêmes avec bienveillance. La vraie connaissance n'est pas octroyée par le maître visible mais par le grand patron qu'on ne voit pas d'ordinaire mais qui accorde parfois à certains la faveur de le contempler.

Cette notion de vision nous achemine vers une autre conception célèbre: celle des Idées platoniciennes. Une *eidos* est, en effet, une *vision* non certes au sens psychologique moderne de modification subjective et plus ou moins hallucinatoire, mais au sens d'objet-sujet qui provoque l'acte de voir et de le voir, qui s'impose à la vue comme une vision du monde et qui engendre la connaissance amoureuse et savoureuse. La réalité qui est vue n'était pas conçue comme une chose, mais comme une personne: les Idées sont subsistantes, et c'est en les contemplant et en les aimant — parce qu'elles se ramassent toutes en une Bonté supersubsistante — que les hommes apprennent à créer à leur tour et par amour de l'univers. Mais, de même qu'il est nécessaire de nous enlever de l'esprit la notion aristotélicienne et cartésienne de l'Idée pour comprendre certains textes de Platon, de même, pour ne pas nous méprendre sur la «pensée sauvage» que Platon continue, il faut nous dépouiller du préjugé que les Esquimaux sont plus naïfs que nous ne sommes quand ils évoquent les *Inoué* célestes. Comme les *dema*, les *Inoué* ont dû être durant leur vie des inventeurs et des chefs qui demeurent dans la mémoire des hommes comme des inspirateurs toujours possibles, qui peuvent toujours apparaître et révéler de nouvelles techniques aux hommes en qui ils mettent leur complaisance.

Lors donc que les anciens Esquimaux se sont appelés *Inouit*, ce ne doit pas être aux autres hommes qu'ils se comparaient, mais aux Propriétaires célestes, aux Exemplaires ancestraux et aux Ancêtres exemplaires. Ils se savaient ainsi et se voulaient de dignes fils de leurs pères, des hommes qui se souviennent. Ils se considéraient donc, à l'instar des anciens Pharaons, comme des «fils de Dieu», comme appartenant à la même classe d'êtres, différente de celle des animaux les plus puissants et supérieure à eux. Cette classe est celle des êtres qui ont la maîtrise de leurs actes et qui sont capables de maîtriser d'autres maîtres et, si nécessaire, d'enlever leurs territoires à leurs anciens possesseurs: ours polaire, roi des étendues glacées; caribou, roi de la toundra; phoques et baleines, régents des mers arctiques.

L'élément d'opposition et de mépris, virtuel en toute volonté et exercice de puissance, n'a dû être explicité qu'ensuite, lorsque, par exemple, les Esquimaux sont entrés en contact avec les Indiens du Sud ou avec les Blancs qui ne savaient pas naviguer en kayak, ni mener des attelages de chiens, ni faire des iglous, ni prendre des phoques dans les trous de glace. Alors, oui, ils ont pu penser qu'ils étaient par excellence dans le monde visible les *Inouit*, les hommes semblables aux dieux par rapport auxquels les étrangers, incapables de survivre par eux-mêmes en leur contrée inhospitalière, ne seraient jamais que des apprentis et d'éternels cadets. Mais quand le cours de l'année ramenait le temps des fêtes, ils évoquaient de nouveau les *Inouit* de là-haut et c'était une humble fierté qui réchauffait leur cœur: celle de savoir qu'ils étaient la propriété de maîtres bienveillants dont ils attendaient tout et qu'ils devaient imiter, tout comme ils étaient les propriétaires généreux de leur territoire et les maîtres du pays.

Bantu

Nous appelons bantoues un certain nombre de langues de l'Afrique occidentale et centrale. *Bantu* est le nom que les usagers de ces langues se donnent à eux-mêmes, au moins dans un certain ordre du discours. Les Occidentaux traduisent ce mot par *homme*, mais cette traduction est une trahison, car les idées exprimées par *homme* et par *bantu* ne sont pas les mêmes. Quoi qu'il en soit ici du sens du premier, la signification du second peut être élucidée par quelques observations.

Bantu s'analyse en deux morphèmes: *ba-* et *-ntu*. *Ba-* est un préfixe de pluriel, *-ntu* est une racine dont la signification se dégage de la comparaison avec d'autres emplois, en particulier avec ceux qui illustrent les grandes classes grammaticales des langues bantoues. Est *Ku-ntu* toute qualité comme la beauté et le rire, est

Ha-ntu tout lieu et temps, est *Ki-ntu* toute chose qui n'est pas douée d'intelligence, est *Mu-ntu* tout être intelligent. L'élément commun *-ntu* ne s'emploie jamais absolument, mais il désigne quelque chose d'analogue à ce que, dans nos catégories, nous appelons l'être, la puissance, l'univers, l'être universel-personnel en tant qu'il est présent et agissant de telle ou telle manière dans les êtres qui se meuvent dans le champ de notre expérience. Certes, le recours à ces catégories suppose un ordre très élevé du discours, mais celui-ci n'est pas sans effet sur la pensée la plus quotidienne du moins des plus réfléchis, précisément grâce au fait qu'elles sont les classes fondamentales de la morphologie et de la sémantique. Ainsi, le rire n'est pas pensé, quand les mots pour l'exprimer sont précédés du préfixe *ku-*, comme une simple réaction physiologique ou psychosociale, mais c'est un acte par lequel l'être universel se rend présent comme détente et comme jeu en une figure de lui-même sur la scène du monde. Un lieu (*Ha-ntu*) n'a de sens que comme point-événement dans l'espace-temps ou champ unitaire des forces et des présences cosmiques et transmondaines. Les objets inanimés ou irrationnels (*Ki-ntu*) sont des concentrés d'univers où la Force voile son intelligence mais, par contraste, rend immédiatement saisissable l'existence d'une pensée qui ne s'y épuise pas pour autant.

Qu'est-ce donc que l'Homme? Il appartient à la classe des *Mu-ntu*. Or ce mot ne désigne pas seulement les hommes abstraitement et en général, mais aussi bien les morts que les vivants, les «ancêtres divinisés» que l'Ancêtre par excellence et qui est l'Être suprême de nos rationalistes. Les *Ba-ntu* ne sont donc pas les hommes noirs africains opposés aux blancs étrangers, mais, antérieurement à toute discrimination de cette sorte, ce sont les hommes en tant qu'ils sont inclus par une tradition spirituelle dans un ensemble d'êtres semblables les uns aux autres et différents des êtres d'autres classes. Ils s'opposent ensemble aux *Ki-ntu*, aux objets inanimés, mais à l'intérieur de la classe des *Mu-ntu*, ils doivent être à la fois distingués des défunts et de Dieu et unis à eux. Les morts ont cessé d'être *Ba-ntu*, mais ils sont toujours des *Mu-ntu*, et ils le sont en compagnie d'êtres semblables à eux et qui sont plus qu'eux ressemblants à l'idée que les hommes doivent se faire d'eux-mêmes. C'est quand l'homme est enfin «réuni à ses pères» qu'il s'accomplit.

Cet accomplissement se fait par le passage de ce monde aux pères. Ce passage, une partie importante de la tradition occidentale moderne l'appelle la mort et manque à lui trouver un sens, c'est-à-dire une direction, c'est-à-dire un aspect dynamique par lequel le mouvement spirituel tend à une ressemblance et une identité au-delà de toute représentation. Mais, sur la toile de fond constituée par l'univers des esprits, les *Ba-ntu* reconnaissent, à proximité de l'Ancêtre et père de tous les hommes, ceux qui les ont précédés et qui ont été élevés au rang d'ancêtres fondateurs.

Lèg

Nous entreprenons sur cet autre nom de l'homme une démarche un peu plus sinueuse. Dans le Daghestan central actuel, république autonome d'U.R.S.S., située à l'ouest de la mer Caspienne, au nord de l'Azerbaïdjan et à l'est de la Géorgie, existe un peuple appelé *Lakku* qui compte environ 40 000 habitants. Troubetzkoy a montré, par un jeu d'alternances *a/e* et *k/g* que la forme *lakku* remonte à *lag* et *lèg*. Il faut rapprocher cette forme plus ancienne de celle que rapporte Strabon (m. 25 apr. J.-C.) recensant en Asie mineure un peuple de *lègai*, et de celle d'autres historiographes anciens qui donnent comme peuple préhellénique, les *Lélèges*: comme *le-* est en protohittite un préfixe de pluriel, on est ramené au radical *lèg*. Le peuple des *Lakku* est donc très ancien, puisque par le hittite on en suit les traces jusqu'au début du second millénaire avant Jésus-Christ. Le fait qui importe ici est le suivant: au Daghestan même, *lèg* signifie homme, tandis qu'il veut dire serviteur et même esclave dans la langue des Tchétchènes qui habitent juste à l'ouest du Daghestan, en Géorgie. Dans la langue de ces derniers, homme se dit *nax*, ce doit être ce nom de l'homme qui est à la base de celui de l'île de Naxos dans la mer Égée. On est donc en présence de la situation suivante: les Tchétchènes s'appellent homme (*nax*), les Lakkiens s'appellent homme (*lèg*), mais les Tchétchènes donnent à *lèg* le sens d'esclave. Il faut sans doute comprendre que les Lakkiens ont été asservis par les Tchétchènes ou qu'un bon nombre d'entre eux sont engagés comme serviteurs dans les familles tchétchènes.

Ce double sens du mot *lèg* est instructif et s'éclaire de multiples façons. Voici d'abord quelques parallèles tirés des civilisations classiques ou récentes. *Bari* — et par redoublement *Bar-bari*, c'est-à-dire Bari par excellence — a pu être le nom glorieux que se donnait un peuple d'Afrique du Nord: il est encore connu aujourd'hui au Soudan, sans parler des Berbères. Mais les Grecs (de Cyrénaïque?) ayant réduit en esclavage un certain nombre d'entre eux, firent de ce nom ce que les Tchétchènes avaient fait de celui des *Lakku*: un terme péjoratif.

Bientôt les Barbares furent tous les non-Grecs, et quand ils entrèrent en contact avec les Perses, à bien des égards plus civilisés qu'eux-mêmes, les Grecs les appelèrent aussi Barbares, c'est-à-dire non-civilisés! Ils firent de même ensuite pour les Scythes du Nord. Mais les Juifs leur rendirent la monnaie de leur pièce: conscients d'une supériorité qui leur venait de leur foi au Dieu unique et de leur connaissance de la Loi, les Juifs traitèrent de Grecs tous les non-Juifs. À leur tour, les Latins christianisés eurent tôt fait de donner un sens péjoratif au mot Juif, compris comme non-chrétien. On ferait des observations semblables sur le nom des habitants des campagnes de l'empire, les *pagani*, dont les citadins convertis firent le mot qui deviendra notre *païen*; sur le nom des Bulgares qui, émigrés en France, devinrent des bougres; sur celui encore des «indi-gènes» dont l'Europe colonisatrice se demandait parfois s'il fallait les compter comme des hommes.

Ce comportement a une origine ancienne et préclassique. Dans la langue des maîtres, les serviteurs n'ont souvent pas de nom de famille, et on les appelle par leur «petit nom». Martha, Joseph, ou plus impersonnellement encore, par exemple quand ce sont des ouvriers saisonniers dont on n'a pas intérêt à retenir le petit nom, on dira l'Espagnol, l'Italien, l'Allemand. Ces appellations n'ont rien d'injurieux mais rien de glorieux non plus. Si les étrangers s'implantent dans le pays, ils y deviennent des apatrides: «Qui est leur père?» (*1 S* 10,12). Il y a ainsi peu à peu des hommes et même des peuples sans naissance, sans famille, sans passé, sans racines, sans histoire, qui n'ont pas d'ancêtres et ne sont fils de personne, de personne qui ait un nom.

Mais il faut remonter plus haut encore, aux origines mêmes de l'histoire. Dans la langue des mâles, le nom même de la femme est souvent péjoratif. C'est une injure que de traiter un autre homme de femme ou de femmelette ou d'efféminé. Car la femme est la servante, l'esclave de l'homme, une perpétuelle mineure. Cette situation se comprend dans une perspective historico-mondiale où l'essence de l'Homme ne se manifeste que peu à peu à partir des réalisations et des échecs antérieurs connus tels et progressivement promus ou corrigés. L'homme a la brutalité du mâle défenseur du troupeau, et la femme quelque chose de la lascivité de la femelle faite pour être engrossée et faire durer le troupeau. Il y a donc quelque chose de naturel — et de rétrospectivement prévisible si l'on peut dire — à ces écarts et à ces dialectiques. La *fe-mina* est la *fe-cunda*, et sa «convoitise la pousse vers son mari, et lui domine sur elle» (*Gn* 3,16): ainsi les écritures hébraïques font-elles remonter l'esclavage jusqu'aux origines de l'humanité.

Mais l'homme brutal a appris à respecter, admirer, épanouir la femme qui était mère d'un enfant fait à son image et à sa ressemblance, et il lui fit confiance pour tout ce qui était de son domaine et où elle dominait effectivement. *Ish*, il l'appela *ishha* (*Gn* 2,23); *anêr*, il l'appela *gunê* (*queen*), c'est-à-dire reine; *potis*, il l'appela *potnia*, maîtresse; *dominus*, il l'appela *domina*, et plus tard dame, madame et même Notre-Dame. Dès les origines par conséquent la femme commença d'être sauvée de sa servitude par sa maternité (cf. *1 Tm* 2,15): elle était celle qui devait enfanter et, donneuse de vie, écraser par son lignage la puissance de mort. Cette foi et cette espérance animaient dès lors les premiers hommes et rapprochaient les sexes dans une charité créatrice et procréatrice.

Mais plus va l'histoire, plus la charité a besoin que l'espérance qui le sous-tend s'appuie sur une foi explicite et donc sur une tradition éprouvée. La foi, en effet, très concrètement et universellement prise, est un mouvement par lequel confiance est faite à la valeur de traditions spirituelles jusque-là étrangères ou inconnues et qu'on intègre à la sienne propre à cause d'une vérité plus haute dont on voit qu'elle s'opère par cette ouverture même. Quand donc les religions réussissent à faire progresser les sociétés, elles aboutissent à des alliances et elles étendent à d'autres qu'à leurs premiers bénéficiaires l'avantage reconnu d'une même descendance par rapport à un ancêtre ou à une histoire commune. Ailleurs, elles font étendre aux ennemis d'hier et aux alliés d'aujourd'hui l'épithète glorieuse d'homme qu'on se réservait jusque-là.

Mais ce dernier pas est une limite qui est rarement atteinte par la pensée humaine laissée à ses penchants. Il y a toujours des hommes qui sont exclus de l'image de l'homme qu'un groupe historique se donne pour exister en beauté. Ce sont les sans-famille et les sans-nom dont on a parlé ci-dessus, ceux qui ont perdu contact avec leur sol, leur ancêtres, leurs modèles, leurs sources, leurs récits du Temps primordial où ils se miraient à travers leurs héros et leurs dieux. N'étant plus maîtres d'eux-mêmes, ils n'ont plus de nom à faire durer, et noblesse n'oblige plus. Faute de dieux, de «plus-que-l'homme» dans leur mémoire collective et individuelle, ils sont «a-thées» dans le monde (*Ep* 2,12), dépourvus de cette image embellie de soi-même qui incite et excite au dépassement. Ce doit être à la fin de la préhistoire, durant l'époque caractérisée par l'apparition de ce que Trimborn a appelé la «civilisation des maîtres», que ce processus d'avilissement s'est notablement aggravé.

Alors, le Temps primordial fit place au Temps du mépris. Ce fut sans doute le commencement de la prolétarisation des masses. Cependant, ce fut en même temps le prodome de l'âge du bronze et d'une relance de la religion, de la société et de l'histoire. Car les potentats locaux justifiaient leur supériorité tyrannique par les récits de leur Temps primordial à eux, par une superstructure idéologique, théologique, juridique: ici, il faut donner raison à Marx. Contre Feuerbach, il faut tenir que ce ne sont pas les faibles qui ont projeté dans le ciel une Toute-Puissance, mais les forts apeurés par les masses. Et c'est cette superstructure que les masses ébranlent aux époques de décadence des tyrannies et des théologies qu'elles répandent. Athées par situation socio-historique, elles font appel à leur tour à une instance supérieure aux symboles officiels, et réinventent le Nom au-dessus de tout nom qui donne un sens à leur aventure. Leur foi, qui couvait sous la cendre de leurs mythes brisés, recommence à épeler le Nom du Père.

Le cas du nom de l'homme-esclave fait voir comment, dans ce système, Dieu brille par son absence. Mais il y est moins comme une négation que comme une privation. Quand l'homme asservi n'a pas de «dieu» à imiter, il devient un sous-homme, mais il souffre de l'absence de Dieu et de l'homme et, descendant au gouffre du langage, il a la possibilité d'entendre à nouveau le Nom qui lui donne, en même temps qu'une différence, une identité.

Persona

La finale *-na* est un suffixe étrusque, et ainsi *persona* est à *perso* ce que *Latona* est à *Lato*. Sous la graphie *phersu*, *perso* est attesté sur un monument étrusque où il désigne un masque. Les hellénistes rapprochent dès lors *perso* de *prosopon*, qui lui aussi veut dire masque. L'accent sur la première syllabe et la débilité connue des finales rendraient bien compte de la chute de *-pon* et de la forme apocopée *proso-*, et une distribution différente de la voyelle *e/o* et de la sonante de la première syllabe expliquerait le passage de *prose* à *perso*. Le point de départ est donc *prosopon*, qui s'analyse clairement en deux éléments: *pros* et *ôpon*. *Op-* est une racine d'où dérivent une forme du verbe voir et un nom de la face, *pros* est un adverbe exprimant l'idée que quelque chose s'ajoute à autre chose. Le *prosopon* est donc, généralement, tout ce qu'on applique au visage et, particulièrement, le masque. Ainsi *persona* est un emprunt latin au grec par l'étrusque, et il avait originellement le sens de masque et de porteur de masque.

Ces masques n'étaient pas quelconques, mais ils représentaient des caractères déterminés et ils étaient la propriété exclusive de certaines grandes familles ou associations religieuses. On ne peut interpréter les masques grecs et latins qu'en fonction de leur usage. Cet usage peut être en partie connu par le théâtre des temps classique et en partie par les coutumes des peuples dits primitifs. Aujourd'hui encore, en Afrique par exemple, des acteurs, dûment exercés, portent les effigies stylisées des ancêtres et prononcent, au cours de cérémonies sacrées, ce que l'on déclare être le message des anciens. Le porteur de masque représente l'ancêtre au sens littéral du mot, il le rend présent par son masque: il est le porteur du masque et, inversement, le porteur est assimilé à l'ancêtre pour toute la durée de la représentation. Dans le drame rituel où sont répétés les grands gestes créateurs du Temps primordial, l'acteur est un *dramatis persona*, c'est-à-dire une «personne». Chaque famille, association religieuse ou phratrie possède ses ancêtres, ses pères, et donc ses masques, et nul autre que les initiés n'est autorisé à porter les masques. Ce devait être à peu près de cette manière que, dans les villages du Latium et les bourgades de Grèce d'avant le Ve siècle, les associations gentilices célébraient les fêtes de leurs ancêtres et répétaient l'anthropogonie et même la cosmogonie.

Au contraire, les esclaves, qui vivaient loin de leur patrie et n'avaient pas de pères mais étaient la propriété de leurs maîtres, n'avaient pas non plus de masques ni ne célébraient de fêtes commémoratives et anticipatrices, ils ne pouvaient jamais être les acteurs dans les drames sacrés, ils n'étaient jamais des «personnes», ils ne pouvaient représenter les «dieux». Tandis que les hommes libres ou affranchis qui appartenaient à des communautés vivantes et saintes, ayant ce pouvoir, s'exaltaient en réactualisant le passé exemplaire qui était le garant de leur présent, les esclaves étaient dépourvus de personnalité juridique en même temps que de *persona* ou personnage mythico-rituel, et il leur était difficile d'entretenir en eux l'*êthos* des meilleurs. Cette distinction des hommes libres et des esclaves passa dans le droit sous les termes de *persona* et de *res*: les *personæ* étaient des individus humains qui possédaient ou qui appartenaient à des familles ou associations possédantes; les *res* étaient les avoirs de ces groupes, y compris les individus humains asservis. Il y avait ainsi des possédants et des possédés, ceux-là seuls étant reconnus comme des «personnes», comme ayant un passé réactualisable et ennoblissant. Certes, le mot n'avait pas encore le sens métaphysique (qui lui advint, par la suite, par Boèce) d'«individu subsistant dans une nature spirituelle», mais il n'en était pas loin, il connotait déjà l'idée de maîtrise et de liberté créatrice.

Poutant, si la puissance est liée à l'appartenance à une communauté libre et à ses masques commémoratifs et anticipatifs, toute puissance n'était pas refusée aux juridiquement esclaves qui pouvaient être intérieurement plus libres que leurs maîtres. Car l'homme — libre ou serf — est toujours en soi un être capable de jouer un rôle et de rendre présent un modèle exemplaire. Les esclaves pouvaient donc compenser l'absence de possession et de représentation par la «possession» d'abord intérieurement puis même extérieurement manifestée et jouée. Ainsi les esclaves noirs d'Haïti, jouent, dans le vaudou, le drame de leur possession par un *lola*, un esprit. Ainsi au temps de Jésus et de la sujétion romaine, des hommes étaient réputés possédés d'un *daimôn* sadique ou masochiste. Jadis encore, au temps de la domination philistine, ceux qu'on a appelés les «fils des prophètes» étaient possédés par un esprit, étaient ravis en transes et prononçaient des paroles qu'on supposait inspirées. On dirait que les hommes sont hommes, non pas tellement losqu'ils possèdent, mais lorsqu'ils sont possédés, possédés par une Idée qui est une Personne: la possession active des choses par les hommes est comme un effet de la possession passive des hommes par des choses, des images vivantes de la réalité métempirique. En sorte qu'il paraît bien qu'on doive dire que les sociétés détentrices de masques et de fêtes des ancêtres, propriétaires de grandes richesses et en particulier d'hommes plus ou moins asservis, ont d'abord elles-mêmes croupi dans la servitude et la misère, longtemps rêvé de grandeur et audacieusement anticipé dans la foi et l'espérance leurs rapports avec des ancêtres — réels ou fictifs aux yeux de l'histoire documentielle —, mais sans doute surréels du point de vue de l'histoire qu'on peut appeler espérantielle.

La difficulté de l'histoire sera de faire durer l'espérance, de renouveler le rêve et de le faire partager à un nombre de plus en plus grand de personnes et de choses. Car c'est sans doute dans les anciennes fêtes d'ancêtre et de dieux que s'est formé le drame grec avec ses personnages masqués, ses chœurs et son orchestre. Au point de vue formel, le théâtre continue, dans la cité, les anciennes fêtes villageoises, les dionysies rurales. Si elles étaient religieuses, le théâtre l'est aussi, mais dangereusement et, à la lettre, tragiquement: les moyens sont à la veille de n'être plus proportionnés aux fins. Après les exploits de Marathon et de Salamine, Eschyle pouvait encore faire parler les ancêtres et éveiller dans les fils la hantise des grandeurs. Mais sur la fin de sa carrière, il représente dans l'*Orestie* la tragédie d'un peuple déjà déchiré entre des idéologies rivales. Sophocle ensuite, et surtout Euripide sont les témoins de plus en plus impuissants de la dépression nerveuse, de la *failure of nerve* qui mine sourdement les forces vives de la fière cité. Ils représentent de plus en plus les hommes tels qu'ils sont, mais ce réalisme ne réalise rien et réduit les hommes à la condition des choses, d'esclaves menés par leurs passions: les personnes ne sont plus libres ni les spectacles libérateurs des plus hautes énergies.

Vint donc un temps où les anciennes formes de représentation du divin ou passé normatif ne furent plus capables de susciter le sens du sublime et la passion du dépassement. Il fallait d'autres manières de rendre le divin présent dans l'humanité, mais en Grèce les héros étaient fatigués, et les poètes n'étaient plus en mesure, comme le souhaitait Platon, d'inventer le mythe qui les eût sauvés. Une extrapolation inouïe de la notion de personne s'opérera plus tard dans l'empire converti, qui portera jusque dans le Dieu unique la pluralité des présences exemplaires: les hommes seront invités à être parfaits comme le Père, à imiter le Fils, à être esprits comme Celui-là est Esprit. Considérés en eux-mêmes les acteurs du drame éternel seront pensés comme des «personnes» qui possèdent chacune la même «chose», la même nature divine qu'ils se donnent de toute éternité et qu'ils donnent à qui consent à l'accueillir. Devant pareille reprise par la tradition chrétienne d'expressions classiques ou archaïques, l'homme moderne a le choix entre croire qu'elle se réduit à celles-ci ou que celles-ci sont des préfigurations de celle-là qui est unique. Ces options ne sont pas démontrables, sinon peut-être à long terme, par la fécondité qui en émane, par le fait que de plus en plus d'individus humains passent de la condition de chose à la condition de personne. Mais il paraît impossible, pour le temps où il est encore nécessaire qu'il y ait des représentations, d'empêcher que les uns trouvent plus de rationalité dans la réduction et d'autres dans la sublimation. Ainsi sans doute dialogueront, sur la scène du monde, des *dramatis personæ* dont les unes croiront savoir et les autres sauront croire quelles présences se manifestent ou se cachent derrière leur jeu et leur travail, leur apparente liberté et leur apparente servitude.

Anthropos

Ce mot grec est composé de deux noms dont le premier est une forme dérivée de *anêr*. Hormis la prothèse vocalique, *anêr* est un des deux noms indo-européens de l'homme, l'autre étant *vir*, qui peut être négligé ici. En grec, *anêr* désigne l'homme non point par opposition à la femme comme femelle et génitrice, mais en tant que guerrier, noble et même roi; il s'oppose en réalité à *gunê*, qui est apparenté à l'anglais *queen*, reine; comme elle est reine du foyer, il est roi de la cité ou chef de ses troupes. Le latin a généralisé l'emploi de *vir* et n'a pas conservé *ner*, mais il a emprunté au sabin le nom propre *Nero*, qui doit être caractéristique de la noblesse, et la divinité guerrière épouse de Mars, *Nerio*. Le celtique et le germanique connaissent eux aussi *Nerth* comme force ou divinité guerrière. Enfin, les textes védiques appliquent souvent aux dieux le préfixe *nar-*.

Si le *ner* n'oppose pas le mâle à la femelle ni l'homme aux dieux, que désignait-il donc originellement? Faut-il dire que le mot désignait d'abord le guerrier et que, plus tard seulement, par un effet de ce que nos psychologues appellent projection, on a imaginé des dieux pour en hypostasier les modèles? Mais il faudrait d'abord étayer cette hypothèse psychologique d'arguments plus nombreux qu'il n'y en a eus jusqu'à maintenant. L'explication phénoménologique et religiologique nous semble avoir plus de chance d'être fidèle à la mentalité ancienne. Celle-ci se représentait le *ner* — l'homme fort, au-dessus de la moyenne, qui fait la gloire et le salut des siens — comme un lieu de l'espace-temps spirituel où le champ de forces qui constitue l'univers des esprits se condense pour quelque temps et se manifeste en puissance. Le guerrier n'est pas considéré en lui-même comme exerçant la profession d'homme de guerre ni comme un être musclé, brave, irrésistible, mais comme habité par une force qui le traverse et se sert de lui pour le bien d'une communauté menacée. Ce mot, *ner*, signifie au sein d'une vision du monde analogue à celle où figurent, en Mélanésie, le *mana*, et chez les Africains, le *-ntu*. Comme la nébuleuse préexiste aux étoiles et que le champ de forces est antérieur aux masses dans lesquelles se concentre l'étoffe cosmique, ainsi une totalité indifférenciée divino-humano-cosmique préexiste aux dieux, aux hommes et aux choses. Il ne nous paraît donc pas que *ner* soit, en indo-européen, plus primitif ou fondamental que *Nerth*. Premier perçu peut-être, il n'a sans doute pas été le premier pensé: le Fort et la Force se trouvaient plutôt ensemble dans un champ sémantique virtuel et, selon les sociétés, c'est telle ou telle valence — divine, humaine, naturelle — qui a été exprimée la première dans le langage, les autres se modelant ensuite sur celle-là. C'est donc sur un horizon où la divinité était présente que l'homme archaïque s'est efforcé de se définir.

Ceci dit, l'analyse d'*anthrôpos* n'offre plus guère de difficulté. Pour l'interpréter, on dispose actuellement des faits suivants: premièrement, *anêr* signifie «homme» au sens qu'on vient de dire; deuxièmement, *ôps* signifie visage, figure; troisièmement, une glose d'Hésychius donne *drôps* comme équivalent de *anthrôpos*; quatrièmement, l'alternance *d/th* est attestée par des mots comme *Kadaron/Katharon, idakos/ithakos.* Il convient de partir de *drôps*, qui se décompose bien en deux éléments: *dr-ôps.* Le second est le nom déjà rappelé du visage; le premier est ce qui reste du radical *ner* au degré zéro, *nr-*, après insertion de la dentale épenthétique, *ndr-*, et amuïssement de la nasale désormais dépourvue de support vocalique et fusionnée avec la dentale qui suit: ainsi, *ndr-* est devenu *dr-*. *Drôps* signifie donc: visage ou figure de *ner.* Cette glose facilite l'explication d'*anthr-ôpos.* Le deuxième terme du composé est le nom du visage, *ôp-*, non plus sous sa forme athématique et sigmatique, mais élargi par la voyelle *o* dite thématique: *-ôpos.* Le premier terme doit être dérivé lui aussi de l'indo-européen à partir d'*anêr* au degré zéro, soit *anr-*, étoffé par le développement entre les deux sonantes *n* et *r* d'une épenthèse dentale qui sera devenue aspirée dans un dialecte de nous inconnu: soit donc *anthr-*. *Anthrôpos* n'est donc que phonétiquement et morphologiquement différent de *drôps*; sémantiquement, il lui est identique et signifie visage de héros. Ce mot n'est pas indo-européen, c'est une création grecque relativement récente, peut-être contemporaine des épopées homériques, du début de l'humanisme grec et de la prise de conscience par l'homme hellénique de la valeur de l'homme. Comme les Esquimaux s'assimilaient aux *Inouit* dont les récits vantaient la puissance, les Grecs ont fini par penser qu'il y avait parmi les vivants des êtres tout aussi dignes d'admiration que ceux dont les aèdes magnifiaient les exploits. On semble penser, quoi qu'il en soit de l'existence des dieux ou des *ner* dont parlent les récits, que l'homme actuel ressemble à l'image qu'en proposent les poètes. *Anthrôpos* a dû être généralisé par des réalistes en réaction contre les *laudatores temporis acti.*

Homo

Le français *homme* vient du cas accusatif des langues romanes *hominem*, dont le nominatif latin était *homo*. Mais *homo* est lui-même un thème nominal suffixé par *-ô*, en sorte que le nom racine est *hom-*. Le sens de cette base, en première approximation, peut être connu, entre autres, par comparaison avec les dérivés latins, *humus*, terre, sol arabe, et *humi*, à terre, et aussi par les parallèles grecs de même sens *chthôn* et *chamai*. Cependant, «terre» n'est pas ici la *terra* des Latins, c'est-à-dire le *torr*-éfié, le desséché, l'aride, la matière pulvérisable des champs de labour, du sol des habitations ou des chemins: ce sens et ce mot sont plus récents et propres au latin, tandis que *hom* est indo-européen. Comme les mots signifient par différence, il faut éliminer en premier lieu l'idée que *hom* s'opposerait à pierre comme à quelque chose de non friable: c'est la connotation de *terra* mais non de *hom*.

Il faut aussi écarter comme terme opposé le soleil dont la terre serait distinguée en tant qu'astre, planète ou corps céleste, car la terre n'apparaît pas encore comme une masse dans le ciel. Elle ne s'oppose pas non plus à l'eau comme le sec à l'humide, ni à la mer comme le continent ferme à la surface mouvante. Quelques faits linguistiques orientent vers une autre conception. Par exemple, le grec oppose *epichtonios* et *epouranios* comme terrestre et céleste, et l'osco-ombrien a des mots comme *hon-tra* et *hu-truis*, qu'il faut traduire par *infra*, en bas, et qui sont employés dans des contextes religieux où ils doivent s'opposer à un *supra*, un en haut. *Hom* prend donc son sens de sa relation à une géographie spirituelle et symbolique et de la conviction religieuse qu'il contribue à articuler. Nos analyses antérieures nous permettent d'insister ici sur de nouvelles implications de cette manière de signifier.

Car cette signification ne doit pas être considérée comme allant de soi. Elle fut l'objet d'une création de sens, car les images ne sont signifiantes que traversées par une intentionalité universelle, par une vision-volition du monde. Dans le cas présent, la totalité perceptible s'organise autour de deux pôles: un là-haut et un ici-bas, et cet espace, de bout en bout spirituel autant que matériel, contient des êtres et des maîtres de natures différentes.

On a dû accepter d'abord qu'il existe des êtres plus puissants que l'homme et invisibles, et trouver convenable de fixer leur séjour là où n'est pas l'homme, là-haut. Corrélativement, l'homme fut celui qui n'est pas au ciel, mais sur terre: c'est un *hom-ô*. Mais ce mot exprime moins un fait qu'un vœu: l'*homo* est un être qui doit accepter sa condition d'*hum-ilis*, d'humble, de terrestre. D'après ces vues, et au contraire de ce que Mircea Eliade semble parfois suggérer, le ciel n'a pas été perçu d'emblée comme très-haut et comme divin. Certes, l'altitude s'impose à la perception, mais entre le Très-Haut et l'expérience de l'altitude s'interpose la conception, la production libre et exemplaire d'une idée. L'image du ciel est emportée dans un mouvement spirituel qui vise l'intelligence de la totalité de ce qui existe en vérité, et elle est chargée de signification par le langage qui en déploie les virtualités. Ni le haut ni le bas, quand ils sont des symboles, ne sont des perceptions communes: ce sont des conceptions singulières qui ont été peu à peu généralisées, ce sont des paroles qui ont fini par passer dans la langue. Elles ont dû être choisies, sans doute par un poète-prophète, pour communiquer le désir qu'il avait de faire accepter par d'autres sa conviction que l'homme ne devait pas prétendre à une condition supérieure à celle qui lui a été départie. Il est vrai que cette image était préordonnée à recevoir cette signification, mais elle ne la convoie pas plus naturellement pour les primitifs que pour les modernes: le sens doit passer par la médiation de la volonté et de l'intelligence d'un chef de file, et par un appel à l'intelligence et à la volonté de ceux dont celui-là se sent solidaire. Il y a le ciel et il y a la terre, dit le prophète, il y a le *dei* et l'*hom*, il y a les célestes et les terrestres, les *dei-woi* et les *hom-ines*: que l'homme consente donc à être, provisoirement du moins, en bas et non point en haut, un homme et non point un dieu, qu'il renonce à toute *hybris*, qu'il abaisse dans l'espoir d'être élevé.

Mais il faut ajouter que cette espérance doit faire partie du champ sémantique et volitif du mot *homo*. C'est un symbole spirituel avant d'être un concept rationel, il servait plus à vouloir et à consentir qu'à savoir et à montrer, il appartenait à la sphère du subjonctif et de l'optatif plus qu'à celle de l'indicatif. S'il n'est pas interdit d'en considérer la production comme l'effet d'une pensée classificatrice, il faut rappeler que les classes avec lesquelles opère cette pensée, qui est aussi une pesée, ne sont pas homologues à celles de nos sciences d'observation. Elles sont plus ambitieuses, car elles tendent à épuiser toute la réalité, et autrement opératoires, car elles s'offrent à rendre celui qui y adhère capable d'accueillir tout le réel en l'un quelconque de ses fragments et de l'y réinvestir. Elles veulent que l'homme soit terrestre et humble, mais au sein d'un englobant céleste et fier qu'il a le pouvoir de nommer et dont il peut anticiper la radiance par la lumière qui est en lui. Car l'homme est semblable aux dieux; comprenons, encore une fois, que si les êtres que magnifie la tradition sont dits avoir fait des prouesses, les hommes aussi font des choses admirables et dignes d'être chantées par les aèdes. Les hommes archaïques ont pris une conscience toujours renouvelée d'eux-mêmes sur le fond de cette sorte de tradition que les Grecs appelèrent *mythos* et dont les préhistoriques déjà savaient faire un *logos*. Car eux aussi, «mytho-logisaient», refondaient l'ancien dans le nouveau, adaptaient les récits traditionnels aux nouvelles exigences de la raison et de la foi. Dans leurs meilleurs moments, autant que nous dans les nôtres, ils ne rabaissent l'homme que pour l'aider à se dépasser, et ce n'est que lorsque certains se prétendaient plus célestes et divins que les autres que les prophètes leur rappelaient qu'ils étaient terrestres et poussière, et qu'ils devaient être bienfaisants et généreux pour prendre place parmi les dieux auxquels ils sont semblables.

CONCLUSION

Il y a certes bien d'autres définitions de l'homme que celle vers laquelle convergent les noms archaïques que nous avons analysés. Pour les aristotéliciens, l'homme est un animal raisonnable; pour nos zoologistes, c'est un bipède qui use de la parole et d'instruments; pour les évolutionnistes, c'est un primate supérieur d'une planète du système solaire, qui est une étoile d'une certaine galaxie voisine d'Andromède et point du tout privilégiée; pour bon nombre de freudiens, c'est d'abord un ça, puis un moi et enfin un sur-moi; pour les économistes d'obédience marxiste, la pensée, la philosophie, le droit, la religion sont des superstructures de l'homme essentiellement technicien et producteur; pour les nietzschéens, la pensée est un épiphénomène et une maladie de la vie. Ces définitions mettent l'accent davantage sur le genre que sur la différence spécifique, et ce qui intéresse les sciences de la nature et une bonne partie de la recherche courante en sciences humaines, c'est ce que l'homme a de commun avec les animaux ou avec la nature en général, et non pas ce qui l'en différencie. Ce point de vue a été et reste un principe presque indéfini de connaissances, car il est bien vrai que l'homme participe de la vie animale et de la nature. Mais il se pourrait que bientôt cette manière d'approcher notre essence ne nous suffise plus: dans un monde qui aura cessé de pouvoir compter sur les assurances qui ont été établies durant des millénaires par les religions et les sagesses dans le subconscient des peuples, il deviendra nécessaire de faire émerger à la conscience la spiritualité et la piété qui sont au soubassement de notre savoir et de notre pouvoir. Autrement, nous pourrions devenir incapables de rendre compte de notre animalité même et de perdre le goût de chercher à la connaître davantage; cela ne nous est-il pas arrivé jadis à l'époque où notre Occident était manichéen et se détournait de la matière? Heureusement, il y a de plus en plus de savants qui croient que l'animalité humaine est constamment modifiée en profondeur par la raison, le langage, la connaissance de l'univers, le sur-moi, les superstructures, la capacité de réflexion et de décision. On commence de divers côtés à s'apercevoir que la raison de l'animal raisonnable est infinie, que l'animal humain est transi de langage de part en part, que le primate hominidé est un être qui se connaît et qui connaît l'univers comme pouvant être autrement qu'ils ne sont, que le sur-moi déborde de toutes parts les limites du corps individuel et social et s'apparente à la transcendance des traditions spirituelles, que les infrastructures ne sont connues, critiquées et exploitées qu'à travers les superstructures, et que la vie est plus entravée par le dionysiaque et l'absence de pensée que par l'apollinien et le socratisme.

Cassirer définit l'homme animal symbolique, les phénoménologues comme une conscience intentionnalisée vers le monde par le corps, Sartre comme un être pour qui il est dans son être question de son être même, Rahner comme un esprit dans le monde par la sensibilité, Bergson et Teilhard comme le lieu où l'élan vital et la dérive de la vie culminent en mystique et en charité divines. On n'est pas loin des représentations archaïques. Notre intention n'est pas d'affirmer que ce point de vue doit être désormais le seul valable, mais de suggérer qu'il mérite d'être adopté au moins provisoirement par ceux qui s'appliquent à comprendre les religions, les spiritualités, les philosophies et les réflexions même des sciences sur leurs fondements. Car, outre les sciences de la nature et les sciences de l'homme comme être de la nature, il y a les sciences de l'esprit. Nous ne courons guère de risque à relativiser nos découpages conceptuels courants et à tenter d'édifier en ordre distinct de sciences les recherches qui concernent l'homme en son principe, son cœur et sa fin. Il se pourrait bien que nous apercevions alors des horizons insoupçonnés et que la science reparte de plus belle. S'il est vrai que le monde est une machine à faire des dieux, cette manière de voir pourrait bien déclencher dans l'étoffe consciente et inconsciente de notre espèce des énergies dont nous n'avons pas encore idée.

En effet, les traditions primitives, archaïques, classiques, bibliques, chrétiennes de l'homme peuvent être prises ou bien comme fausses et dépassées, ou bien comme éventuellement vraies. Dans le premier cas, il n'y a ici plus rien à ajouter, il faudrait porter le débat à un autre niveau de rationalité. Dans le deuxième cas, on peut ou bien donner un assentiment de foi aux concepts que ces traditions mettent en œuvre, ou bien les prendre comme des données et les soumettre à la recherche scientifique et à la vérification. Dans l'hypothèse où l'on répond par une adhésion de foi aux concepts énoncés, il n'y a plus rien à dire ici; dans l'autre hypothèse, celle où l'on prend les traditions comme des données à soumettre à la recherche scientifique, l'alternative suivante se présente: ou bien on traite les données de façon objective, et sans réfléchir sur soi ni se mettre en question, on contribue simplement au progrès de la recherche dans la détermination des essences, des constantes, des lois, des séquences, des dialectiques; ou bien, on prend aussi les données comme la matière d'un exercice spirituel où l'esprit dans le monde s'éprouve comme ayant à dépasser le monde par sa recherche même et ses applications; le savant, qui est aussi un homme, réfléchit sur ce qu'est l'homme et l'humanité au sein de laquelle il fait œuvre de science. C'est là un point de vue vers lequel peut orienter la religiologie, non en tant que science au sens de savoir établi, mais en tant qu'*habitus* ou aptitude à participer à la recherche et à l'affectation de l'homme en son infinitude.

Envisagée, au contraire, du point de vue d'une foi et d'une théologie, la religiologie peut être comprise comme une manière d'attirer l'attention sur la nature de cet infini, dont l'histoire intelligible et admirable de l'homme invite à poser l'existence comme de quelqu'un qui a un projet sur l'homme, qu'il a fait à la ressemblance de son infinité. Selon que le religiologue sera en dialogue et en dialectique avec des extravertis, des introvertis ou des convertis, sa discipline apparaîtra comme une théorie parmi d'autres, ou comme la formulation perfectible d'une structure heuristique permanente et irréformable, ou bien comme une propédeutique. Sans doute faut-il poser en principe que les avenues sur le mystère de l'homme sont multiples et que l'humanité se fait à travers les hommes et à travers les conceptions diverses que les hommes se font d'eux-mêmes. En particulier, à travers des reprises rigoureuses et réfléchies des conceptions archaïques de l'homme: on a souvent besoin d'un plus petit que soi.

La notion de merveilleux[1]

L'adjectif *merveilleux* apparaît en français au XIIe siècle. Il a été formé, au moyen du suffixe *eux*, qui signifie *plein de*, sur *merveille*. *Merveille* est du XIe siècle et vient de l'adjectif latin au neutre pluriel *mirabilia*, qui flottait dans la mémoire des moines psalmodiant les *Mirabilia Dei*. Par l'adjectif déverbal *mirabilis*, le verbe *miror* et l'adjectif radical *mirus*, on rejoint une racine indo-européenne *mei* ou *smei* qui se trouve dans le grec *meidiaô* et l'anglais *smile*, sourire.

Dans la diachronie des significations, le merveilleux est donc d'abord ce qui provoque cette espèce de détente à la foi spirituelle et physiologique qu'on appelle le sourire, et il est corrélatif d'une tension, comme si l'homme était un être intentionné vers quelque événement ou parole qui serait capable de satisfaire provisoirement un désir, peut-être l'éros de ce que Platon appelait le Beau en soi.

Comme substantif neutre, *merveilleux* n'est guère employé avant la fin du XVIIe siècle et le début du XVIIIe siècle par Racine, Boileau, Rousseau, Lesage et Voltaire. Il s'agissait alors du merveilleux littéraire et plus particulièrement épique: on opposait le vraisemblable et le merveilleux, le merveilleux païen et le merveilleux chrétien, celui-ci étant d'ordinaire jugé minable par comparaison avec celui-là. Le merveilleux en tant que réalité culturelle était donc

---

1. Article paru dans *Le Merveilleux*, Deuxième colloque sur les relations populaires, 1971, textes présentés par Fernand Dumont, Jean-Paul Montminy et Michel Stein, Québec, PUL, 1973, p. 15-20.

créé par le mot même qui faisait un certain découpage parmi les traditions et délimitait un champ à l'intérieur du langage; autrement dit, le merveilleux devenait une instance seconde, une catégorie de recherche.

Par la grâce du romantisme allemand puis français, cette catégorie fut infléchie de telle sorte qu'elle servit aussi à rendre pensables les traditions populaires. Une telle promotion du merveilleux était symétrique d'une rémotion compensatoire chez les doctes de la notion de miracle, car c'est l'époque où Renan parlait du miracle grec. Mais le merveilleux populaire ne se laissait pas définir comme simple mémoire d'admirables événements passés: le succès de Lourdes montre bien qu'il était tout autant espérance d'événements futurs insolites et concrètement bienfaisants. Ainsi commençaient à s'opposer deux apologétiques: celle du miracle comme signe des interventions de Dieu dans notre monde, celle du merveilleux comme fond récurrent sur lequel se détache la raison moderne.

Pour nous qui sommes assemblés ici, le merveilleux comme adjectif substantivé au neutre n'est pas le réel, ni même un moyen de le viser mais, en première approximation au moins, un mot qui nous permet de débattre le problème de sa nature. C'est une catégorie qu'on nous invite à considérer comme susceptible de favoriser un échange interdisciplinaire; c'est une structure heuristique pratiquement vide ou très englobante, un ensemble d'algébrèmes, préopératoire, antérieur à tout examen rigoureux d'une matière et délimitant simplement un champ de recherches possibles.

Mais en plus d'être l'expression d'une idée qui nous fait coexister pacifiquement pour quelques heures, le merveilleux m'apparaît, en deuxième approximation, comme ce qui préexiste à nous-mêmes, tel un ensemble d'événements déjà produits dans l'ordre du langage. Et alors l'expression morpholexicale par un adjectif substantivé au neutre — «le merveilleux» — se révèle tout à fait inadéquate. L'instrument d'approche doit être plutôt l'adjectif comme prédicat, en position de phrase et comme expression d'un jugement d'excellence: *Merveilleux! Wonderful, terrific, fantastic!*

Les choses ne sont merveilleuses que dans la mesure où elles ont été dites telles, ou qu'elles pourraient et devraient l'être. De ce point de vue, le merveilleux n'a rien de substantiel, c'est plutôt une qualité évanescente qui épuise son être intentionnel dans la manifestation de son expression, c'est quelque chose comme un accident dépourvu de substance, ou plutôt une espèce intelligible qui transsubstantie par le langage les espèces sensibles dont elle se sert pour se manifester et s'exprimer, et qui a toujours besoin d'être défendue contre le bruit de fond qui menace constamment l'écoute de la parole.

Et voici ma troisième approximation. La substance du merveilleux, en deçà du substantif neutre qui guide les chercheurs et de l'adjectif qui exprime l'affectivité des admirateurs, se manifeste dans les formes lexicales proches du verbe comme sont les mots *merveille* et *émerveillement*. Ces mots expriment une relation vive de l'esprit à l'esprit par le truchement de deux termes. De même que les géomètres définissent la ligne par les points qui la terminent et les points par la ligne qui les relie, on définit ici le merveilleux par la merveille et l'émerveillement, c'est-à-dire en disant d'un terme qu'il est un objet et admirable et, de l'autre terme de la relation, qu'il est un sujet et admirateur. Mais, en fait, le merveilleux est dans la relation même telle qu'elle est dite ou *dicible*: il n'est donc ni dans le sujet ni dans l'objet par priorité, mais dans ce que j'aime appeler le transjet ou, avec Whitehead, le surjet. Cette manière de voir est voisine de celle de Lacan pour qui le réel de la psychanalyse est la relation même qui, par le langage, relie l'analyse et l'analysé.

Le fait est, cependant, qu'avant la rencontre thérapeutique le sujet et l'objet étaient comme deux pôles d'une relation absente, parce qu'inconsciente. On a pu définir l'inconscient comme la partie du discours concret transindividuel qui fait défaut à la disposition du sujet pour rétablir la continuité de son discours conscient. La relation vive et vivifiante est donc rétablie par le langage en acte, lequel préexiste aux sujets comme aux objets. Le merveilleux comme merveille est donc ce qui provoque le langage; comme émerveillement, c'est le principe de la parole. Et comme la cause doit être proportionnée à l'effet, il semble requis que la merveille elle-même soit parole. Car, si elle fait parler, c'est qu'elle est éloquente. Les Hébreux diraient qu'elle est un DABAR, à la fois parole et chose. Tout se passe donc comme si, derrière le merveilleux en acte, il y avait toujours une puissance de parole et d'interpellation dont les personnages et personnifications des récits de merveille ne peuvent être qu'une traduction et, souvent, une trahison.

Si notre débat devait s'orienter autour d'une définition opératoire, je suggérerais que celle-ci devrait se situer entre deux extrêmes. Au sens large devrait être considéré comme merveilleux tout ce qui est qualifié défavorablement au moyen d'hyperboles laudatives, par conséquent, même le merveilleux de commande du langage publicitaire ou touristique. À l'autre extrémité, je mettrais le merveilleux du langage en fête, solennel, hymnique, prophétique et poétique, c'est-à-dire le langage de ceux qui se veulent responsables d'une société et des valeurs qu'elle devrait admirer et rendre admirables. Ici, le merveilleux n'est plus seulement référé, en deçà des sujets et des objets, à un transjet transculturel et transhistorique, mais à quelque chose comme un projet et à un ensemble de décisions contingentes qui pointent au-delà d'elles-mêmes.

De ce point de vue, la question de savoir ce qui s'est produit lors de ce qu'on appelle le passage de la mer Rouge a infiniment moins d'importance que la décision des responsables d'Israël de porter le regard du côté des répétitions possibles de la réalité eschatologique signifiée par le récit. Le récit de l'Exode est d'abord un événement dans l'ordre du langage et il est destiné à délivrer la parole retenue captive dans l'injustice, il ne relate pas un souvenir mais se réfère à un avenir, il ne s'adresse pas à la mémoire mais à l'imagination transcendantale et à la puissance effective de discours.

Plus que d'une foi, le merveilleux est donc l'expression d'une espérance. Il est donc toujours fonction d'une aire déterminée de l'Espace-Temps de l'Esprit, où l'esprit se voit inachevé. On peut le définir comme l'ensemble déterminé de représentations à l'intérieur duquel une certaine société est disposée, pour se dépasser, à considérer comme admirables certains événements ou récits d'événements supposés réels ou possibles. C'est toujours grâce au système reçu des représentations et donc aux produits des mystiques antérieures que les récits sont crus admirables. Et c'est lorsque le système des différences signifiantes se modifie que les vieux récits sont perçus comme des fables et des mythes. Le merveilleux varie donc avec ceux que les sociétés acceptent d'encourager comme porte-parole de leurs rêves: rhapsodes, bardes, troubadours, conteurs, prophètes ou vedettes.

Les récits de merveille emportent avec eux leur vérité et leur fausseté, leur grandeur et leur limite. Ce n'est pas la science qui peut dire la vérité du merveilleux en acte, car alors il s'atteste lui-même comme témoin inconfusible. Nous pouvons seulement tenter de dire la vérité des systèmes successifs ou simultanés de représentations au moyen desquels le merveilleux s'amène au langage ou se dilue dans le verbiage. Cependant, s'il appartient aux métaphysiciens et aux théologiens de définir la merveille et l'émerveillement, il nous appartient en propre de décrire et d'expliquer les formes d'étonnement; et l'émerveillement est le commencement de la métaphysique et de la science. Sans doute faut-il dire que nos sciences commencent au moment où nous nous émerveillons vraiment des émerveillements variés et contradictoires des hommes et des groupes humains.

En résumé, je dirai que, selon moi, *(1)* l'émerveillement est le principe d'une certaine conversion du regard; *(2)* que le récit de merveille est l'expression ou la thématisation de cette conversion et un moyen de la généraliser; *(3)* que la catégorie du merveilleux est une méditation abstraite par laquelle des convertis qui se veulent responsables d'une certaine qualité de l'admiration s'appliquent à en reconnaître, classer, comparer, structurer et expliquer les diverses manifestations, afin, en dernière analyse, d'induire le style de conversion qui leur paraît meilleur. La science du merveilleux n'est donc pas innocente ni pure: elle sert ou dessert un projet dont la vérité relève d'une justice immanente à l'histoire dans laquelle nous sommes engagés.

L'expérience spirituelle dans le bouddhisme et le zen[1] (extrait)

INTRODUCTION

Il y a une question préalable. Pourquoi, chrétiens, ayant déjà une grande richesse dans notre tradition doctrinale et notre pratique spirituelle, nous intéresser au bouddhisme?

1. Modernité: Théologie — Philosophie — Science — Retour à la «poésie»

La société dans laquelle nous nous trouvons est sortie du Moyen Âge dont la vision du monde était théologique. Avec la Renaissance l'accent a été mis sur la philosophie. Depuis le XIXe siècle, avec le positivisme, l'accent est mis sur la science.

Au Moyen Âge, Dieu était évident. La vision du monde se structurait autour du Père, du Fils et de l'Esprit.

À la Renaissance, avec l'époque classique, le point de départ devient le «moi pensant»: «Je pense, donc je suis» (Descartes).

---

1. Article paru dans *Dieu + Dieu. L'expérience de Dieu dans le christianisme*, Assemblée générale de l'union canadienne des religieuses contemplatives, 12-18 septembre 1976, Montréal, 1976 (?), p. 19-37. Cet article est la mise par écrit d'un enseignement donné à cette assemblée; comme il n'était pas de la main de R. Bourgault, nous nous sommes permis quelques corrections.

Actuellement, c'est la nature qui est centrale. Dans les mouvements les plus modernes, ni Dieu, ni l'homme ne sont importants. Le rôle de la science est d'éliminer l'homme après que la philosophie ait éliminé Dieu. Ceci est l'atmosphère dans laquelle vivent nos contemporains, même si nous avons réussi à maintenir les valeurs traditionnelles.

Si nous voulons répondre aux besoins d'aujourd'hui, il nous faut de nouveau rendre la théologie attirante.

Telle que je la structure, la théologie comporte trois parties:

— Il y a une théologie scientifique. C'est celle que pratiquent actuellement la plupart des Facultés de théologie.
— Il y a une théologie philosophique, une théologie sapientielle, la sagesse étant l'intuition, l'intelligence de la cause première (à la façon de saint Thomas d'Aquin).
— Il y a une théologie poétique, ou esthétique, qu'on pourrait aussi appeler prophétique, spirituelle, créatrice, productrice d'images, de symboles.

La théologie dont nous avons probablement besoin aujourd'hui est une théologie poétique. Une grande part du renouveau actuel de la théologie se fait autour de l'esthétique: «La Gloire et la Croix» de Hans-Urs von Balthasar, «La poétique de l'engagement» de Peter Kemp.

On peut penser que le renouveau de notre temps ne se fera pas uniquement par un approfondissement ou un accroissement de la science, ni par un approfondissement de la théologie philosophique, mais par un renouveau de la poésie. Or, sur ce plan, nous verrons que le bouddhisme a beaucoup à nous apprendre.

2. Ouverture œcuménique

Le Concile Vatican II nous invite à accueillir avec beaucoup de sympathie toute recherche de Dieu qui se fait ailleurs que dans le christianisme (institution du Secrétariat pour les non-croyants). Dieu ne s'exprime pas seulement dans la tradition chrétienne, mais aussi dans le judaïsme, dans l'islam et, pourquoi pas, dans le bouddhisme. L'Église nous demande d'être accueillants à la possibilité d'une ouverture de la Révélation, à ce que saint Thomas appelle le «révélable». Il y a le «révélé», il y a aussi le «révélable». Tout n'est pas dit. Dieu parlera au monde jusqu'à la fin de l'histoire, sur la base d'un certain nombre de textes dogmatiques, canoniques, qui sont pour nous l'Écriture Sainte, mais c'est là un germe dont la production, s'il s'agit vraiment la Parole de Dieu, doit se poursuivre jusqu'à la fin des temps.

3. Christité et figures historiques

Par christité, j'entends l'union du Christ et de l'Église, une union concrète, le Christ vivant actuellement et l'Église étant le noyau de l'action du Christ qui récapitule progressivement toute l'humanité. Cette récapitulation se fait en une série d'étapes dont nous connaissons quelques-unes: la christianité, le christianisme, la chrétienté.

— La christianité néotestamentaire, c'est-à-dire la forme qu'a prise cette union du Christ et de toute l'humanité par ce noyau premier qu'est l'Église, s'est faite par une récapitulation des traditions juives (dont beaucoup sont passées dans le Nouveau Testament), des traditions grecques (par les hellénistes et saint Paul), et des traditions romaines (par la constitution du Nouveau Testament). La christianité est disparue en l'an 70 par la rupture violente avec les Juifs.

— Après la christianité néotestamentaire, s'est développé le christianisme. À ce moment, la christité commence à récapituler des traditions syriennes, mésopotamiennes, cappadociennes, asiates, macédoniennes, égyptiennes, espagnoles, gauloises. Le christianisme indo-méditerranéen est disparu avec les invasions barbares.

— Là-dessus, s'instaure la chrétienté médiévale qui va récupérer pour le Christ les traditions celtiques, germaniques et slaves.

La chrétienté est en train de se dissoudre, quelque chose d'autre est en train de naître. Comment cela se fera-t-il? Comme toujours, par l'interpellation de traditions étrangères au christianisme. Il s'agit pour nous de nous laisser adresser une parole neuve à partir de paroles virtuelles de Dieu qui sont dispersées dans une histoire, en sorte que ce n'est pas être infidèles à la vérité du christianisme que d'accueillir ce qui se dit ailleurs. Dieu a mis en réserve des messages pour notre temps. D'où la question: est-ce que nous sommes disposés à accueillir le bouddhisme comme une chance pour la christité?

Il y a dans le bouddhisme une profondeur rare dans l'histoire. Un défi nous est adressé par des hommes que Dieu a éclairés en dehors du Christ, mais non en dehors du Verbe. Le Verbe est toujours présent dans l'histoire. Le Christ est comme le lieu, le catalyseur à travers lequel, au cours de l'histoire, diverses traditions peuvent être récupérées, récapitulées par le Verbe.

Le chercheur et sa passion[1]

René d'Ouince, qui a été longtemps le supérieur immédiat du père Teilhard de Chardin, a écrit récemment un beau livre sur le grand chercheur et le grand passionné que fut ce jésuite paléontologue[2]. Les deux tomes de cet ouvrage méritent d'être lus par tous ceux qu'intéresse le proche avenir non seulement de l'Église mais de l'humanité. Ils les aideront à comprendre comment les hommes les mieux intentionnés sont facilement prisonniers d'un univers clos où la vérité est retenue captive dans l'injustice, comment une vision du monde peut rapidement cesser d'être croyable pour le grand nombre, et comment une autre manière d'approcher le réel, traversant un chercheur passionné et souffrant sa passion, peut finir par s'imposer. Cet article ne sera pas une recension de ce magnifique ouvrage, mais une réflexion libre sur le chercheur et sa passion.

La recherche: une quête de l'existence

Il y a des chercheurs de profession, des hommes attachés à un centre de recherche et dont on attend qu'ils trouvent quelque chose qui, faisant avancer la science ou la technique, accroisse notre maîtrise

1. Article paru sous le titre «Le chercheur et sa passion — l'aventure de Pierre Teilhard de Chardin», dans *Relations*, 368 (février 1972), p. 54-55.

2. René d'Ouince, «Un prophète en procès: Teilhard de Chardin», t. I: *Dans l'Église de son temps*, t. II: *L'avenir de la pensée chrétienne*, collection «Intelligence de la foi», Paris, Aubier, 1970.

sur la nature préhumaine et humaine. Pour ceux-là la recherche est une passion en vérité, et une participation à la volonté de puissance, mais de cette passion dévorante il convient de dire que, le plus souvent, elle prolonge la nature. Il faut aussi rappeler que la très grande majorité de ceux qu'on appelle aujourd'hui chercheurs appliquent à des domaines qui ne sont que relativement nouveaux des procédures éprouvées; et que la plupart de ceux qui ont obtenu des prix Nobel ont utilisé des méthodes connues, mais avec une ingéniosité, une virtuosité et une persévérance exceptionnelles, dignes des plus hautes récompenses internationales. Néanmoins, il faut observer que, s'ils ont découvert quelque chose et apporté des réponses à des interrogations, ils n'ont pas d'ordinaire ouvert de nouveaux champs de questionnement. Autant qu'on en puisse juger, la recherche demeure périphérique à leur être profond, et ils la pratiquent comme d'autres pratiquent la médecine, le droit ou le génie. Ils ne mettent pas le monde en question, ils ne sont pas des êtres pour qui il est dans leur être question de leur être même, ou, si c'est bien de cela qu'il s'agit pour eux sous les espèces d'un objet particulier, cette quête de l'existence authentique n'apparaît le plus souvent pas dans ce qui est connu de leur démarche, et ce n'est pas par là qu'ils pèsent sur le destin des hommes.

De ces chercheurs scientifiques modernes, nous nous laissons naïvement dire depuis une vingtaine d'années qu'ils comptent pour quatre-vingt-dix pour cent de tous les hommes qui ont vraiment cherché dans l'histoire. Pourtant, leurs recherches portent sur les structures et non les fondements, et on peut penser que les chercheurs par vocation, qui s'adonnent à la recherche fondamentale, ont une plus grande importance historique, et qu'il n'y a peut-être aucune époque de l'histoire qui n'ait eu les siens, dont beaucoup sont insurpassés.

Pour ceux-ci, la recherche fait partie de leur être même et aussi, sans doute, de cette part de non-être réel ou de néant positif qu'il y a en eux. Comme l'oiseau chante et que nage le poisson, eux se meuvent dans l'élément du langage et dans la quinte essence. Ils n'ont pas décidé de chercher, ils ont été convoqués à la recherche et, s'ils cherchent, c'est qu'ils ont perdu quelque chose de vital: leur naïveté d'antan quand, avec tous les autres, ils acceptaient comme allant de soi les façons de voir, de penser, de juger et de faire du milieu et du temps. Ils ont cessé d'être simples, ils sont doubles et compliqués, presque schizophrènes aux yeux de ceux qui se croient simples. Pourtant, eux-mêmes, quand ils deviennent lucides sur leur propre condition, sont enclins à juger que c'est en se décompliquant qu'ils contribueront à simplifier les comportements communs. Ils n'en ont jamais fini de scruter le fondement et le principe de ce qui, pour les autres, est principe et fondement. Ils vivent au cœur d'une contradiction et d'une possible identité, ils sont négation et abnégation, impuissance existentielle à rien affirmer. Ils ne parlent pas, et on ne peut même pas dire que ça parle en eux: il n'y a justement qu'un pur vouloir-dire et une impuissance à dire. Mais quand ils ont enfin atteint le principe vraiment premier et le fondement vraiment fondateur, alors jaillit en eux un flot de paroles incoercible et ils n'en finissent plus de dire et de redire le sens qu'ils ont trouvé sous le non-sens et d'inventer des discours et des agirs qui permettent aux autres d'accéder à l'origine et à l'exemplarité.

Sages ou philosophes, poètes ou artistes, artisans ou gouvernants, ce sont des faiseurs de sens, et c'est toujours à partir d'hommes comme ceux-là que les sociétés, comme après un bain de jouvence, se remettent à œuvrer pour un avenir meilleur. La rhétorique est le fruit de leur poétique, la haute politique un effet de leur rhétorique, et la politique, la condition de possibilité de la coexistence des travailleurs. Ainsi du moins pensait Platon, qui est un chercheur fondamental sans doute encore insurpassé.

Le chercheur: un mystique et un prophète

Mais, outre la recherche scientifique et la recherche fondamentale, il y a la recherche fondative ou fondationnelle, non d'un fondement qui existe, mais d'une fondation à faire exister. L'homme est ici moins cherchant que cherché et moins trouvant que trouvé, et ce qui est cherché par lui ou plutôt qui en lui se cherche, c'est non tant une identité personnelle ou culturelle que l'identité même de l'être. Le chercheur est désormais un mystique-prophète, un esprit qui a le sentiment d'être perdu sans recours, jeté là, abandonné au corps, au temps et à l'espace. Ce sentiment est une angoisse, un serrement de cœur, la crainte d'être dépouillé de tout caractère propre et de son nom même, et d'avoir à admettre que les mots n'aient pas de sens et ne fassent rien connaître de ce qui existe en vérité.

Il faut évoquer ici les plus hauts modèles. On peut imaginer que c'est un sentiment de cette sorte qu'éprouva Jésus quand, autour de sa douzième année, il put apprendre de compagnons de jeux ce que répétait la rumeur publique: ton père n'est pas ton père! C'est à ce moment que, selon l'Évangile de Luc, il fit cette fugue d'adolescent à jamais célèbre pour chercher son père véritable. Un croyant ne doit-il pas penser que, si la paternité absolue a vraiment été dévoilée en lui, ce doit être qu'elle a d'abord déchiré violemment et combien douloureusement le voile de la connaissance qu'il avait, dans son nom de fils de Joseph, de la périphérie de son être? En lui, l'angoisse s'est faite agonie, et cette agonie doit durer jusqu'à la fin du monde comme le lieu où, pour toujours, s'entend la parole du Père. Et si ce fils d'homme est aussi lui-même la parole totalement signifiante, ce doit être qu'il a été conçu au creux d'une totale impuissance à parler et à dire le sens qui advenait, en même temps que d'une entière disponibilité à accueillir le verbe omnicompréhensif: quelle expérience ne faut-il pas supposer pour que Marie puisse être véritablement dite Mère de Dieu? Et si les disciples ont, à leur tour, enfanté Jésus par la parole en d'autres croyants, n'est-ce pas parce qu'ils l'avaient perdu et qu'il a été à nouveau engendré en eux par le Père de toute Parole comme en une Assemblée-Mère où, dans l'unique Esprit, se prononce le Verbe créateur et sauveur?

S'il en est ainsi, il faut conclure que, pour que, demain, l'Église soit à nouveau capable de faire entendre le langage de Dieu, il est aujourd'hui nécessaire que ceux à qui il est donné de vouloir lui être créativement fidèles consentent à perdre la façon qu'ils avaient de le comprendre et de l'exprimer. Ce doit être toujours ainsi que la fondation se remet à fonder l'existence filiale: sur le sol mouvant des abîmes du non-sens et comme une parole qui — tel l'oiseau cosmogonique planant sur les eaux primordiales — dépose sur la mer originelle les raisons séminales qui font germer et fructifier l'arbre de vie. Cherchez et vous trouverez, dit l'Évangile: il faut s'étonner de ces verbes sans complément et comprendre qu'ensemble ils composent une phrase pour les temps de détresse, quand beaucoup ne peuvent plus épeler le nom de Dieu et ne savent pas nommer ce qu'ils cherchent et qu'ils doivent cependant trouver. Un jour viendra où ils chercheront le royaume et sa justice, et alors ils se consacreront avec une ardeur nouvelle à des recherches scientifiques et fondamentales vraiment fondatives.

*
* *

Le père Teilhard a été un chercheur de profession, un chercheur par vocation et sans doute aussi un chercheur mystique. Crucifié avec le Christ, il est ressuscité avec lui et, dans la mesure où sa parole, malgré ses imperfections, continue la Parole divine, on peut penser que c'est parce qu'elle lui a d'abord transpercé le cœur, qu'elle en sort comme du sang et de l'eau, qu'elle est non point chair mais esprit et vie. Cet itinéraire est exemplaire. L'Église entière est en état de recherche, autant cherchée que chercheuse, traquée même, réduite au silence, acculée à l'imploration et à cette mystique — passive, contemplative ou active selon les personnes et les communautés — où le verbe peut être reçu. Mais reçu il l'est déjà, puisque nous ne le chercherions pas si nous ne l'avions trouvé et si, nous cherchant, il ne nous avait trouvés le premier. *Quærens me sedisti lassus:* me cherchant, fatigué de la route, il s'est assis à la margelle du puits de Jacob et il m'a offert l'eau vive qui jaillit jusqu'à la vie éternelle. Ainsi, il peut être aujourd'hui réconfortant de penser que la passion de la recherche qui anime nos contemporains est fondée sur la passion douloureuse des chercheurs fondamentaux, et celle-ci sur la Passion du Christ et de ses imitateurs. Le chrétien est aujourd'hui celui en qui est vive l'espérance que c'est une nouvelle extension de son royaume et de sa justice que le Père prépare en donnant à certains de commémorer encore, malgré son apparente facticité et contingence, la Passion de son Fils.

Le maître et son rêve[1]

En quelques pages de texte dense et concis, qui demandent à être méditées, Roland Chagnon a réussi à faire saillir les principales articulations d'une pensée puissante et germano-américaine avec laquelle le public français — et québécois — commence à s'apprivoiser. M. Chagnon est un des admirateurs de Paul Tillich et un de ces patients lecteurs qui s'exercent à son école à réfléchir sur le drame de notre communauté nationale et de la mise en question de ses références transcendantes. Ayant écrit moi-même pour ce recueil un article théorique, je me sers ici de quelques-unes des catégories de Tillich, que Roland Chagnon a si bien recensées, pour m'appliquer à penser plus dramatiquement.

Ceux qui ont présidé à la formation des hommes de ma génération — j'aimerais dire: nos maîtres — réfutaient sans les avoir lus Kant, Hegel et Schelling dont on vient de nous parler, et il les dépeignaient comme des êtres exsangues, prisonniers de leurs catégories mentales et qui niaient des évidences: Dieu, bien sûr, mais aussi le sujet pensant et le monde extérieur. Le dogmatisme dont nous étions, en même temps qu'eux, victimes, a fait du plus grand nombre des enseignants quadragénaires et quinquagénaires de notre petit pays des hommes qui n'ont plus de doctrine assez réfléchie et

---

1. Article paru sous le titre «Réaction à l'article de Roland Chagnon», dans *Religiologiques*, Montréal, Presses de l'Université du Québec, 1970, p. 81-84, (Cahiers de l'Université du Québec).

assez séduisante pour acheminer les jeunes vers des certitudes désormais difficiles. Ils errent et nous errons, comme des brebis sans pasteurs. Pour que soit retrouvée la route des verts pâturages, par eux ou par nous, ou par eux avec le secours de ceux d'entre nous qu'ils acceptent encore d'écouter, il faudra bien que quelques-uns consentent aux pénibles errances dans les ouadis arides de la critique, de la dialectique et de la métalogique. Si le réel est un mystère, s'il se dévoile à certains pour le bien de tous, et si l'assentiment peut sourdre d'une pensée qui a consenti aux lentes maturations, il faudra que la communauté québécoise apprenne à mériter ses spirituels, économistes et politiques, poètes et prophètes sans doute, mais aussi philosophes et théologiens. On demande des inspirés qui ont beaucoup transpiré.

La religion-institution a cessé d'être une cause pour laquelle nos compatriotes se passionnent spontanément, les arrière-mondes ne font plus partie du croyable disponible, et la foi, pour se ressourcer, procède de la négativité la plus radicale. Les formules absolues sont en faveur: foi sans religion, sans Église, sans Christ, sans Dieu, pure, en deçà et au-delà du langage chosifiant, spiritualité athéologique et asystématique, désacralisée et coïncidant avec la profanité des tâches humaines. Tillich était plus exigeant et avait moins d'horreur pour le système, lui pour qui la religion est la profondeur de la culture et de la morale, et qui pensait que, si la religion est inégale à son essence, son existence renaît constamment des cendres où achèvent de se consumer les débris des cultures et des morales désuètes. Contre ceux qui prophétisent la fin des religions et la définitive désacralisation du monde, il annonçait la permanence et la récurrence de la profondeur. Quant à nous, confrontés à nos problèmes locaux, nous pouvons penser que, lorsque ce qui nous reste de culture et de morale aura ici aussi perdu sa capacité de conférer un sens à la vie, des hommes d'une nouvelle authenticité religieuse surgiront qui, une fois de plus, emprunteront aux poètes les images visuelles et sonores qui feront de nouveau resplendir un signe dans le ciel et retentir l'appel du héros. Je me demande, cependant, si Tillich a quelque chose de consistant à nous enseigner sur la forme que doivent prendre les institutions durant cet intermède peut-être long où les acteurs changent de costume et où les spectateurs-consommateurs abusent avec frénésie des nourritures terrestres.

Durant ce temps aussi, nos bonnes gens se troublent, qui avaient obéi à une éthique conçue pour des héros et pour des moines et qui s'entendent exhorter par d'autres clercs à une morale plus indulgente. On leur avait appris à cacher et à taire le sexe, et voilà qu'on initie leurs enfants à le montrer et voir, dire et entendre, et qu'on les «sexploite» de toutes manières eux-mêmes. J'aimerais pouvoir les assurer que les hommes ont toujours été à la fois bons et mauvais, que la proportion des uns et des autres et la proportion de bonté et de perversité en chacun ne changent guère, et qu'il ne faut pas juger d'après les apparences. Mais je ne suis pas sûr d'avoir des raisons solides pour étayer cette parénèse. Car il me semble avoir entendu parler de peuples qui se sont éteints faute de courage et de générosité. Aussi préféré-je rappeler à ceux que l'état du monde et de notre peuple afflige que la religion-institution dépend de la religion-vertu, que ces deux dépendent de la religion-mystique, que la mystique est d'abord une nuit, que la lumière ne luit que pour ceux qui se savent dans les ténèbres, et que, lorsque quelques-uns sont illuminés, beaucoup s'éclairent à leur flambeau. Aussi, à ceux qui ont un peu de ferveur et beaucoup de patience métaphysique, peut-on conseiller Paul Tillich, le théologien de la religion comme profondeur.

Faut-il prévenir les lecteurs chrétiens qui se sont un peu frottés à l'exégèse et à l'histoire du salut que Tillich ne leur donnera pas entière satisfaction? Il était plus théologien qu'exégèse ou bibliste et plus philosophe que théologien. Il les décevra rarement, car il pense avec profondeur, mais l'équilibre qu'il instaure entre les différents aspects de la doctrine traditionnelle n'est pas celui auquel la plupart d'entre eux avaient été habitués. Il creuse davantage dans l'épaisseur du sujet que dans la hauteur et la largeur des choses et des événements. Sans doute avait-il le sentiment que les êtres et les actes auxquels un réalisme naïf prêtait une consistance excessive n'ont de signification que pour un sujet capable d'intériorité et de reprise personnelle. Quoi qu'il en soit de ses options fondamentales propres et sur lesquelles on discute — personnalisme plus individualiste et existentialiste que communautaire et historique, hésitation à admettre une rédemption objective en laquelle les individus seraient saufs et sauvés pour toujours —, on peut dire que sa mission était de contribuer, en une fin d'époque, à la toujours nécessaire révolution copernicienne qui ramène la conscience de l'objet au sujet et qui la laisse ensuite s'intentionnaliser vers le monde avec tout le poids de l'intériorité conquise ou accueillie. Une cure de tillichisme ne fera vraisemblablement de tort qu'aux réalistes impénitents et, de surcroît, immunisés contre la prophétie et ses tâtonnements. Les autres seront incités par ce maître à observer le vécu religieux avec un regard désembué et à discerner le sacré avec des catégories exigeantes.

Le chrétien et la violence[1]

Certains spécialistes pensent que Judas était un «zélote», c'est-à-dire un terroriste: son nom Iscariote serait une déformation de Sicarius, l'homme au couteau. Il aurait abandonné le prophète de Nazareth quand il se rendit compte que, malgré ses dons de meneur, il refusait de prendre la tête de la révolution nationale. Pierre pourrait bien être aussi un homme qui aurait aimé tirer l'épée pour libérer son peuple du joug de la bourgeoisie internationale pour lors romaine. Quant à Jacques et à Jean, ce ne doit pas être pour rien qu'on les a surnommés fils du tonnerre, ce devait être des jeunes gens prêts à faire éclater des bombes.

Jésus a donc été entouré de terroristes. Il a dû comprendre que sa mission était de relever un défi surhumain: apprendre à ces jeunes généreux et aventuriers à être miséricordieux comme le Père, à pardonner aux ennemis, à donner à César son dû et à Dieu le sien, à être pacifique, à rendre le bien pour le mal. Mais il ne pouvait les convaincre et il les a déçus. Quand il a été arrêté, ils se sont enfuis. Lâchement? peut-être pas, mais complètement désarmés par la maîtrise avec laquelle il se laissait maîtriser. L'Église est née de la décision de quelques disciples — de Pierre, Jacques et Jean surtout — d'imiter Jésus et d'en faire leur maître et donc d'aider les hommes, par leurs actes et leurs paroles, à aider un peu plus, l'amour étant chaque fois une victoire sur son toujours possible

1. Lettre au *Devoir*, 22 octobre 1970, p. 5.

contraire, victoire le plus souvent obscure et qui semble sans proportion avec la masse de haine qui s'accumule parfois dans une société et qui explose férocement.

Ces disciples sont des convertis du terrorisme. Ils ont été convaincus, par l'assurance où ils étaient, que Jésus était vivant et puissant, qu'il fallait rendre permanent le difficile équilibre de la prophétie ardente pour une justice meilleure et de l'humble bienfaisance pour la justice actuellement possible. Jésus leur apparaissait avoir une signification pour l'histoire mondiale qui, avec les conflits des empires et des peuples asservis, entrait dans une dernière époque — celle où il allait être demandé aux hommes de bonne volonté de considérer tout homme comme leur prochain et de travailler à la réconciliation des traditions. Ils l'ont compris comme un signe de contradiction venu vers eux à la plénitude des temps, en avance sur son temps et sur tous les temps. Ils ont cru comprendre que le mal fait partie de la condition humaine, que l'humanité tout entière est coupable et traduite devant le Tribunal, qu'il n'est pas honnête d'en faire porter la responsabilité par un groupe plutôt que par un autre, que le phénomène Jésus s'interprète comme une radicalisation de l'attention à autrui, et que sa décision devait exaspérer ceux à qui il n'est pas donné de s'oublier à ce point et qui résolvent le problème du mal qui leur semble venir des autres en augmentant le mal chez ces autres et en eux-mêmes.

Les disciples de Jésus sont des utopistes qui sont pour quelque chose dans les valeurs que nous avons héritées des Juifs, des Grecs, des Romains, des Celtes, des Germains, des Slaves, des Arabes et de tant d'autres. Ce sont sans doute d'autres utopistes convertis qui transmettront à nos descendants un ensemble de valeurs supérieur à celui qui déclenche aujourd'hui tant de colère. Car c'est la même situation qui rend le terrorisme probable et le christianisme possible, comme «c'est là où le plus grand désespoir est possible que jaillit la plus haute espérance» (Gabriel Marcel).

Le chrétien est d'abord violent contre les ennemis de son peuple et de l'humanité qui sont tapis au fond de lui-même et c'est contre leur présence en lui qu'il porte la guerre. Il n'acquiert pas à peu de frais le droit d'être prophète, mais il le gagne de haute lutte. Et c'est quand le nombre est devenu considérable de ces violents qui sont prêts à donner leur vie pour qu'il y ait moins de violence qu'un nouvel ordre social émerge: un peu moins injuste que le précédent mais toujours injuste, lui aussi défendu par les nantis qui définissent le bien, le droit et la propriété, et contesté par de nouveaux pauvres. Il y aura toujours des pauvres parmi nous, et il n'y aura jamais assez de riches qui donnent leurs biens aux pauvres pour suivre le prophète de Nazareth sur sa voie royale et aimer les siens jusqu'à la fin.

IV

LE MYSTAGOGUE

Le terme mystagogie est emprunté à la culture grecque et plus particulièrement aux Mystères d'Eleusis. Le mystagogue est un initié conduisant des initiands, c'est-à-dire des personnes qui ont choisi d'entreprendre une démarche d'approfondissement. Le terme s'est retrouvé en christianisme, ainsi Cyrille de Jérusalem fait des *Catéchèses mystagogiques*, catéchèses destinées aux candidats adultes au baptême.

L'étude et le cheminement dans la foi supposent une disposition de départ, une adhésion au moins globale. De son côté, la science cherche à parvenir à des affirmations universelles acceptables par tous, mais la chose s'avère plus complexe dans le contexte d'une foi difficilement prouvable de façon manifeste. L'exégèse qui se veut scientifique élabore un discours de t ype universel mais, tout en considérant qu'elle est nécessaire, on peut penser qu'il s'agit d'aller au-delà et de renouer avec une exégèse spirituelle. La «mystagogie» s'adresse davantage alors à des adhérants cherchant à cheminer dans la foi.

Il y a ainsi différents types de théologie: une théologie scientifique, une théologie sapientielle, une théologie esthétique ou poétique, et une théologie mystique[1].

La réflexion théologique qui ouvre cette partie reflète ces préoccupations. C'est pourquoi cet article, même s'il appartient chronologiquement à la période précédente, convient ici. Cette communication donnée lors d'un colloque de christologie tenu à l'Université Laval tente en effet de mettre en relief d'autres dimensions de la théologie et d'élaborer des approches différentes du Christ, «priante, opératoire et relationnelle».

1. Voir «L'expérience spirituelle dans le bouddhisme et le zen».

La série intitulée «Appropriations» donne une idée des enseignements aux groupes bibliques qu'anime R. Bourgault depuis plusieurs années. À partir d'une approche littérale, se fait une progression vers une compréhension plus spirituelle et méditative. L'article portant sur «Une communauté chrétienne en cheminement» offre un aperçu de ces groupes bibliques.

Les textes qui suivent portent sur différentes questions d'actualité tant ecclésiale que culturelle et sociale. Nous avons dû opérer un choix forcément discutable parmi de courts articles par ailleurs aisément repérables[2].

Les textes portant sur l'Église et son avenir sont autant de réflexions sur des questions rencontrées au fil des événements. Si l'on réagit contre les sectes, souligne un premier article, il est important de se rendre compte que l'Église à l'origine était aussi un regroupement de «sectateurs», le mouvement de Jésus. Interrogeant l'histoire pour découvrir le sens de la charge d'évêque et esquisser des perspectives d'avenir, c'est du sens de l'évolution actuelle dans l'Église dont l'auteur nous entretient. Enfin, l'article «Crise idéologique de l'Église?» amène à méditer sur la situation actuelle de l'Église à la lumière de sa position dans l'histoire universelle.

Quelques articles sur des questions d'actualité sociale et culturelle témoignent de la diversité des intérêts de leur auteur. Ainsi, devant «Maria Chapdelaine démystifiée», sont appliquées des catégories empruntées à Ricœur: naïveté, critique, naïveté seconde; la critique des mythes n'est pas le dernier mot, un peuple a besoin de récits fondateurs. Par ailleurs, au tournant des années 1980, les évêques du Québec ont fait paraître une lettre sur l'économie qui a suscité diverses réactions; ainsi, le directeur du *Devoir* en ces années, Jean-Louis Roy, a pris une position assez critique. L'article «Éthique et mystique» tente de faire la part des choses.

Une dernière catégorie, «Quelques théologiens», regroupe d'autres articles. Essayer de départager la composante de vérité des intuitions de Hans Küng et la prise de position du magistère n'était

---

2. Dans la bibliographie, voir la revue *Relations* pour ces années.

pas tâche facile, c'est pourtant celle à laquelle l'auteur s'est attaqué[3]. L'ouvrage de Balthasar est loué dans cette critique, car il apporte un autre type de théologie, plus esthétique. Enfin, le père Bourgault rend ici hommage au maître qui a inspiré sa croissance intellectuelle, Bernard Lonergan, tout en suggérant que des circonstances nouvelles appellent peut-être une entreprise différente.

---

3. Cet article a valu à son auteur un prix de journalisme en provenance de Toronto.

Pour une christologie priante, opératoire et relationnelle[1]

L'emploi de la préposition «pour» est une manière d'exprimer à la fois l'idée que ces notes sont fragmentaires et exploratoires, et la confiance que cet essai, qui a été utile à son auteur, le soit à quelques autres. Le mot «christologie» figure dans le titre parce qu'il est courant et encore commode, mais il sera ici contesté. «Priante» suggère que la recherche concernant Jésus nous apparaît comme inséparable de la «science des saints», que son objet ne se manifeste qu'à ceux qui sont courageusement engagés dans une voie semblable à celle de leur Maître, et que sa thématisation conceptuelle n'est savoureuse et engageante que dans la mesure où elle est un fruit de la contemplation. «Opératoire» voudrait caractériser un type de recherche qui convienne à la situation d'éclatement où nous sommes placés et mette sur la voie d'une nouvelle unanimité en deçà de la diversité luxuriante des interprétations de Jésus. «Relationnel» s'oppose à substantiel et explore la possibilité que ce concept clé de la méthodologie moderne soit converti. Les paragraphes qui suivent sont des variations sur le substantif et les adjectifs de notre titre.

1. Article paru dans *Le Christ hier, aujourd'hui et demain*, Colloque de christologie tenu à l'Université Laval (21 et 22 mars 1975), sous la direction de Raymond Laflamme et Michel Gervais, Québec, PUL, 1976, p. 107-117.

1. Christologie...

1.1 Les réponses aux questions du type: «Qui est Jésus? qui est cet homme? qui dit-on que je suis? qui dites-vous que je suis?» n'ont jamais été simples ni unanimes mais toujours multiples et controversées. Il semble être dans leur nature qu'on y réponde diversement, et même que les réponses soient contradictoires (*Lc* 2,24). Le principe d'identité est inopérant: «Jésus est Jésus» est, pour les croyants, une tautologie vaine, car ce qu'il est n'est pas évident. «Jésus» est un anthroponyme théophore, mais beaucoup de Juifs du premier siècle l'ont porté; le patronyme «fils de Joseph» ne suffit pas à le qualifier, ni le toponyme «de Nazareth» à le situer. Il existe une longue file d'individus et de groupes pour qui aucune de ces désignations n'est le nom véritable de celui qu'un certain nombre de Juifs ont connu et que le procureur romain a envoyé au gibet. «Jésus» est quelqu'un dont les fidèles pensent qu'il faut le nommer autrement que ses parents n'ont fait huit jours après sa naissance. Les communautés primitives lui ont donné une vingtaine de noms ou de titres, les Pères et les conciles en ont créé d'autres, les théologiens, les mystiques et les dévots du Moyen Âge ou des temps modernes ont ajouté à la liste, qui n'est pas close. Il y a donc des christologies néotestamentaires: la christologie proprement dite, la sotériologie, la sophiologie, la kyriologie, la prophétologie, la paidologie, la logologie. Des christologies patristiques et conciliaires, pour lesquelles il est possible de proposer des termes techniques comme angélologie, homoousiologie, prosopologie, théandrologie. Il y a aussi des christologies médiévales et scolastiques: charitologie, somatologie, sacramentologie, céphalologie, et des christologies modernes, pieuses ou savantes: cardiologie, kénologie, omégologie. Et d'autres.

1.2 Les définitions conciliaires sont ordonnées à favoriser la familiarité avec l'Écriture et, par elle, avec la règle vivante de la foi, la Parole de Dieu qui parle toujours et ne cesse d'interpeller. La définition de Chalcédoine ne doit pas être considérée comme une fin mais comme un moyen jadis et encore utile mais non pas absolument nécessaire. Elle fait partie d'un symbole de foi qui fut voulu comme un signe de reconnaissance et de ralliement en un temps où il fallait autant maintenir l'unité de l'empire contre les Barbares que préserver la communion chrétienne, et où le couple conceptuel Dieu-Homme régissait pour une grande part tant la pratique politique que la doctrine ecclésiale. Mais il est devenu patent que ces deux mots clés n'ont plus aujourd'hui le sens, ou, en tout cas, la portée qu'ils avaient aux grands siècles de l'époque patristique du Bas Empire. Le constat de la mort de Dieu date d'un siècle environ, celui de la mort de l'homme d'environ vingt-cinq ans. Si Dieu est mort, c'est d'abord aux yeux des théoriciens des sciences de la nature, sans doute parce qu'il était devenu trop naturel et que les sciences de la nature n'ont que faire de cette hypothèse. Si l'homme est mort, c'est en premier lieu aux yeux des praticiens les plus hardis des actuelles sciences de l'homme, parce que l'humanisme leur paraît bavard et que la rhétorique n'explique rien. Mais, comme Nietzsche l'avait déjà vu, les hommes de science eux aussi sont pieux: seulement, leur piété n'est pas celle des théologiens et des humanistes, leur sagesse est un scandale pour les Juifs et une folie pour les Grecs. On sait que les premiers «theologoi» étaient des diseurs de dieux et des conteurs de mythes concernant des «theoi», et on sait qu'après le crépuscule des dieux, les humanistes ont jeté leur dévolu sur l'homme mesure de toutes choses, rééditant ainsi le virage qu'avaient pris en Grèce les sophistes. Mais Pascal savait déjà que l'homme est perdu dans un canton détourné de la nature, et les protagonistes les plus écoutés de la nouvelle science ne voient plus le roseau pensant que comme une partie de cette Nature qu'ils appellent Culture et que le progrès de la connaissance réduira en Nature. Il est donc difficile, avec les concepts substantialistes de divinité et d'humanité, d'obtenir l'audience de ceux des hommes d'aujourd'hui qui sont le plus influencés par la mentalité occidentale contemporaine.

1.3 Si la «théandrologie» chalcédonienne nous apparaît aujoud'hui comme un langage situé qui doit être relativisé, c'est-à-dire mis en rapport avec d'autres quantités de l'espace-temps de l'esprit, qu'en est-il de la «logologie», du traité du Logos? Au lieu des concepts grecs «Dieu» et «Homme», la pensée procède à partir des symboles johanniques du Logos et de la Sarx, du Verbe et de la Chair. Mais ce point de départ est vite relayé par le concept grec de personne ou le concept, plus moderne, de personnification. La pensée décolle des images concrètes et même crues pour manipuler des abstractions. C'est son droit et c'est souvent son devoir. Mais quelle science se fait ainsi? La science qui importe consiste-t-elle à affiner les concepts? Ou à baliser l'itinéraire qui, par les images, renvoie à l'Image?

1.4 À s'en tenir au sens du nom qui la désigne, la christologie pourrait être un traité du christ ou de l'oint, dont le développement qui concerne Jésus ne serait que l'un des chapitres. On y étudierait la structure et l'histoire du symbole de l'onction, les personnages et les milieux concernés par ceux qui sont, ont été ou dont on espère qu'ils seront oints et sacrés. La christologie ferait partie d'une phénoménologie et d'une histoire des religions, et c'est par une sorte de morphologie du sacré qu'elle accéderait au statut de science, où elle voisinerait des études sur les rois sacrés du Proche-Orient ancien et sur les messianismes contemporains. Et le chapitre qui aurait pour objet Jésus ne l'envisagerait qu'en tant que christ, messie, oint et roi. Chacun sait qu'en réalité, ce qu'on appelle christologie prend aujourd'hui la relève des anciens traités «*De Verbo Incarnato*», et scrute tout le mystère de celui que les chrétiens confessent comme Christ. Mais une grande partie du débat est entravée par la question préjudicielle de déterminer s'il faut partir d'en haut ou d'en bas, «*from above*» avec le prologue johannique et les textes deutéro-pauliniens sur le Christ préexistant, ou «*from below*», avec l'approche moderne de l'histoire des traditions.

1.5 Mais peut-être notre accès au mystère de Jésus ne sera-t-il pas une «logie»: ni un traité scientifique, qui chercherait à rivaliser avec les sciences formalisées, ni un discours humaniste, mais une «agogie», la détermination autorisée des voies droites qui conduisent à la fin que nous poursuivons. Le dynamisme spirituel chrétiennement spécifié a une structure intentionnelle polymorphe qui le pousse à s'exprimer de manières diverses selon les personnes et les communautés, les lieux et les temps de l'histoire. Employant une catégorie linguistique chère à la recherche contemporaine, on dira donc qu'il y a une «langue» commune sous tant de «paroles» différentes, et que l'une des tâches urgentes de la rationalité chrétienne consiste — maintenant que les thématisations orthodoxes et hétérodoxes de la foi sont suffisamment recensées et situées — à dégager des faits la grammaire «générative-transformationnelle» qui expliquera comment tous ces discours s'engendrent et se transforment, et comment il est possible d'en engendrer de nouveaux qui exploiteront des virtualités inédites de la Parole originelle. Cette grammaire, c'est la règle de foi, le canon, la Parole mesurante, qui préside aussi bien aux toutes premières formulations, dont certaines sont devenues scripturaires, qu'aux définitions des conciles et aux tentatives des spirituels et des scientifiques. C'est avec l'idée d'une telle «agogie» et d'une telle grammaire que nous poursuivons nos réflexions en proposant quelques pistes de recherche.

2. ...priante

2.1 Quoi qu'il en soit pour le moment de la christologie qui soustend la foi du peuple chrétien, et quoi qu'il en soit de la sorte de science qu'est la christologie, il devrait y avoir dans la réflexion chrétienne un moyen de récapituler méthodiquement la prière de Jésus et des saints, d'exprimer une prière personnelle et d'inciter à prier. C'est dans la souffrance et l'oraison qu'ont pris forme les grandes traditions d'Israël, les gestes exemplaires et signifiants de Jésus, les textes canoniques des premières communautés, et aussi que sont toujours prises les décisions d'imiter Jésus. Là est l'esprit qui anime la lettre, et sans qui la lettre tue. Et peut-être faut-il d'autant plus de prière formelle que le fidèle a connaissance de plus de lettres et qu'il se pose plus de problèmes sur les rapports des lettres les unes avec les autres et avec l'unique esprit qui vivifie. Le scribe instruit du royaume de Dieu ne tire de son trésor le nouveau qui nous est si nécessaire aujourd'hui que s'il connaît l'ancien, certes, mais surtout que s'il prie avec ardeur et persévérance pour que le nouveau lui soit révélé comme à un petit qui apprend de Jésus à n'être pas sage de la sagesse des habiles mais doux et humble de cœur. Nous parlerons donc, suivant en cela le langage courant, de christologie priante, entendant par là que la vraie science du Christ émane de la prière et y mène. C'est une science bien particulière: l'activité que le nom et l'adjectif désignent est à la fois science et prière, science de priant et prière de savant.

2.2 La théandrologie avait pour base les définitions dogmatiques des IVe et Ve siècles; la logologie s'appuyait sur le «récit d'origine» qu'est le Prologue de l'Évangile de Jean, où l'acteur principal est le Logos et la péripétie, l'événement où il est devenu Chair en Jésus de Nazareth; la christologie s'articule autour de la confession de foi que Jésus est le Messie promis à Israël. Les traités qui s'élaborent ainsi à partir de genres littéraires différents — définition dogmatique, récit exemplaire, confession de foi — sont eux-mêmes différemment structurés et orientés. Autrement structurée et orientée aussi devrait être la «kyriologie», dont la base peut être le genre littéraire de l'invocation. L'Église primitive ne semble pas s'être adressée à Jésus comme Christ, ou Fils de Dieu, ou Fils de l'Homme, ou Logos, ou Prêtre. Elle ne l'a prié que comme Seigneur. Cette thématisation de la relation des fidèles à Jésus est peut-être la seule, elle est en tout cas la plus importante, qui soit originellement et constitutivement priante. Il devait donc y avoir dans le mot «Seigneur» quelque chose qui lui donnait, avant même de devenir un titre, de pouvoir être une invocation, et une invocation qui rendait possible de prier non seulement Yahvé mais aussi Jésus en tant qu'il était de quelque manière assimilé et égalé à Yahvé. Nous allons nous efforcer au paragraphe suivant de faire saillir les conditions de possibilité de cette dimension «seigneuriale» en analysant le chapitre 21 de l'Évangile de saint Jean.

2.3 L'argumentation se déroule en cinq temps. Premièrement, le narrateur dit régulièrement «Jésus» quand il raconte un événement, et il met le mot «Seigneur» toujours dans la bouche des disciples, soit au vocatif soit au nominatif-attribut. Son discours distingue donc le Jésus de l'histoire positive du Seigneur de l'histoire du salut. Mais, comme on va le voir, c'est sans doute pour faire voir que la vie de Jésus et de son Église est une manifestation d'un mystère dont Jésus est le révélateur révélé. Deuxièmement, le mot «Seigneur» a trois connotations différentes selon qu'il apparaît au début, au milieu ou à la fin du chapitre. Dans l'épisode de la pêche (vv. 1-14), il recouvre un emploi de *Kyrios* au sens de rabbi, de maître qui a des disciples; dans la première partie du dialogue avec Simon Pierre (vv. 15-19), il désigne un pasteur qui possède un troupeau et le confie à un chargé de pouvoir; dans la dernière partie (vv. 20-23), il implique la notion de dispensateur de vie et de mort. Jésus est donc successivement présenté comme maître-rabbi, maître-propriétaire, maître-dispensateur. Ces trois acceptions continuent des possibilités de la langue grecque du premier siècle où le mot *kyrios* était utilisé pour désigner un enseignant, un souverain, un grand dieu. Troisièmement, nous avons tenté, dans une étude que nous espérons faire paraître bientôt, de montrer que le premier épisode de *Jn* 21 reflète la courbe de la vie publique de Jésus, que le second reflète la courbe de la vie publique de Simon Pierre dans l'Église, et que le troisième reflète la situation de l'Église après la mort de Simon et du disciple bien-aimé. La séquence littéraire (1-14, 15-19, 20-23) illustre une séquence historique (années 27-30, 30-70, 70-90). Ainsi peut être fondée l'hypothèse qui voit un développement dans la signification du mot *kyrios*: au début, il désignait le rabbi, ensuite le propriétaire souverain, enfin le dispensateur de vie égal à Yahvé. Le troisième sens s'est appuyé sur le deuxième, et le deuxième sur le premier. Quatrièmement, le récit de *Jn* 21, dont la composition n'a dû être achevée qu'après 70 alors que Jésus était invoqué comme Seigneur-Yahvé-Kyrios, évoque cependant Jésus comme le rabbi de la vie publique (vv. 1-14) sans lui conférer les pouvoirs du dispensateur suprême: Jésus agit comme un rabbi astucieux qui se dissimule un moment pour mieux se laisser librement reconnaître ensuite pour ce qu'il est vraiment. On dirait donc que la réflexion priante des premières communautés est allée, en un premier temps, du seigneur-rabbi au seigneur-souverain puis au seigneur-dieu, et en un deuxième temps de ce dernier au premier. Cinquièmement, ce doit être après qu'ils eurent compris qu'ils pouvaient désormais demander quelque chose en son Nom de Seigneur et qu'ils l'eurent effectivement prié et qu'ils eurent éprouvé les bienfaits de leur oraison, que les disciples ont compris qu'ils devraient l'annoncer au monde comme Seigneur de tous. Avant d'être un attribut (*kyrios estin*), le Nom a dû être une invocation (*Kyrie*). Le kérygme de la Seigneurie fut le fruit des longues veillées de prière où ils avaient ensemble acquis la conviction que celui qu'ils persistaient à interroger et à prier répondait à leurs questions et à leurs demandes. Jésus-Rabbi avait ouvert un horizon et un champ de possibilités qu'il était seul — avec le Père — à vraiment connaître, et c'est en devenant disciples de Jésus et en même temps «docibles de Dieu» (*Jn* 6,45) qu'ils pouvaient annoncer sa maîtrise, sa souveraineté et sa dispensation. Leur pensée ne s'était élevée et éloignée du Jésus de l'histoire positive vers le Seigneur de l'histoire du salut que pour mieux s'approcher et s'abaisser près du maître dont toute la maîtrise fut et continue à être celle du Serviteur qui obéit à une parole qu'il ne cesse d'écouter et de proférer, et qu'il est seul à pouvoir faire entendre pour éclairer le sens des événements et hâter les décisions d'obéissants qui font avancer le royaume. C'est à un Seigneur-Serviteur (*Jn* 13,12ss) toujours engagé dans le drame de l'histoire que les chrétiens s'adressent dans leurs prières. Là est leur originalité parmi toutes les traditions spirituelles de la terre; il leur a été donné de choisir la meilleure part, qui ne leur sera point ôtée. D'autres ont d'autres seigneurs, mais notre Seigneur est quelqu'un dont nous savons qu'il est avec nous en agonie jusqu'à la fin du monde, et en même temps en continuelle surrection en son Esprit de sainteté, dans le redressement même qu'il opère en consentant par nous à l'acte qui le fait passer de ce monde au Père, et que le langage courant appelle la mort.

2.4 Du théorème de la christologie priante et de son illustration, il suit un important corollaire. Jésus s'est manifesté comme Seigneur à ceux à qui il avait donné de le chercher par la foi (*Jn* 21,1-14), la charité (vv. 15-19) et l'espérance (vv. 20-23), et de décider de se souvenir activement de son passage sur terre où il avait été puissant en œuvres et en paroles. Si, comme nous le croyons, le chapitre 21 de l'Évangile de Jean est l'expression narrative d'une longue et patiente prière, ne doit-on pas penser que sa contemplation, qui peut être savoureuse par le même mouvement qu'elle est rigoureuse, est un moyen puissant d'encourager les chrétiens à être des chercheurs? Car c'est celui qui cherche (sans complément déterminé) qui trouve, et le Seigneur se laisse trouver par ceux qui le cherchent. Toute recherche est ainsi et par soi virtuellement théologale: le chercheur fait confiance à des connaissances et à des méthodes acquises par d'autres, il collabore au progrès des techniques qui rassemblent les hommes, il entretient l'espérance qu'un jour la lumière expulsera toutes ténèbres. De même que nos premiers pères dans la foi ont canonisé les Écritures juives, et que les Pères des premiers siècles ont exprimé leurs canons conciliaires en se servant des écritures grecques, ainsi les Pères de l'Église de la société planétaire en difficile gestation pourraient être ceux qui auront reconnu et pratiqué les canons de la science empirique. Il ne faut donc pas opposer la science à la foi comme une gnose qui enfle à une charité qui édifie, mais composer le dynamisme spirituel de la foi, de la charité et de l'espérance avec celui de la recherche scientifique, qui est peut-être la spiritualité la plus neuve de notre époque, et dont la conversion apparaîtra peut-être un jour comme la riposte admirable au défi que les temps modernes posaient à l'Église. S'ils n'oublient pas que le passage du maître-rabbi au maître-dispensateur s'opère par la croix de Jésus, et que la puissance du Seigneur exalté œuvrant par les disciples passe par la croix qu'ils doivent porter à la suite de leur Maître, les savants chrétiens pourront être parmi les plus éloquents témoins de Jésus dans le monde qui vient.

3. ...opératoire

3.1 Sous sa forme la plus moderne, la science ne se voit plus tant comme une méthode de connaissance objective que comme une certaine pratique de relations répétables entre des éléments choisis, et entre les objets et les sujets qui les interrogent. Nos définitions ne sont plus essentielles mais opératoires, nous connaissons ce que nous cherchons, nous déterminons les structures heuristiques qui permettent de vérifier les corrélations dont nous entrevoyons qu'elles sont possibles ou probables, et les objets sont les corrélats des questions que les sujets posent au monde. La science n'est ni objective ni subjective, mais transjective ou surjective. Le réel n'est ni le monde ni l'homme, mais une activité de parole sur le monde qui passe par l'homme et qui passe l'homme. Les maîtres du soupçon ont ravi au Cogito son privilège. Ni le réalisme naïf ni l'idéalisme critique ne sont des points de départ, car nous nous découvrons partie prenante dans un discours toujours déjà commencé qui se subjecte dans des hommes qui cherchent et s'objecte dans des jetés-là qui les interrogent. Une christologie opératoire serait donc une façon de relever le défi que notre temps pose à l'Église, qui est celui de l'existence d'un ensemble buissonnant de discours en qui le Christ n'est pas encore nommé et confessé. Dans ces nouveaux discours, Jésus ne serait pas d'emblée posé comme objet ni comme sujet: Il serait défini comme le corrélat des structures de recherche que nous choisissons d'utiliser pour répondre aux questions que son existence dans la culture humaine nous pose. Le but de ce discours serait de parvenir à affirmer de façon recevable scientifiquement la possibilité qu'il y ait quelqu'un qui soit le principe du Discours de l'Histoire Universelle, et à rendre responsable la décision de déclarer que Jésus de Nazareth est cet homme que nous cherchons.

3.2 Il est possible de préciser quelque peu dès maintenant un aspect ou l'autre de l'opérationnalité de cette christologie dont on a d'abord montré qu'elle est essentiellement priante. Si on a eu raison de penser qu'il n'y a rien dans l'eschatologie qui ne soit dans la christologie, peut-être a-t-on aussi le droit d'avancer la thèse qu'il n'y a rien dans la «trinologie» qui ne doive être dans la christologie. En particulier, nous voulons insinuer plus loin que la notion de relation subsistante qui est élaborée dans le traité de la trinité en soi pourrait être rapatriée pour nous. Mais c'est le schème ternaire lui-même qui mérite d'être invoqué pour éclairer la christologie et la rendre opératoire. On peut donc poser axiomatiquement que la structure intentionnelle et heuristique de la connaissance suréminente de Jésus est un ternaire d'opérations qui peut être abstrait de groupes comme foi-charité-espérance, père-esprit-fils, passé-présent-futur, et d'autres qui leur sont assimilables. Ce serait alors le rôle de la recherche opérationnelle en christologie de déplier la panoplie des schèmes ternaires déjà canonisés par l'Écriture et d'ouvrir l'espace où d'autres ensembles d'opérations seraient susceptibles de donner à la Parole l'occasion de se déployer. La recherche opérationnelle serait ainsi capable autant de prospective que de rétrospective, de prévision que de recension, rendrait les chercheurs conscients de la langue qui opère sous les paroles, et les disposerait à utiliser cette langue pour préférer d'autres paroles pertinentes ou reconnaître la véracité des discours qui s'efforcent de référer toutes choses à Jésus. Peut-être tous les discours humains — scientifiques, techniques, économiques, politiques, culturels — ne sont-ils que des balbutiements qui s'appliquent à dire la Parole et à faire la vérité. Tout ce qui existe et agit dans l'humanité est virtuellement christique, et le rôle propre des fidèles doit être de porter au langage et à la louange la christité gémissante et parturiente de tous les discours, délivrant ainsi la vérité qui est retenue captive dans l'injustice.

3.3 Ainsi comprise comme grammaire générative-transformationnelle, il pourrait sembler que la pensée chrétienne sur Jésus serait évanescente, le Christ se trouvant si bien partout qu'il ne serait plus possible de le voir éminemment quelque part. On pourrait répondre que le péril des derniers temps sera peut-être de prêter une oreille trop obséquieuse aux faux prophètes qui disent à tout venant que le Christ est ici ou là, alors qu'il n'est pas localisable. Mais on peut répondre aussi que, de même que les premières communautés continuaient en les reprenant et les dépassant les traditions juives, ainsi les chrétiens de ce temps doivent longtemps ruminer les formulations traditionnelles avant de pouvoir signaler avec exactitude les figures nouvelles de la présence du Seigneur. On peut encore répondre qu'une telle manière de viser le mystère de Jésus serait un stimulant pour les fidèles à tirer de leur trésor du nouveau autant que de l'ancien, et qu'il incomberait toujours aux pasteurs gardiens de l'unité de veiller à ce que les mauvais bergers n'égarent pas le troupeau qui leur est confié.

3.4 Le Seigneur accordera peut-être aux hommes de ce temps le don d'un mystique qui aura fait son apprentissage de l'existence dans un monde marqué par la spiritualité dominante et qui est la recherche scientifique, et qui aura compris la détresse des masses qui n'ont pas le moyen de coïncider par elles-mêmes, et au prix de longs itinéraires intellectuels, à un esprit qui est de plus en plus submergé sous des lettres de plus en plus opaques. Un tel homme pourrait bien, avec ses disciples, inventer une façon d'entrer en relation avec Jésus qui soit l'équivalent de ce que fut pour les chrétiens des deux derniers siècles la dévotion au Sacré-Cœur. Il est probable qu'il exigera qu'on ne représente plus le cœur plastiquement, qu'on ne le qualifie plus de sacré, et qu'on n'en fasse pas l'objet d'une dévotion. Il montrera ce que pourrait être un «chœur» d'hommes consacrés et dévoués à la cause du Royaume, transposant dans le registre de l'esthétique et de la praxis communautaire libératrice des valeurs qui avaient fini par s'aliéner dans le registre du sentiment, de l'introspection doloriste, et de la recherche anxieuse du salut individuel. Cette spiritualité exigera un approfondissement encore inouï de la notion de symbole — que notre temps redécouvre, mais avec le danger d'en simplement répéter les formes archaïques et désuètes et en oubliant que les figures sont accomplies dans le Seigneur. Il faudra faire comprendre que, non seulement l'homme est un «animal *symbolicum*», mais que la quintessence du symbole se trouve en Jésus en tant que concentration hyperdense de la Parole qui préside au Discours de l'Histoire Universelle.

4. ...relationnelle

4.1 Voici un beau texte d'un thomiste scientifique.

> Pour articuler le mystère des personnes divines, la théologie chrétienne se met à élaborer le concept de relation subsistante, dans lequel elle voit se faire le renversement de l'ordre rationnel aristotélicien entre le substantiel et le relatif. Sans doute la théologie scolastique dira volontiers que ce renversement rationnel, qui passe de la relation présupposant le sujet à la relation faisant position du sujet, est caractéristique de l'être divin. Mais ce qui importe en fait à l'intelligence, c'est ce qu'elle réussit ainsi conceptuellement. Car ce que l'esprit est en mesure de concevoir à propos d'une réalité, quelle qu'elle soit, il est du même coup en mesure de le concevoir universellement à propos de n'importe quoi, s'il en est besoin. À partir de la théologie trinitaire, il ne paraîtra plus impensable à l'esprit occidental de faire état de relations et de leur actualité sans

> faire état préalable de leur sujet. Sans toujours en avoir conscience, l'attitude de l'esprit scientifique des temps modernes mettra largement à profit cette leçon dans la promotion de la réalité bien plus indéfiniment relationnelle qu'organisée en système d'individus substantiels[2].

Mais si la Parole de Dieu, par le biais de la théologie trinitaire, a réellement eu une telle influence sur la constitution des fondements mêmes de la recherche scientifique moderne, il semble qu'il nous est demandé, loin d'opposer la science à la foi, de convertir la science à son essence, qui est théologale, et de faire servir la notion de relation à l'interprétation du mystère de Jésus.

4.2 Un chrétien peut penser que les discours traditionnels, théologique et métaphysique, existent toujours et pour toujours, *ktêma es aei.* Mais il peut en même temps être sensible au fait que, dans le discours qui est en train de se constituer, pour toute une catégorie peut-être prophétique de penseurs, seule est intelligible la relation. «Dieu» et «Homme» ne sont plus pour eux les données à partir desquelles l'esprit réfléchit, mais ils sont plutôt désormais objectivés comme des masses inertes dans le champ de nos discours éperdus, ils ont cessé d'être par eux-mêmes pensables, ils n'ont pas de sens, ils ne peuvent plus figurer comme des sujets de phrases. Dans ce nouveau discours, il n'est plus possible de soutenir sans plus que Jésus est à la fois Dieu et Homme, un discours préalable est requis qui rende ce langage pertinent. On ne doit pas pour autant désespérer de l'esprit. Il y eut l'Être, il y avait la Substance, il peut y avoir la Relation, qui serait la chance de notre pensée. De même que les mathématiciens savent que, s'il est vrai que $2 + 2 = 4$, c'est en vertu du principe de la décimalité, et que le même résultat peut être exprimé en système binaire par l'opération $10 + 10 = 100$, ainsi les christologiens modernes devraient pouvoir exprimer avec d'autres termes que «Dieu» et «Homme» la relation que les grands conciles ont rendue par le binaire théandrique.

---

2. D. Dubarle, dans *Saint Thomas aujourd'hui.*

4.3 La Relation devra récupérer les notions d'être et de subsistance, mais surtout, sous les concepts, les représentations qui donnent à la relation de relationner. La *re-lat-io* devra être pensée comme acte au sein duquel il y a re-port, ré-férence, trans-lation, passage. Les extrémités de la relation pourront rester innommés («*id est transitus Domini*»), ou être désignées par des adverbes de lieu («je ne sais d'où je viens et où je vais»), ou encore par des noms («l'heure de passer de ce monde au Père»), mais l'attention ne sera plus braquée sur un être (un étant) ni sur une substance (un sujet): elle sera imaginitivement et affectivement portée vers une réalité subconceptuelle et anté-prédicative, qui n'est ni l'être parménidien ni le devenir héraclitéen, mais une qualité pure, un acte qui ne peut être ni objectivé ni subjectivé.

4.4 La figure du langage qui est privilégiée dans ce nouveau discours n'est plus le verbe comme dans les récits des conteurs ou «théologoi» archaïques, ni le nom comme dans les traités de *theologia* classiques ou d'ontothéologie, mais les déictiques — adverbes, pronoms —, les prépositions, le morphème zéro. La phrase-type est la pronominale: «Là!», «Lui!» qui sont des mots-phrases, doublures linguistiques de gestes indicatifs du Silence d'où sourd la Parole. En descendant aux enfers du langage, la parole reprendra sa capacité d'indiquer le ciel.

4.5 La Relation subsistante ne sera donc pensée que pour être imaginée, elle ne sera imaginée que pour être éprouvée et affectionnée, elle ne sera éprouvée que pour être crue, aimée, espérée. Elle sera dramatique, et dans le réseau de relations au moyen duquel nous chercherons à coïncider avec elle et à entrer dans sa communion, il y aura l'Adversaire. Car, dans le Nouveau Testament, la connaissance de ce qu'est vraiment Jésus — le Seigneur — est inséparable de sa confrontation avec les démons, le diable, le tentateur, le satan, le dragon, le lion dévorant, la puissance des ténèbres, le prince de ce monde, le dieu de ce siècle. On a peut-être le droit aujourd'hui de refuser que le problème du diable soit posé en termes d'existence ou d'inexistence, mais on a certainement le devoir de reconnaître qu'il existe culturellement et intentionnellement dans le canon des

Écritures chrétiennes, et que la logique de la foi exige que la pensée n'en fasse pas abstraction. À trop démythiser, on démystérise et on dédramatise, et la fonction de celui que les chrétiens appellent Christ et Seigneur est, sans plus, comparable à celle que d'autres fidèles reconnaissent à d'autres puissances. Mais on ne peut être chrétien sans être, en même temps qu'aussi humble que possible, convaincu que le Discours de l'Histoire Universelle a pour principe la Parole qui s'est incarnée en Jésus et qui continue à parler par ceux qui croient en lui. La réflexion chrétienne des prochaines générations aura sans doute beaucoup à apprendre de la sémiotique et de l'analyse des récits populaires des «peuples-enfants». Le «schéma actantiel» des histoires que se racontent les prémodernes implique que le code qui engendre les récits comprend essentiellement, à côté du Destinateur, de l'Objet, du Destinataire, du Sujet et de l'Adjuvant, un Opposant. Il nous semble qu'à mesure que la réflexion chrétienne sur Jésus apprendra à revenir du Seigneur exalté au Jésus de l'histoire en qui déjà parlait la Parole, qui est une Lumière qui luit dans les Ténèbres, elle aimera se représenter une Relation dont la subsistance est constamment menacée par un Adversaire qui cherche à dévorer les autres enfants de la Femme que le grand aigle a portée au désert.

On voit ainsi que, selon nous, il pourrait exister une «christologie» qui serait notablement nouvelle et qui coexisterait dynamiquement et dialectiquement avec les christologies traditionnelles ou actuelles. Elle n'aurait pas l'allure ni l'unité géométrique d'un traité qui peine à enfermer son objet dans un ensemble cohérent et clos de concepts. Elle ressemblerait plutôt à la fois aux Exercices spirituels d'Ignace de Loyola et aux études de G. Fessard sur les Exercices. Elle ne défendrait pas le dogme, elle ne ferait pas de théologie biblique ni d'exégèse, elle n'enseignerait pas ce qu'il faut croire. Supposant ces choses connues et admises, elle donnerait aux christologiens et aux directeurs de conscience un moyen plus précis de reconnaître quelles techniques spirituelles sont chrétiennes, de quelles façons celles qui prétendent l'être peuvent être redressées ou améliorées, comment celles qui ne le sont pas sont christianisables. Elle lèverait peut-être le scandale de la multiplicité centrifuge des interprétations de Jésus:

en tout cas, par la vertu de ce qu'il y a en elle de génératif et de transformationnel, elle encourageait chaque interprétation à s'interroger sur la fidélité et la conformité de son style propre à la «grammaire de l'assentiment» qui l'engendre et la corrige. Ce que le discours sur Jésus perdrait en cohérence et en unanimité au plan des concepts, il le gagnerait, dans le registre de l'imaginaire social, en puissance d'intégration progressive, de compréhension mutuelle et de créativité missionnaire. Et il y aurait beaucoup de travail pour beaucoup de penseurs de toutes nations, tribus, peuples et langues.

Appropriations[1]

En chrétienté la foi faisait partie des évidences communes; en modernité elle doit être appropriée par chacun. Les expressions dogmatiques, catéchétiques et liturgiques suffisaient naguère à préserver l'unanimité; aujourd'hui il est devenu nécessaire d'assimiler personnellement les formules scripturaires des premiers croyants dont les textes sont pour toujours normatifs.

Cependant, il ne nous est plus possible de lire leurs productions avec la naïveté d'hier, il faut traverser la critique et le soupçon, la science et la raison. C'est à quoi sert l'exégèse. Loin d'être un obstacle, cette science est un précieux adjuvant de la contemplation appropriative. Certes, on n'attendra pas d'elle des certitudes absolues — aucune science n'offre cela — mais de plus ou moins hautes probabilités, qui sont proposées comme inductrices d'une démarche personnelle de foi par ceux qui ont le charisme de l'interprétation à ceux qui ont d'autres charismes. L'appropriation étant un acte par lequel on fait sienne une pensée originellement autre, la prière inspirée de l'exégèse est une activité qui exige du temps, lequel ne respecte pas ce que l'on a fait sans lui.

1. La série «Appropriations» a paru dans *Relations*. «I: Croire», 446 (mars 1979), p. 87-88; «II: Les noces de Cana», 448 (mai 1979), p. 142-143; «III: Le serpent d'airain», 450 (août 1979), p. 199-200; «IV: La traversée de la Samarie», 453 (novembre 1979), p. 307-308.

Il sera donc bienfaisant de lire et de relire le texte et peut-être aussi le commentaire. Celui-ci portera sur l'Évangile selon saint Jean, et chaque fois sur une péricope (unité bien «découpée»), qu'on considérera comme un poème qui transfigure l'histoire événementielle à la lumière du sens de l'histoire totale auquel la foi accorde son assentiment, l'amour son consentement, l'espérance son enchantement.

I

CROIRE

Jn 4,46-54

46. Jésus revient donc à Cana de Galilée où il avait fait du vin avec de l'eau. Il y avait là un officier royal dont le fils était malade à Capharnaüm. 47. Ayant entendu dire que Jésus arrivait de Judée en Galilée, il vint le trouver et le priait de descendre guérir son fils qui se mourait. 48. Jésus lui dit: «Si vous ne voyez *signes et prodiges, vous ne croirez donc jamais!*»

49. L'officier lui dit: «Seigneur, descends avant que mon enfant ne meure!» 50. Jésus lui dit: «Va, ton fils vit.» Cet homme *crut à la parole* que Jésus lui avait dite et il se mit en route.

51. Tandis qu'il descendait, ses serviteurs vinrent à sa rencontre et dirent: «Ton enfant vit!» 52. Il leur demanda à quelle heure il s'était trouvé mieux et ils répondirent: «C'est hier, à la septième heure, que la fièvre l'a quitté.» 53. Le père constata que c'était à cette heure même que Jésus lui avait dit: «Ton fils *vit.*» Dès lors, *il crut, lui et toute sa maisonnée.* 54. Tel fut le second signe que Jésus accomplit lorsqu'il revint de Judée en Galilée.

(Trad. de la TOB)

Dans ce petit texte le mot croire revient trois fois et dans des contextes différents. Le récit s'articule ainsi autour de trois formes de la foi: aux signes, à la parole, à la vie. Comme les signes sont au début, la parole au milieu et la vie à la fin, ces trois constituent ensemble une structure orientée: la vue des signes est ordonnée à l'écoute de la parole et celle-ci à l'accueil de la vie.

Mais le passage du commencement au milieu et du milieu au terme n'a rien de mécanique. Car on peut voir les signes sans croire (*Jn* 12,37) et croire aux signes sans adhérer à la parole (*Jn* 2,23-25); et on peut croire à la parole sans admettre que c'est elle qui procure la vie et la liberté (*Jn* 5,40; 8,31-33). C'est pourquoi le récit est un drame en trois actes: dans le premier, le fonctionnaire croit aux signes mais Jésus l'apostrophe comme quelqu'un qui a une foi bien imparfaite; dans le deuxième, il croit à la parole mais non encore jusqu'à l'engagement; dans la troisième, il croit que la parole est porteuse de vie et il décide de se joindre à la communauté chrétienne. En effet, l'expression «il crut, lui et toute sa maisonnée» s'emploie dans *Ac* 1,2; 11,14; 16,14.31; 18,8 et *1 Co* 1,16; 16,15, pour l'entrée dans l'Église.

Le récit a donc été composé par des gens qui avaient constaté: *(1)* que plusieurs qui avaient les signes ne croyaient pas; *(2)* que beaucoup de ceux qui avaient cru aux signes cessaient de croire quand ils entendaient les exigences du royaume exprimées par le thaumaturge; *(3)* que certains croyaient à sa parole et cependant n'entraient pas dans la communauté confessante (*Jn* 12,42).

Ce récit johannique est donc un concentré de l'expérience chrétienne primitive. Or *Jn* 14,6 est un concentré de ce concentré: «Je suis la Voie, la Vérité et la Vie.» En effet, les troisièmes termes des deux triades sont identiques, la vérité est analogue à la parole, et les signes sont comme des signaux qui balisent un cheminement, celui qui fait qu'on va à Jésus. Mais la formule de *Jn* 14,6 en est une d'auto-identification et elle ordonne les trois moments de la foi vive à la connaissance vivifiante. Les trois moments deviennent trois attributs d'un même sujet, qui est Jésus en première personne. Il est le point de départ, le parcours et le point d'arrivée. Mieux: il précède, survole, achève et transcende tous les cheminements.

Avant que l'Évangile n'existe comme texte écrit et achevé, il existait à l'état dispersé sous forme, en particulier, de récits de miracles, de recueils de «logia» (ou paroles de Jésus), d'épisodes de la passion. Ces traditions étaient la possession propre de groupes porteurs: on peut attribuer aux Juifs les premiers, aux Grecs les seconds, aux chrétiens parfaits les troisièmes. Un temps vint où l'on comprit que, pour communiquer l'interprétation authentique de l'Événement-Jésus, il fallait recourir aux trois types de tradition, mais en subordonnant les signes à la parole et celle-ci à la traversée de la mort que Jésus avait accomplie. C'est cette doctrine qui est résumée, de façon légèrement polémique, en *1 Co* 1,22-25:

> Les Juifs demandent des signes
> et les Grecs recherchent la sagesse
> mais nous, nous prêchons un messie crucifié,
>
> scandale pour les Juifs,
> folie pour les Grecs,
> mais pour ceux qui sont appelés,
>
> tant Juifs
> que Grecs
> il est Christ,
>
> puissance de Dieu
> et sagesse de Dieu,
> car ce qui est folie de Dieu est plus sage
> que les hommes et ce qui est faiblesse
> de Dieu est plus fort que les hommes.

L'émergence de l'Église est donc un événement d'emblée œcuménique, un effet de la reconnaissance mutuelle de ceux qui comprenaient Jésus soit comme thaumaturge, soit comme maître de sagesse soit comme juste souffrant.

Après avoir médité sur la structure et la dynamique de la foi, nous portons notre attention sur la matière qui sert de support au récit où cette foi se thématise. La matière est celle — traditionnelle — d'un récit de guérison à distance opérée par un personnage célèbre en faveur de l'enfant d'un requérant. Matthieu et Luc ont fait du malade un serviteur, du requérant un centurion romain, et ils ont situé le miracle à Capharnaüm (*Mt* 8,5-13; *Lc* 9,57-62). Marc a remplacé le serviteur ou le fils par une fille, le maître ou le père par une mère, et il a situé la guérison en Syro-Phénicie (*Mc* 7,24-30). Chez Jean, à la place du serviteur on a un fils, à la place du centurion romain un officier royal d'Hérode, et l'événement se produit sur le chemin qui descend de Cana à Capharnaüm. Mais nos quatre évangiles ont repris un canevas qui leur préexistait dans la tradition juive. On le trouve dans l'histoire d'Élisée (*2 R* 4,18-37), qui essaie de guérir avec son bâton le fils de la Shunamite, et encore dans le Talmud de Babylone où Rabbi Hanina guérit par sa seule prière le fils de Rabbi Gamaliel qui a envoyé des serviteurs le supplier d'intervenir. Nos quatre évangiles ont donc adopté, chacun à sa façon, un récit qui se colportait parmi les Juifs, et ils ont en commun de l'avoir recentré sur Jésus, d'avoir fait du requérant un étranger, et d'avoir souligné que celui-ci, au contraire de beaucoup de Juifs, croit Jésus sur parole.

Les conteurs chrétiens ne se sont pas souciés de montrer un Jésus original et thaumaturge exceptionnel: ils ont raconté de lui ce que d'autres racontaient de leur propre héros. Ce n'est pas l'historicité de l'événement qui leur importait, mais sa signification. Et pour le croyant moderne qui redécouvre sur quel fond traditionnel le récit évangélique a été composé, le sens doit passer, comme pour les anciens, par la saisie des différences. On a donc voulu enseigner que Jésus avait passé en faisant le bien et on ne s'est pas fait scrupule de le faire en réemployant un vieux récit qui avait déjà beaucoup servi. On a voulu enseigner aussi que la foi à la parole importe plus que la foi aux signes et que la foi à la vie qui vient de Jésus est ce à quoi tend la prédication chrétienne. Enfin, on a voulu enseigner que les païens ont été plus perspicaces que bien des Juifs. Le reste est mise en scène, représentation qui s'offre à favoriser la présence.

Tels qu'ils existent dans nos évangiles, ces récits ont tous été écrits après l'an 70, mais ils reflètent la situation de l'Église des années 45-50, quand il s'avéra que, tandis que les Juifs ne croyaient pas en Jésus crucifié, des païens de plus en plus nombreux l'accueillaient comme le sauveur du monde. Le fond commun aux synoptiques et à Jean suppose un noyau présynoptique et préjohannique, mais à cause des parallèles extra-scripturaires, l'exégèse n'a pas le moyen d'affirmer que ces récits sont des reflets fidèles d'événements de la vie de Jésus. Les évangiles n'ont rien de ce que nous appelons une biographie. La «vie de Jésus» est un recueil de récits exemplaires, fondateurs et normatifs. La substance des récits flottait dans l'air du temps, et les conteurs chrétiens se la sont appropriée pour thématiser avec le croyable pour lors disponible la foi désormais commune qui venait de prendre conscience de soi.

Le chrétien d'aujourd'hui qui est sensible aux comparaisons et aux parallèles, aux ressemblances et aux différences, peut s'approprier à son tour la foi primitive en faisant siennes la matière et la forme du récit johannique. La foi lui apparaîtra alors comme un mouvement qui part d'une naïveté admirable devant l'insolite, qui traverse ensuite la parole distanciante, et qui se laisse enfin porter par une sorte de naïveté seconde et postcritique jusqu'à la réalité signifiée et désignée par le texte.

II

LES NOCES DE CANA

> 1. Le troisième jour il y eut une noce à Cana de Galilée et la mère de Jésus y était. 2. Jésus lui aussi fut invité à la noce ainsi que ses disciples. 3. Comme le vin manquait, la mère de Jésus lui dit: «Ils n'ont pas de vin.» 4. Mais Jésus lui répondit: «Que me veux-tu, Femme? Mon heure n'est pas encore venue.»
>
> 5. Sa mère dit aux servants: «Quoi qu'il vous dise, faites-le.» 6. Il y avait là six jarres de pierre destinées aux purifications des Juifs; elles contenaient chacune de deux à trois mesures. 7. Jésus dit aux servants: «Remplissez d'eau ces jarres»; et ils les remplirent jusqu'au bord.
>
> 8. Jésus leur dit: «Maintenant puisez et portez-en au maître du repas.» Ils lui en portèrent, 9. et il goûta l'eau devenue vin — il ne savait pas d'où il venait, à la différence des servants qui avaient puisé l'eau — aussi il s'adresse au marié 10. et lui dit: «Tout le monde offre d'abord le bon vin et, lorsque les convives sont gris, on fait servir le moins bon; mais toi, tu as gardé le bon vin jusqu'à maintenant.» 11. Tel fut, à Cana de Galilée, le commencement des signes de Jésus. Il manifesta sa gloire et ses disciples crurent en lui.

On a fait de ce texte bien des sortes de lecture. Naïve: le récit est un reportage fidèle racontant comment Jésus a changé le contenu de six grandes jarres d'eau en six cents litres de vin. Critique: il n'y a pas eu de miracle; simplement, les conteurs chrétiens ont reporté sur Jésus ce que les Grecs racontaient de leur dieu des vendanges et de l'ivresse, Dionysos-Bacchos, lequel, chaque année, changeait lui aussi l'eau en vin. Poétique et théologique: un événement de la vie de Jésus a été porté au langage par des croyants, qui ont encapsulé dans un récit exemplaire une synthèse de la vie, de l'enseignement et de la mort de celui à travers qui ils décidaient de penser toute l'histoire humaine. C'est cette troisième sorte de lecture et d'appropriation qui est proposée dans les points de méditation qu'on va lire.

Réfléchissons d'abord sur l'ensemble du poème-synthèse. La première scène (vv. 1-4) correspond à celle de *Mc* 3,31-35 où, comme ici, Jésus prend ses distances par rapport à sa famille. La deuxième scène (vv. 5-7), avec son insistance sur les jarres destinées à la purification des Juifs, est parallèle à la péricope de *Mc* 7,1-5 qui fait une critique sévère des rites juifs de pureté. Dans la troisième scène (vv. 8-11), le bon vin gardé pour la fin fait immanquablement penser au vin dont Jésus a dit qu'il le boirait, nouveau, avec ses disciples, dans son Royaume (*Mc* 14,25). Entre Marc et Jean, il y a cette différence que, chez celui-là, la première scène est au début, la deuxième au milieu et la troisième à la fin de son ouvrage, au lieu que chez celui-ci, les trois sont rapprochées et ramassées en une courte péricope. Cependant, leur contenu est le même et elles se suivent dans le même ordre. Le petit poème de Jean est donc un mini-évangile. Il ne rapporte pas un événement de l'histoire observable, mais il s'offre à dire le système total de Jésus et de l'Homme en promouvant un fait divers et peut-être banal à la dignité d'un récit exemplaire et normatif. Le lecteur moderne, qui a réfléchi sur les mérites des sciences positives et les méfaits du positivisme et est prêt à passer de la surface du texte à sa profondeur, est donc invité à laisser s'ouvrir pour lui aussi la famille sur la nation et celle-ci sur le Royaume de Dieu. La foi est ce mouvement même qu'induit le poème dans le cœur de quiconque, par la lettre, se dispose à accueillir l'esprit. Elle est ce consentement au poème, à voir et à sentir le monde tel que le poète le rend soluble pour l'esprit.

Après cette première approximation — ce premier point —, dans la suite de cet exercice d'appropriation, nous fixerons notre regard sur la symbolique de la Femme, qui est tantôt en surface tantôt dans la profondeur du texte. La Femme est ici, à tour de rôle, mère, reine et épouse, et ces figures d'une même essence archétypale entrent successivement en scène à mesure que le récit se déroule.

Elle est d'abord mère et cela est rendu perceptible pour nous par le fait que Marie n'est pas appelée par son nom, au lieu que son fils l'est. Son rôle tend à s'épuiser dans sa fonction maternelle: on la montre pleine de sollicitude pour les hôtes, faisant observer à son fils le manque de vin et insinuant que cette pénurie le concerne. Mais Jésus se récuse brutalement; en hébreu, la locution «Que me veux-tu?» est toujours une fin de non-recevoir. Mais si Jésus s'oppose à sa mère, ce n'est pas seulement, comme chez les Synoptiques, qu'il prend ses distances par rapport à elle et à sa famille, c'est aussi qu'il les entraîne dans le mouvement de foi où les relations familiales vont être approfondies et dépassées. Entre la maternité première manière et la seconde s'interpose une brisure, que le texte exprime par le symbole de l'heure de Jésus, qui sera celle de son passage au Père. En attendant, Marie doit être la Femme en face de l'Homme et du Seigneur. Car Jésus l'appelle ainsi, ce qui est tout à fait exceptionnel de la part d'un fils. Pour résoudre cette énigme, le chrétien moderne qui cherche à comprendre comme comprenaient ses pères dans la foi, peut se souvenir du récit de la Genèse où le Seigneur Yahvé s'adresse à la Femme et lui annonce la naissance douloureuse d'un fils qui écrasera la puissance de mort. Ainsi, Marie est plus que Marie et plus que la mère: comme Adam est représenté tel un roi et que Ève est la reine-mère, telle est aussi Marie en face de cet Homme qui est en même temps son Seigneur. En elle, comme en lui, l'humanité totale est typologiquement concentrée.

Elle va donc agir en reine, et c'est ce que le texte de la deuxième scène insinue en faisant dire par Marie aux servants: «Faites tout ce qu'il vous dira.» En effet, cette phrase est tirée de l'histoire de Joseph où Pharaon dit aux bédouins qui quémandaient des vivres: «Allez à Joseph et faites tout ce qu'il vous dira.» (*Gn* 41,55) Ce que le roi d'Égypte est à son intendant, Marie l'est à Jésus, elle accomplit donc la figure de la royauté et cela justement en tant que

Femme (on sait, du reste, qu'en grec tel est le sens ancien de *gyné*, qui est apparenté à l'anglais *queen*). On voit que, pour le poète, ce n'est pas la vraisemblance scénique et dramatique ou psychologique qui importe, pas plus d'ailleurs que le souci d'inculquer la piété mariale en montrant la mère de Jésus devançant l'heure des miracles. Son récit n'est pas d'abord historique mais exemplaire et poétique, inducteur d'images affectivement chargées, et ce qu'il met en scène, ce n'est pas tant un individu du nom de Marie qu'une figure de la Femme, laquelle était mère, est devenue reine et doit être épouse.

Ce dernier aspect devient manifeste dans la troisième scène. Non par allusion à la jeune femme dont on célèbre les épousailles (il n'est pas fait mention d'elle), mais parce que l'Épouse — avec une majuscule! — se trouve dans le champ sémantique du vin le meilleur qui est gardé pour la fin. Car en *Mc* 2,19-22, c'est en relation avec l'enlèvement de l'Époux qu'il est fait référence au vin nouveau et aux outres neuves et, implicitement, au vin que le Maître boira avec ses disciples dans son Royaume. S'il est l'Époux, les disciples sont donc ensemble l'Épouse, la Femme purifiée par le don que son Maître fera de lui-même et par le bain d'eau et de parole où elle est alors plongée (cf. *Eph* 5,25-29). Le poète, sans crier gare, a donc fait un autre saut lyrique. Ce qui l'intéresse, ce n'est pas l'enchaînement des concepts ni la cohérence représentationnelle des scènes successives et proprement irréprésentables, mais la véhémence ontologique de l'image de la Femme, dont il s'évertue à déployer toutes les virtualités. C'est pourquoi il a fait allusion à la purification des Juifs, qui n'est pas celle que les chrétiens privilégient. Et c'est aussi pourquoi il renvoie Marie dans les coulisses: il faut, pour que la Femme soit et soit totalement évocable, que Marie s'efface et laisse être ses disciples comme Corps du Christ, Épouse qui est la chair de sa chair, ce par quoi le Seigneur ressuscité se fait être au monde et travaille à l'expansion du Royaume.

Parvenus au terme de cette méditation, il est désormais possible pour nous de faire acte de contemplation et de coïncider avec la relation vive que le poète a désignée au moyen des trois figures de la Femme. Car vient un moment où le langage défaille, ou bien où l'on se rend compte qu'il est piégé et doit être dépassé. L'inertie du masculinisme traditionnel nous inciterait à dire que l'image de la Femme s'accomplit et se résorbe dans celle de l'Homme, l'Église étant l'Épouse du Christ. Ou bien, tentés cette fois par le féminisme qui tourmente notre époque, on pourrait tout aussi bien dire que l'humanité, après avoir été théiste puis humaniste, est enfin capable d'articuler sa vision du monde et de soi autour des symboles féminins — maternels aussi bien que matériels, les deux mots ayant la même origine—, et que Dieu et l'Homme sont soumis à la kénose où la Féminité les néantise. Mais nous ne sommes pas enfermés dans cette alternative. Si, avec le poète qui a composé le récit des noces de Cana, nous réagissons à la fois contre l'inertie séculaire et contre l'idéologie de notre siècle, nous dirons plutôt que nous n'avons pas le moyen d'empêcher qu'aucun de ces trois discours — théiste, humaniste, féministe — cesse jamais d'exister ni que les trois se fassent signe à travers les grilles de toutes les pensées totalisantes. Car Jésus qui appelle Marie, de la même manière que Yahvé appelait Ève, est ici représenté comme l'Homme qui ne se distance de sa mère que pour qu'en elle soit signifiée la Femme: d'abord la reine, puis l'épouse et ainsi l'accomplissement de la maternité, la venue au monde de cet Homme qui est Dieu.

La Poésie est ainsi coïncidence des contraires, dépassement des contradictions, annulation des différences, langage à l'état naissant et, d'une même coulée, au-delà du langage, index du lieu où le discours s'accomplit dans le silence qu'il induit. «Que me veux-tu, Femme?» veut dire — mais ce vouloir dire ne peut s'effectuer que dans l'accueil que je fais d'une parole qui ne vient pas de moi —: «Je suis cet Homme en qui il est question de cette Féminité en moi, en toi et en nous tous, et qui est la question de Dieu, et tu es celle qui doit la résoudre à même l'histoire dramatique des hommes, toi, mère des vivants qui enfantes dans la douleur un principe de vie qui, peu à peu, exorcise en nous l'angoisse que nous éprouvons à devoir quitter ce monde.» Une poésie comme celle-là ne diminue ni Marie ni l'Église et elle n'enlève rien à la merveille de ce que le Jésus historique a accompli: elle enracine toutes les figures dans une Féminité océanique et maternelle qui est aux sources aussi bien du langage des hommes que de leur silence priant.

III
LE SERPENT D'AIRAIN

> Comme Moïse a élevé le serpent dans le désert, il faut que le Fils de l'Homme soit élevé, afin que quiconque croit ait en lui la vie éternelle (*Jn* 3,14-15).

Il existe un petit serpent inoffensif et rusé que les anciens hommes ont pris comme symbole des dieux guérisseurs. Comme il laisse périodiquement dans la nature sa vieille défroque, on se plaisait à imaginer que, changeant de peau, il se rajeunissait chaque année et ne mourait pas. Il fut donc pris comme signe de notre désir d'immortalité, et beaucoup se mirent à avoir confiance en la représentation plus que dans la puissance qui s'y investit. Depuis lors, le caducée — serpents enroulés autour d'une perche —, est resté le symbole de la médecine. Mais la tradition judéo-chrétienne a pris le contrepied de cette conception magique et elle a fait du serpent l'adversaire et le tentateur de l'homme, qui lui suggère de vaines espérances: enroulé autour de l'arbre de vie, il nous fascine avec son idée que nous sommes bien capables, à force de technique, de nous guérir de la mort même.

L'image

L'auteur du quatrième évangile s'est souvenu de cette imagerie. Plus immédiatement, il s'est inspiré du passage du Livre des Nombres (*Nb* 21,9) où les Israélites, mordus par des serpents, venimeux ceux-là, prient Dieu de les guérir et où Yahvé ordonne à Moïse de façonner un serpent d'airain et de le mettre sur une perche pour que quiconque le regarde demeure en vie. Pour comprendre cette pratique, reportons-nous à quelque trois mille ans en arrière, en une région semi-désertique et infestée de serpents dont la morsure était mortelle. Beaucoup en mouraient et les autres étaient paralysés par la peur, l'appréhension inhibitrice d'un mal omniprésent et sournois. C'était ce qu'on appelle une situation-limite, une de celles où, réduits à l'impuissance, les hommes créent des symboles qui soutiennent contre tout espoir l'espoir de vivre. Pour conjurer la panique, quelqu'un imagina donc de rendre présente et visible la cause de tout le mal. Il martela une pièce d'airain à laquelle il donna l'apparence du reptile et il posa l'effigie sur un étendard au milieu du campement à la vue de ceux qui passaient. Ainsi le mal n'était plus diffus et insaisissable, mais localisé et maîtrisable: celui-là du moins ne pouvait plus mordre et tuer, on pouvait le regarder en face sans subir la fascination mortelle de son regard. L'invention de l'artisan fut bénéfique et elle entra dans le patrimoine culturel comme un moyen entre autres de soutenir l'espérance. Pour les Hébreux, ce fut là une pratique des déserts du sud de la Palestine: on a trouvé, à Timma, dans des mines qui avaient été exploitées dès le 13e siècle avant J.-C., des petits serpents de cuivre qui servaient d'amulettes. Cette pratique a été adoptée par une tribu ou l'autre de celles qui nomadisaient dans la région, et elle n'a pas paru incompatible avec cet autre support de la foi qu'étaient pour plusieurs le nom et le geste de Yahvé. On l'a donc attribuée à Moïse et comme un moyen que Yahvé lui-même lui avait révélé.

La réforme

La coutume fut adoptée aussi par les Yahvistes de Judée et de Jérusalem, qui donnèrent à la statuette le nom de Nehustan, c'est-à-dire à la fois serpent (*Nahash* en hébreu) et airain (*Nahoset*). Cette observation nous amène au seuil d'un autre texte:

> (Ezéchias) mit en pièces le serpent d'airain que Moïse avait fabriqué. Jusqu'à ce temps-là, en effet, les Israélistes lui offraient des sacrifices; on l'appelait Nehustan (*2 R* 18,4).

Ainsi donc Ezéchias a défait au nom de Yahvé ce que, au nom de Yahvé, Moïse avait fait. Comment cela est-il possible? Revenons encore une fois à l'histoire. À la fin du 8e siècle av. J.-C., le royaume de Juda fut acculé à une nouvelle situation périlleuse: la menace de dévastation et de servitude que l'empire assyrien faisait peser sur le pays. Pour regrouper les forces vives de la nation, le roi Ezéchias entreprit de limiter le nombre des soutiens visibles de l'espérance et il centralisa le culte dans la capitale autour du Nom de Yahvé. Dans cette nouvelle conjoncture, l'écoute l'emportait sur la vision, la parole d'interprétation sur l'épiphanie, et le serpent d'airain n'apparaissait plus comme un moyen proportionné à la figure nouvelle de la foi. Car Yahvé était désormais compris comme le seul véritable sauveur et guérisseur. Les plus fervents parmi les Yahvistes devenaient farouchement iconoclastes et partisans de l'aniconisme. C'est pourquoi Ezéchias fit tailler Nehustan en pièces.

On voit par là comment la foi qui s'exprime dans des symboles ne peut faire que les symboles, livrés à l'inertie du langage puis à la maîtrise des hommes, nuisent un jour ou l'autre à la foi elle-même, laquelle est un renoncement à la maîtrise et une acceptation de la mort. Elle doit donc se critiquer elle-même et renouveler ses représentations.

La relecture

Cependant, une vérité s'exprimait dans le récit ancien: en regardant le serpent, c'est en Dieu que l'on se confiait, et cette idée pouvait être reprise. C'est ce que Jean a fait dans son évangile. Car ceux qui se sont mis à croire que c'est en Jésus crucifié et exalté que Yahvé s'atteste le mieux comme ayant seul la maîtrise de la vie, étaient obligés, sous peine de voir leur foi inopérante, de la rendre croyable à leurs compatriotes juifs. C'était une nouvelle situation-limite: car les Juifs soulevaient une objection énorme. Comment quelqu'un qui n'a pu se sauver lui-même — par exemple en descendant de la croix — peut-il sauver les autres? Il y allait du tout de la foi nouvelle. Le récit de *Mc* 15,30-32 dramatise bien cette objection, mais la laisse sans réponse explicite. Mais un autre conteur s'est avisé qu'il y avait dans la tradition juive elle-même une réponse *ad hominem*. Elle revient à répondre ceci: la solution de votre difficulté se trouve dans nos Écritures; puisque vous croyez en Dieu et que vous savez que Moïse a élevé sur son ordre l'effigie d'un serpent pour que quiconque le regarde reste en vie, vous êtes en contradiction avec vous-mêmes quand vous objectez que Jésus crucifié ne peut pas sauver les hommes; car sa crucifixion est une élévation semblable à celle du serpent et elle obtient un bien plus grand effet; aussi sommes-nous en droit de dire, sur la base des prémisses qui nous sont communes, que quiconque croit en Jésus crucifié ne mourra point. C'est cette riposte, condensée dans une comparaison poétique, que Jean a insérée dans le dialogue de Jésus et de Nicodème.

Certes, il y a bien des manières de croire et de croire chrétiennement. *Jean* 3,14-15 est l'une entre autres des expressions canoniques de la foi et de l'espérance de ceux qui ont décidé de choisir Jésus-Christ comme foyer de leurs rêves. Et aujourd'hui, celui qui a pris le temps de descendre de la surface du texte dans sa profondeur a, par le fait, acquis la capacité de coïncider, sous le dit et le dire, avec le vouloir-dire du poète porte-parole de la communauté johannique. La décision de croire que le salut du monde passe par l'élévation de Jésus en croix par les Juifs et au ciel par Dieu n'a rien de contraignant, mais rien non plus d'arbitraire. Elle reprend un vieux langage qui était, pour les auditeurs et lecteurs premiers de Jean, un croyable disponible. Si nous prenons le temps de saisir la «forme» sur le «fond» existentiel d'où elle émerge, nous pouvons nous aussi progresser dans la foi et résoudre les difficultés énormes que la situation-limite où nous sommes soulève contre notre espérance.

IV

LA TRAVERSÉE DE LA SAMARIE

> Jésus quitta la Judée et regagna la Galilée.
> Or il lui fallait passer par la Samarie.
>
> (*Jn* 4,3s)

Au temps de Jésus, la Palestine était divisée en trois régions: la Galilée au nord, la Samarie au milieu, la Judée au sud. Pour passer de Judée en Galilée, il fallait passer par la Samarie. Mais si l'auteur consigne cette évidence, ce doit être qu'il lui trouve une signification autre que géographique. En effet, cette notation fonctionne comme une charnière qui relie entre elles trois scènes: l'entretien avec Nicodème, le dialogue avec la Samaritaine, la guérison du fils du fonctionnaire royal, la première ayant lieu à Jérusalem en Judée, la deuxième à Sychar en Samarie, la troisième à Capharnaüm en Galilée. Or, plus poète qu'historien, l'auteur a fait de cet itinéraire un concentré exemplaire et normatif du développement de la primitive

Église. Car, dans la première scène, Jésus déclare que les Juifs ne reçoivent pas son témoignage ni celui des siens (3,11) et, avant de raconter la troisième scène, le conteur observe, d'une part, que Jésus avait dit qu'un prophète est mal reçu dans sa patrie et, d'autre part, que les Galiléens l'ont bien accueilli (4,44s). Il considère donc les Galiléens comme des non-Juifs, comme les représentants des Nations, des Grecs, qui ont mieux reçu les missionnaires chrétiens que les propres compatriotes de Jésus.

Ainsi, la représentation johannique de l'espace est solidaire d'une représentation du temps. De même qu'il y avait trois régions en Palestine, il y avait eu trois moments dans la vie de l'Église et Jésus en avait fourni le précédent exemplaire. Cette conception de l'espace-temps de l'esprit est confirmée par Luc, selon qui l'Église a commencé en Judée (*Ac* 1-7), s'est ensuite répandue en Samarie (*Ac* 8), et enfin jusqu'à Rome (*Ac* 28) — dévelopement qui est lui-même résumé dans une phrase: «Vous serez mes témoins à Jérusalem, dans toute la Judée et en Samarie, et jusqu'aux extrémités de la terre» (*Ac* 1,8).

Une histoire mouvementée...

Cependant, l'étude critique de l'ensemble des données a conduit nombre d'exégètes à reconstituer une histoire réelle plus mouvementée que celle que la composition irénique et déjà œcuménique de Jean et de Luc laisse supposer. Deux groupes et deux théologies s'affrontaient: essentiellement, les Hébreux et les Hellénistes, dont Luc suggère en *Ac* 6 les différences qui les opposent. Les premiers demeuraient fidèles à la Loi et au Temple, tandis que les seconds pensaient que la venue de Jésus rendait caduque toute l'ancienne économie. Les judéo-chrétiens espéraient que Jésus, messie juif, viendrait bientôt inaugurer le Royaume de Dieu sur les païens par le moyen d'Israël; mais les helléno-chrétiens croyaient que le Royaume était déjà là — dans ces communautés de Juifs et de Grecs qui s'efforçaient d'aimer tout prochain, même ennemi — et que les disciples de Jésus devaient se séparer des disciples de Moïse.

Durant les années 30 à 70, ces deux conceptions et ces deux groupes furent en conflit ouvert, et ce ne fut qu'après la ruine de

Jérusalem et du temple que le point de vue des Hellénistes apparut comme étant le seul qui était vraiment conforme à la volonté du Dieu des Écritures juives et à celle de celui que tous confessaient comme Seigneur. Or, d'après les manières de dire des anciens, la meilleure façon d'exprimer cette conviction n'était pas de raconter en détail les luttes qui avaient dressé les deux partis l'un contre l'autre, mais de composer des récits fondateurs dont le Maître était le héros et où il agissait comme le type de l'apôtre, le premier qui avait converti à la foi chrétienne une personne qui n'était pas juive. La phrase de *Jn* 4,4 est donc un puissant raccourci dont la signification dépend de tout le contexte écrit et non écrit que fut la vie de l'Église primitive pendant les quarante années de son existence.

Passer de la chrétienté à la modernité

Au terme de cette brève méditation, on pourra réfléchir sur quelques aspects de l'existence chrétienne. D'abord, nos lecteurs attentifs sont sans doute désormais convaincus que *l'évangile n'est pas une vie de Jésus et qu'il raconte moins le passé qu'il ne pose les fondements d'un futur.* Il a été écrit par des gens qui, certes, se souvenaient de Jésus, mais qui, surtout, croyaient que sa courte vie et sa mort avaient une signification universelle qui devait être progressivement déployée. Inséparable de leur foi, il y avait l'espérance que le sens de Jésus serait peu à peu saisi par tous les hommes et non seulement par leurs compatriotes privilégiés. Ce n'est donc qu'après être passés de «Judée» en «Galilée» par la Samarie qu'ils se sont souvenus de l'itinéraire de Jésus et en ont compris la portée.

Ensuite, on voit clairement aussi qu'*il est nécessaire de distinguer la surface du texte et sa profondeur, les faits et la façon dont ils sont rapportés.* Car la Judée, la Samarie et la Galilée signifient encore plus qu'elles ne désignent. L'auteur écrit comme les poètes de toujours qui dissolvent les signifiants pour laisser être le signifié. Et comme il sait que celui-ci ne peut être saisi que par ceux qui gardent la parole et la font fructifier (8,31 et 15,7), plutôt que de dire explicitement le sens de la parabole en action qu'il raconte et de la référer à l'Église, il disperse dans son récit les indices qui pointent en direction de cette signification qu'il veut suggérer. Il semble dire:

cherchez et vous trouverez (*Mt* 7,7), circulez entre les mots, prenez le temps de voir les relations qui relient les termes les uns aux autres et, ensemble, à la réalité qu'ils désignent. Il n'y a pas de chemin court vers le sens et la chose.

En troisième lieu, notre appropriation de *Jn* 4,3s nous invite encore à réfléchir sur la notion théologique de passage. De même que Jésus a passé de Judée en Galilée, que les disciples ont passé de Palestine en Diaspora, que Paul a passé d'Asie en Macédoine, puis des Juifs aux Grecs (*Ac* 16,5 et 18,7), que l'Église du Ve siècle a passé du monde gréco-romain aux Barbares, de même *les chrétiens d'aujoud'hui ont un difficile passage à faire: sortir de chrétienté et entrer en modernité,* quitter un monde sacral, sacerdotal, religieux, unanime, dogmatique, ritualiste, légaliste, et s'adapter à un monde profane, laïque, séculier, pluraliste, herméneutique, intérieur et responsable. Il est probable que les mutants ne seront pas nombreux tout d'abord et que, pour avoir le courage de quitter père et mère (*Gn* 2,24; *1 R* 19,20; *Lc* 9,61), pays, parenté et maison (*Gn* 21,1; *Mc* 10,29), ils auront besoin de s'assimiler la Parole de Dieu de façon plus personnelle que jadis. C'est à soutenir cet effort périlleux qu'est ordonnée cette série d'Appropriations et d'approximations.

Une communauté chrétienne en cheminement[1]

En banlieue de Montréal existe depuis cinq ans un groupe de chrétiens qui se rassemble une fois par mois pour écouter et commenter la Parole de Dieu, réfléchir sur la vie chrétienne et célébrer l'Eucharistie. Le groupe comprend, outre une religieuse et un prêtre, une vingtaine d'adultes d'âge moyen et de classe moyenne. Tous sont francophones, la moitié de vieille souche québécoise, les autres d'origine plus récente. Presque tous sont des jeunes parents ayant charge de famille. Les enfants ne participent pas aux rencontres sinon une fois par année peu avant Noël, et il n'y a pas d'activités sociales communes. Essentiellement, le groupe en est un de ressourcement biblique.

Au commencement il y avait, d'une part, une religieuse directrice d'école, d'autre part, des parents assaillis de questions sur la forme que peut prendre la vie chrétienne aujourd'hui. Le groupe est venu à l'existence le 20 février 1976 lorsque la directrice a invité les parents à assister à une conférence que devait leur donner un professeur de sciences religieuses, prêtre et bibliste, qu'elle avait connu à l'université. Ce soir-là il fut question des noces de Cana. À travers le commentaire qui fut proposé, la vie chrétienne d'aujourd'hui se trouvait éclairée par celle de la communauté johannique, et la fidélité à la tradition étayée par une mise en perspective des pratiques

1. Article paru dans *Relations*, 471 (juin 1981), p. 174-175.

et une recherche du noyau dur de la foi. Il fut montré comment les difficultés de la situation spirituelle de notre temps pouvaient être surmontées par une lecture croyante de l'évangile qui tienne compte de l'exégèse. On y faisait état de la distinction que Paul Ricœur a rendue célèbre et qui est désormais familière à tous, entre une première et une seconde naïveté, celle-ci étant le fruit d'une traversée parfois laborieuse de la critique et du soupçon.

Ce premier contact avec une *exégèse à la fois rigoureuse et spirituelle de l'Écriture*, s'il en a inquiété quelques-uns, en a comblé d'aise plusieurs autres qui ont souhaité que cette rencontre ait des suites. Depuis lors, régulièrement chaque mois, le groupe se réunit chez l'un ou l'autre de ses membres un vendredi soir pendant trois ou quatre heures. Quelques participants du début ont quitté, quelques autres se sont ajoutés en cours de route. Depuis deux ans le groupe est stable et il n'accueille de nouveaux membres qu'après un discernement attentif.

Cette prudence est compréhensible. Car, outre que le grand nombre entraînerait un anonymat dont on ne veut plus, ceux qui ont cheminé ensemble pendant des années et se sont familiarisés non seulement les uns avec les autres mais avec un même style exégétique, éprouvent une difficulté presque insurmontable à dialoguer avec de nouveaux venus insuffisamment préparés à accueillir des commentaires qui bouleversent leur première naïveté. Le groupe n'est pas fermé mais il n'est pas non plus ouvert à tout vent et à tout venant, l'expérience lui ayant appris que sa propre existence est liée à une communauté de vues.

Une création de la parole

Si *les enfants* ne sont pas admis aux réunions régulières, ce n'est pas que les parents ne veulent pas laisser venir au Seigneur les petits. C'est plutôt que le groupe est une création de la Parole mangée et bue avec joie par un certain nombre d'adultes et que son développement reste marqué par cette origine. Il n'a pas commencé par une militance ou par une mise en commun de problèmes conjugaux, familiaux ou sociaux auxquels l'Écriture aurait apporté des réponses, mais par une plongée dans la Bible en qui, dans la foi, la possibilité est entrevue qu'à tous les problèmes il y a une solution. Or ce n'est pas là affaire d'enfants mais de personnes capables déjà de tendre à la maturité du Christ.

Comme le groupe est restreint et ses réunions peu fréquentes, il n'a pas besoin d'officiers et il a rarement l'occasion d'être mécontent de ceux qui prennent la responsabilité de faire les rappels nécessaires. *La plupart des décisions sont prises d'un commun accord.* La religieuse qui fut à l'origine de cette aventure demeure une référence pour tous dans les bons comme dans les mauvais jours. Le prêtre bibliste qui joue le rôle de personne-ressource n'est pas considéré comme le pasteur de ce groupe informel mais comme un membre à part entière et le président des célébrations. On le voit aussi comme un missionnaire itinérant et disponible dont on est heureux qu'il prodigue la Parole à d'autres communautés.

Quelques membres du groupe assistent régulièrement aux *cérémonies liturgiques paroissiales*, quelques-uns s'y rendent occasionnellement, mais d'autres estiment que le groupe est leur communauté d'appartenance et se trouvent satisfaits du partage mensuel de la Parole et du Pain. La plupart, pour ne pas dire tous, voient l'Eucharistie comme le couronnement d'une appropriation prolongée de la Parole et, pour le moment en tout cas, retirent plus de profit spirituel de rencontres moins fréquentes mais plus intenses où l'intelligence de la foi occupe la plus grande place. Pour eux, le rite se situe désormais entre l'intériorité et l'action, celle-là se nourrissant de l'Écriture et celle-ci s'épanouissant dans la famille et la profession.

La *pratique sacramentelle* pose et posera encore des questions, surtout eu égard aux enfants, mais si les problèmes ne sont pas perçus comme dramatiques, il semble que cela soit dû à l'idée que l'on se fait des sacrements particuliers et ponctuels comme manifestations d'une sacramentalité fondamentale qui est constitutive de l'être chrétien lui-même et qui donne leur sens aux gestes sacrés les plus traditionnels de l'Église.

La participation à la vie du groupe n'est évidemment pas par elle-même un remède efficace aux inévitables conflits conjugaux ou familiaux. Mais sachant, comme l'écrivait jadis Gabriel Marcel, que l'amour est une victoire constante sur son contraire toujours possible, on ne se surprend pas de n'être pas toujours triomphants. On ne peut éviter non plus que les grands enfants soient engagés par beaucoup de fibres d'eux-mêmes dans la société permissive de notre Occident paganisé et que certains parents soient parfois tourmentés par l'écart qu'ils constatent entre leurs propres convictions et celles de leurs adolescents. Mais comme la rencontre mensuelle les ramène d'ordinaire au mystère central de l'existence qui est celui, indivisiblement, de la croix et de la résurrection, ils repartent le plus souvent convaincus que c'est lorsqu'ils sont faibles qu'ils sont forts, laissant à Dieu cet avenir qui ne leur appartient pas et prenant leurs responsabilités à chaque moment présent au meilleur de leur connaissance.

Le groupe n'a jugé opportun jusqu'à maintenant de se rattacher à aucun *mouvement organisé de communautés de base.* Il n'est pas isolé pour autant, car il se perçoit comme relié aux autres communautés chrétiennes par une même foi, une même espérance, une même volonté d'amour généreux, un même désir de fidélité à l'Église, et aussi par la présence active en son sein d'un ministre ordonné. Mais il a tenu à faire sa propre expérience, en s'inspirant en toute liberté des modèles anciens et modernes et en inventant à mesure les solutions appropriées aux problèmes de fonctionnement qui surgissaient. On n'a pas voulu partir d'une essence de ce que devraient être les communautés nouvelles mais du vécu, de cela d'exaltant et de difficile que nul ne peut vivre à notre place.

Un temps de formation

Nous ne considérons pas notre expérience comme exemplaire et imitable, nous ne théorisons pas sur elle et nous nous refusons à toute généralisation. Nous savons pertinemment que des milliers d'autres groupes ont relevé des défis semblables ou plus difficiles, et que notre cheminement n'aurait pas été possible sans la connaissance que nous avons acquise peu à peu de celui des autres. Il y a seulement que nous avons été amenés à vivre notre espérance d'une certaine façon et que nous avons le sentiment que l'Esprit-Saint y fut pour quelque chose. Notre originalité, si elle existe, se trouve peut-être dans *le rapport que nous instituons entre la Parole, la communauté et l'action.*

Car on pourrait nous reprocher d'être repliés bourgoisement sur nous-mêmes et, faute d'un engagement structuré, stériles et sans rayonnement. Nous ne croyons pas que ce reproche soit mérité. Car nos membres sont tous engagés dans l'entreprise aujourd'hui si ardue de la vie conjugale, parentale et professionnelle, et cela n'est pas rien. Ensuite, après les discernements nécessaires, il nous a semblé que notre fragile unité serait menacée par des options pratiques qui ne pourraient, pour le moment, rallier la majorité de nos membres dispersés et déjà surmenés. Mais la raison principale de notre non-engagement collectif est plus profonde: c'est que nous considérons les cinq années écoulées et les cinq qui viennent comme équivalant à la longue formation que les communautés religieuses et les diocèses accordent à leurs novices et à leurs séminaristes. Mais ceci demande quelque explication.

Nous pensons que le *changement de mentalité et de comportement* qui est requis par l'éclatement de la chrétienté et le défi mondial est une affaire de longue haleine. Ce n'est pas en un jour que l'on se dépouille des oripeaux d'un autre âge et que, remontant aux origines, l'on se convainc que le Christ et l'Église ont paru à la plénitude des temps comme une solution absolument unique au problème de l'histoire universelle. Sachant donc que le temps ne respecte pas ce que l'on fait sans lui, nous lui laissons le soin de nous transformer lentement par la grâce d'une Parole et d'une Présence qui, jusqu'à ce jour, ne nous ont pas déçus. Mais pour le moment, nous sommes comme des enfants qui balbutient ou plutôt comme des novices ou des séminaristes qui s'exercent à la vie religieuse ou sacerdotale. Nous n'avons pas été préparés à dire la foi en langage croyable, et nous avons beau nous familiariser depuis cinq ans avec l'Écriture, nous ne sommes encore ni très vaillants pour la pratiquer assidûment ni très habiles dans l'art de la redire aux autres dans nos propres mots, et nous avons toujours besoin de ces béquilles que sont les mots des autres.

C'est pourquoi nous pensons que l'heure n'est pas venue pour nous de nous livrer en spectacle au monde, aux anges et aux hommes. Nous voulons prendre le temps, avant que cela se produise, de devenir authentiques et compétents et d'être moralement sûrs que, lorsque nous serons traduits devant les tribunaux de l'opinion publique ou ecclésiale, nous n'ayons pas à nous soucier de ce que nous dirons, confiants que nous espérons être alors que ce sera l'Esprit-Saint qui parlera par notre bouche.

Si cependant, après cinq ans, le groupe a accepté que son prêtre animateur résume ainsi sa petite histoire et la porte à la connaissance du grand public, ce n'est pas pour se faire connaître comme tel: et en effet rien n'est dit ici qui permette d'identifier le groupe. C'est encore moins pour agrandir notre cercle de familles et pour recruter de nouveaux membres puisque nous ne voulons pas être plus nombreux que nous le sommes. Mais c'est pour que soit versée au dossier des chrétiens en recherche la relation d'une expérience singulière et non répétable dont certains éléments ont quelque chance d'être pour d'autres raisons d'espérer, source d'inspiration, motif de prise en charge. En revanche, nous comptons bien qu'au cours des années qui viennent la confrontation avec des communautés paroissiales renouvelées nous aidera à préciser notre engagement collectif et notre relation à la Grande Église.

Il y a sectaires et sectateurs[1]

Le point de vue de cet essai sera résolument théologique. On y traitera d'abord des différentes attitudes que provoquent les sectes, ensuite du problème de la vérité que pose l'existence des groupes sectaires aux marges de l'Église, et finalement de l'avantage qu'il y a pour l'Église à se voir et à se vouloir comme la Secte de Jésus-Christ.

Quatre attitudes

Aux yeux des clercs et des théologiens, les sens du mot «secte» a été le plus souvent normatif et péjoratif, et il désignait un petit groupe dissident qui rassemble des fidèles d'un maître fustigé comme hérétique. Mais ceux qui sont ainsi stigmatisés comme sectaires récusent cette appellation à leurs yeux injurieuse, et ils se considèrent plutôt comme les vrais sectateurs de Jésus-Christ et comme la véritable Église. D'un autre côté, les historiens et les sociologues emploient le terme dans le sens neutre et courant de *groupe organisé de personnes qui ont une même doctrine au sein d'une même religion.* Il y a enfin les œcuménistes, dont toute l'entreprise tend à dépasser l'opposition traditionnelle de l'église et de la secte.

Le phénomène des sectes est donc au moins quadrivalent. Elles ont provoqué et elles provoquent toujours soit la condamnation, soit l'adhésion, soit la science, soit la mission. Il convient de noter

1. Article paru dans *Relations*, 454 (décembre 1979), p. 341-343.

ici que ces quatre points de vue ont été adoptés successivement dans l'histoire occidentale depuis le Moyen Âge. Le premier fut ecclésiastique, dogmatique, juridique, politique et polémique: c'est — ou ce fut — celui d'une société où le christianisme était devenu religion d'État et qui, dans la ligne même de l'idéologie impériale qu'il continuait ou remplaçait, croyait ne pouvoir tolérer de différences trop marquées dans son sein.

Le deuxième point de vue, qui est d'ordinaire celui des sectes elles-mêmes et qui a émergé à l'orée des temps modernes, est réformiste et réformateur, protestataire et protestant, régionaliste et particulariste, congrégationnaliste et revivaliste: pour vivre en vérité la liberté et la fraternité évangélique, on prend ses distances par rapport à une institution dont on pense qu'elle est excessivement alourdie par son système de lois et ses structures autoritaires, on cherche à ranimer l'esprit des origines et, s'il le faut, on l'exprime autrement et d'une façon qui risque d'être bientôt qualifiée d'hétérodoxe par la Grande Église.

Le troisième point de vue — scientifique et objectif — n'a guère pris de consistance qu'au début de ce siècle, où il résulta du survol sociologique et de la rétrospective historique, qui s'efforcent d'embrasser d'un seul regard la genèse et la dialectique des sous-groupes chrétiens ou soi-disant tels à l'intérieur du grand ensemble.

Le quatrième point de vie — œcuménique et missionnaire — est encore plus récent et il suppose les trois autres: des membres des grandes confessions chrétiennes, éveillés de leur sommeil dogmatique par la science historique, attentifs aux valeurs chrétiennes réellement vécues par les frères séparés et à la médiocrité de beaucoup de pratiquants de leur propre confession, conscients en outre de la relativité des figures diverses que prennent la foi, la charité et l'espérance selon les lieux et les époques, et aussi stimulés par l'exégèse récente des textes normatifs des origines, décident d'entrer en dialogue et d'amorcer le processus de la réconciliation et de la reconnaissance réciproque.

À la recherche de quelle vérité?

Ces approches étant toutes légitimes et en réalité complémentaires, on comprend l'embarras des spécialistes qui s'évertuent à définir la secte. En fait, il n'y a pas de définition absolument objective de ce phénomène aux multiples facettes, car l'appartenance à l'église, à la secte, à la science ou à l'œcuménisme relève chaque fois d'une option fondamentale qui, du moins en première approximation, n'apparaît pas facilement compatible avec d'autres.

Les jugements de valeur et les décisions ponctuelles — ecclésiastiques ou sectaires, scientifiques ou œcuméniques — ne peuvent pas prétendre à la vérité, soit au sens métaphysique du mot, soit au sens vérificationnel. Mais il y a une autre sorte de vérité. Celle-ci est plutôt *fidélité créatrice et engagement risqué à dire et à faire ce que, après délibération et discernement, on croit susceptible de contribuer à redresser ou à améliorer les relations entre les hommes.* Cette vérité-là n'est pas abstraite ou formelle, ni philosophique ou spéculative. Elle est plutôt principe révélatoire, énergie signifiante, faculté d'émergence d'un non-encore-advenu. Tout en transcendant son propre devenir, elle se compromet avec la temporalité — passé, présent, futur — et, au sein d'une tradition réinterprétante, elle s'oblige à éclairer des expressions anciennes à la lumière d'événements de sens nouveaux, et elle laisse l'avenir ouvert. Elle est donc autant situationnelle qu'essentielle, et ses variables sont aussi importantes pour elle que son noyau invariant. Elle crée donc et recrée sans cesse, au-dessus ou au-dessous des idiomes particuliers, une sorte de langue commune et de commun cadre de référence où la Parole peut toujours retentir à nouveau, être comprise d'un nombre notable d'adhérents, et produire de dignes fruits de pénitence.

Or, c'est lorsque l'Église faillit à cette tâche de sortir du trésor de son Maître du neuf aussi bien que du vieux, que surgissent sectaires et sectateurs et que, par essais et erreurs, le peuple de Dieu en crise se remet à s'égaler à son Idée, qui est à la fois transtemporelle et supralocale. Mais ceux qui croient au Christ n'ont jamais autant de foi qu'il est nécessaire pour être fidèles en même temps que créateurs. C'est pourquoi la vérité qui tourmente l'Église a partie liée avec le repentir et la conversion. C'est pourquoi aussi l'hérésie, l'erreur, le mensonge, le péché, l'incroyance, le repli frileux sont moins ses contraires que ce avec quoi et contre quoi, en s'en distançant, elle advient. Plutôt donc que de dire que l'Église a la vérité, on dira volontiers que c'est la Vérité qui a l'Église et qui se l'offre à elle-même comme instrument fragile de fidélité, la purifiant et la renouvelant périodiquement par le moyen des expressions autres qui la bousculent et l'interpellent. Ainsi, non seulement il ne convient pas de dénoncer le péché et l'incroyance d'abord chez autrui, mais il faut tout autant et en premier lieu même les reconnaître d'abord en soi-même.

La révélation: contenu, acte et passion

On objectera: dans une perspective comme celle-là il n'y a plus ni révélation objective ni unité de la foi mais subjectivisme intempérant et pluralisme dilué, poussière anonyme de conventicules qui se disent chrétiens et contestent que les autres le soient. On répondra à cela que révélation, aussi bien que secte, s'entend de trois façons principales: comme contenu, comme acte, comme passion. Premièrement, on peut comprendre la révélation comme un ensemble de recueils de paroles vraies en soi et avant toute réflexion et appropriation personnelle; le modèle est celui du catéchisme des vérités répétables et monnayables, des notions claires et distinctes, des définitions et des dogmes. Deuxièmement, on peut entendre par révélation une pluralité en définitive incoordonnable de *prises de parole* par des individus ou des groupes qui ont infléchi de façon particulière le sens de certains énoncés de la tradition à laquelle ils appartiennent et qu'ils persistent à promouvoir, et dont on peut montrer l'enracinement dans autant de milieux de vie différents. Troisièmement, la révélation peut être pensée comme une suite orientée d'*événements de parole* qui transcendent leurs locuteurs, qui sont certes advenus à des hommes situés mais moins à des sujets ou à des auteurs qu'à des relais charismatiques et passionnés dont la vie a été par là transformée et est devenue exemplaire au moins pour quelques-uns.

Ces trois conceptions s'opposent souvent les unes aux autres. Mais il est possible de les relier dynamiquement comme première affirmation, négation et seconde affirmation. La révélation comme ensemble de propositions écrites et figées, d'emblée admises comme vraies, est sans doute un moment nécessaire du cheminement de la foi; mais on peut observer qu'elle exprime une conception plutôt naïve, aisément acceptable par les enfants et même par les adultes d'une société stable et virtuellement unanime. Mais quand elle est comprise comme une pluralité de formulations historiquement datées et localisées, la révélation fait l'objet de toutes sortes d'analyses critiques qui fleurissent d'ordinaire dans une société dont une partie plus scolarisée conteste un certain nombre d'évidences communes afin, le cas échéant, de s'approprier, dans un acte d'intelligence de la foi, l'amande emprisonnée dans l'écale. Car le soupçon n'est pas le dernier mot de l'histoire: la révélation comme suite d'événements fondateurs et transformateurs est une conception à laquelle, après l'épreuve de la critique, de la distance et parfois de la rupture, se rallient des convertis qui se veulent alors à la fois postcritiques et, si l'on veut, consciemment naïfs.

La dialectique révélation-hérésie

Cela dit, il devient facile de comprendre comment la secte ou l'hérésie — en grec, ce mot signifie «choix» — peut être elle aussi comprise de trois manières différentes. En premier lieu, elle peut être perçue comme un choix dont les responsables d'une communauté doutent d'abord qu'il soit compatible avec les autres événements ou choix fondateurs, puis, après examen, soit en admettent les partisans dans la communion ecclésiale, soit les excommunient comme partiaux et hérétiques. Mais, en deuxième lieu et au moins aux yeux des sociologues et des historiens, des exégèses et des théologiens, l'hérésie peut être perçue comme le fait d'un groupe particulier de chercheurs de Dieu, à la limite dissidents, mais dont le langage mérite d'être examiné pour sa visée, sa valeur et sa signification propres. Enfin, dans une troisième perspective, l'hérésie et la révélation constituent ensemble une opposition binaire dont les deux termes se définissent dialectiquement l'un par l'autre. *L'hérésie est alors ce que chaque membre de l'Église et chaque groupe de croyants doit combattre en lui-même pour persévérer à accueillir et à faire fructifier une révélation qui le précède et à laquelle il a accordé un assentiment de principe.* L'hérésie est alors la partie trouble de ces «croyants incrédules» que sont les fidèles, celle qu'ils doivent renier pour devenir davantage disciples de Jésus.

L'Église comme Secte

Ces considérations nous ont conduits pas à pas vers une conception du rapport entre l'église et la secte où ces deux termes s'abolissent dans la relation vive qui les emporte dans son mouvement. Nous dirons donc, de façon quelque peu paradoxale, que ceux des membres de l'Église qui voudront vraiment contrer l'offensive des sectes vont se mettre à réfléchir sérieusement sur la sorte de «Secte» à laquelle ils ont décidé d'appartenir! Car on ne lutte efficacement contre des volontés partiales de totalité qu'en radicalisant la manière particulière de voir le tout qui est celle de cette Église à laquelle on veut demeurer fidèle. Notre formulation prendra la forme d'un rappel de l'étymologie et d'un rajeunissement du sens premier du mot.

Le français secte vient du latin *sec-t-a*. Ce mot est composé de trois éléments dont chacun a une signification propre: groupe de gens (suffixe de collectif *-a*) qui, de façon habituelle (suffixe de fréquentatif *-t-*), marchent à la suite de quelqu'un (racine *sec-*, qui se retrouve dans «sec-ond» et «soc-iété»). Originellement, dans les sociétés archaïques, il s'agissait surtout de guerriers suivant un chef de bande. Ensuite, le mot s'est dit métaphoriquement des sectateurs d'un dieu: ainsi, les prophètes israélites gourmandaient leur peuple parce qu'il suivait les Baals et les Ashéras, et ils l'exhortaient à suivre Yahvé. En ce sens étymologique, ceux qui suivent le Christ forment une secte, ils sont seconds par rapport à leur Maître et ils constituent ensemble la société de Jésus. Or, en tant que Secte de Jésus-Christ, l'Église ne se définit pas en premier lieu par sa doctrine ou sa pratique, mais par la grâce et par la volonté de ses membres d'imiter le chef dont elle prend la suite, et donc par la passion. Car, dans le Nouveau Testament, «suivre Jésus» a un sens précis, technique et scandaleux, et son énoncé canonique a fait achopper les premiers qui, sans encore bien savoir jusqu'où il allait et offrait de les conduire, se sont mis à la suite du Maître. D'après *Mc* 8,34, être disciple de Jésus c'est se renier soi-même, porter sa croix et suivre le Christ crucifié. Et c'est là aussi le cœur de l'évangile paulinien (*1 Co* 1,23). Comprenons: être disciple de Jésus, c'est marcher derrière un chef, un maître, un dieu qui, parce qu'il avait été fraternel avec tous et d'abord avec les exclus, et parce que la classe dominante d'alors n'était pas prête à comprendre une telle extrémité dans l'amour, a été exécuté comme criminel. Les disciples ne peuvent être au-dessus de leur Maître, et ils doivent en payer le prix. S'ils ne sont pas toujours capables de conformer leur conduite à leur modèle, du moins savent-ils ce qu'il exige et se laissent-ils tourmenter par lui.

*
* *

Ceux qui croient au Christ crucifié ne forment donc pas une «religion» parmi d'autres, à laquelle on pourrait appliquer sans reste le schème sociologique de l'église et de la secte. Ils sont la Secte et ils sont l'Église, ils sont le corps, le sacrement, la manifestation, la narration phénoménale du Christ-Roi glorifié qui, en ceux qui croient, demeure en agonie jausqu'à la fin du monde. Car, quoi que disent les autres de sa prétention, la Secte-Société de Jésus ne peut pas ne pas se voir comme porteuse pour l'humanité entière du message du Royaume de Dieu, d'un Vivant qui triomphe pour nous tous de l'Ennemi par excellence du genre humain: la Mort.

C'est pourquoi l'Église est vouée à l'héroïsme, à la sainteté. Elle est définie comme Sainte et par ses saints, les vrais sectateurs de Jésus. Mais comment sans la dissidence des sectes, qui ramènent au radicalisme évangélique, les chrétiens des périodes creuses de l'histoire pourraient-ils connaître en vérité de quel Maître ils ont été faits disciples? Mais des saints surgissent qui, descendant dans les profondeurs de la nuit, reçoivent comme neuf le message d'un salut qui passe par le refus obstiné de Jésus de descendre de la croix (*Mc* 15,30), et ils laissent derrière eux un chemin de lumière.

L'épiscopat hier, aujourd'hui et demain[1]

Comme aux Pays-Bas, dont les évêques viennent de tenir un synode à Rome, il y a au Québec, quoique de façon beaucoup moins aiguë, un problème de l'épiscopat. On n'a plus les évêques qu'on avait! Et pour cause.

Tout d'abord, depuis les développements récents, il y a, aux yeux des évêques eux-mêmes, un problème de leur charge. Car comment être à la fois un bon connaisseur du droit canonique et un promoteur ardent de la justice? Comment s'occuper des pauvres en même temps que des finances, et des fidèles aussi bien que des clercs? Y en a-t-il beaucoup qui peuvent tenir la comptabilité avec compétence et composer des homélies percutantes ou, du moins, savoureuses? Édifier de belles églises et bâtir des communautés ferventes? Noblement pontifier dans les solennités liturgiques et humblement faire des ponts entre les personnes et les groupes? Garder le dépôt et adapter le kérygme? Défendre l'interprétation du dogme et lire les ouvrages de théologie avancée où se dessinent les contours possibles de l'Église de demain dont on leur répète qu'ils sont responsables? Être l'évêque diligent de son diocèse et avoir la sollicitude de toutes les églises? On sait bien qu'il faut savoir vivre avec ses conflits, mais on voudrait bien aussi pouvoir en résoudre quelques-uns!

---

1. Article paru dans *Relations*, 458 (avril 1980), p. 117-120.

Briser la statue

Mais les évêques sont devenus un problème pour d'autres qu'eux, pour leurs ressortissants. Beaucoup de chrétiens engagés aujourd'hui sont réfractaires à l'idée et à la réalité ancienne de préposés autocrates qui se considéraient comme les seuls vrais responsables et les chefs de leur diocèse, les autres étant des mineurs qui doivent à leur père une obéissance aveugle. Les «laïcs» connaissent sans doute moins bien que ceux de jadis leur catéchisme mais ils ont, plus que leurs devanciers, pratiqué la Bible et l'Évangile, et ils sont plusieurs à savoir que l'Esprit souffle où il veut, par en bas autant que par en haut, quoique autrement. Ils savent aussi l'importance qu'avaient les charismes dans la communauté de Corinthe, et ils sont sensibles au fait que l'institution des évêques et des prêtres est relativement tardive. En outre, ils se sont laissé dire que l'épiscopat monarchique a bénéficié d'un développement inflationnaire tandis que le peuple de Dieu subissait une mise en tutelle.

Tout cela fait que l'évêque moderne est bizarrement placé au goulot d'étranglement de ces jolis sabliers d'autrefois, comme en un lieu de passage où communiquent et se croisent les cônes du Christ et de l'Esprit, et dont tantôt l'un tantôt l'autre est renversé. Car le Christ est fondement en tant qu'il a obéi au Père jusqu'à la mort et il est la tête de l'Église en tant qu'il a reçu, en suite de son exaltation à la droite de Dieu, le titre et la fonction de Seigneur. D'autre part, l'Esprit descend sur les croyants par la voie sacramentelle et ministérielle, mais aussi il lui arrive de faire irruption en eux comme s'il faisait fi des canaux habituels. C'est pourquoi l'évêque, qui représente le Christ et médiatise l'Esprit, ne sait plus bien ce que son Seigneur lui signifie et, à la lettre, ni d'où vient ni où va l'Esprit.

Certes, s'il y a problème, il n'y a pas de crise de l'épiscopat, et la situation n'a rien de tragique. Mais les transformations en cours montrent clairement que les évêques d'aujourd'hui ne sont plus ceux d'hier et pas encore ceux de demain. Comme toujours, l'ajustement va se faire à la lumière de l'Écriture, de la Tradition et de la disponibilité à l'Esprit. Consultons d'abord l'Écriture.

1. L'évêque dans l'Écriture: préposé, apôtre, chrétien

On trouve dans les chapitres 12 et 13 de la Première Épître aux Corinthiens une première source de clarification. Saint Paul y parle des charismes et il en énumère de trois sortes. D'abord, sagesse, science, foi, guérison, miracles, prophétie, discernement, glossolalie, interprétation. Puis, apostolat, prophétie (en un autre sens), enseignement. Enfin, foi, espérance, charité. Pour la commodité du discours, nous proposons de les appeler respectivement communautaires, communicationnels et communionnels.

Tous ces charismes ont rapport au fondement de l'Église. Or, d'après le Nouveau Testament, celui-ci est tantôt la connaissance et la pratique des paroles du Christ (*Mt* 7,24-27), tantôt les apôtres et les prophètes, en particulier Pierre (*Ep* 2,20; *Mt* 16,18), tantôt le Christ lui-même en tant qu'il a traversé la mort (*Mt* 21,42; *1 Co* 3,1). Disons donc que les trois sortes de charismes peuvent être aussi caractérisés comme étant respectivement fondamentaux, fondateurs et fondationnels.

D'après ces catégories, il ressort que l'évêque est un personnage à trois composantes, en qui coexistent, différemment dosés, le préposé, l'apôtre et le chrétien. En tant que membre d'une communauté locale, il a d'ordinaire le charisme de la présidence (*Rm* 12,8); en tant que membre du collège épiscopal, il participe du charisme des apôtres-prophètes-docteurs; en tant que chrétien, il doit, comme les autres, aspirer aux dons les meilleurs, aux plus hauts charismes.

Ce qui donc, en eux comme en tous, est non seulement fondamental ou fondateur mais fondationnel, c'est leur être chrétien. Avant d'être des autorités, ils sont des croyants-espérants-aimants reliés au Christ et, comme tels, ils ont comme les autres à progresser: d'abord dans la connaissance de Dieu et du Christ, ensuite dans la promotion de la fraternité et de la solidarité universelles, enfin dans l'espérance qu'un jour le Maître de l'histoire va accomplir son Idée et mettre une fin heureuse à l'aventure humaine. C'est sur cette base commune qu'ils sont, en outre, successeurs des apôtres et qu'ils participent aux responsabilités du groupe qui, souvent à tâtons, médiatise, entre les origines et la fin, l'identité et la pertinence, la continuité dans la discontinuité. Enfin, ils sont, ou devraient être, membres d'une ou de plusieurs communautés locales où ils prennent part aux difficiles discernements par lesquels des groupes de chrétiens décident diversement des activités qui, faisant vivre et resplendir localement le Corps du Christ, en font, souvent malgré les apparences, le signe efficace et le sacrement de l'universelle fraternité.

Il va de soi que ces trois composantes du personnage ne sont pas toujours présentes au même degré dans tous les évêques, car la grâce ne supprime pas mais élève la nature. Elles sont différemment dosées selon que la conscience est davantage orientée soit vers les charismes fondationnels, théologaux et communionnels, soit vers les charismes fondateurs, apostoliques et communicationnels, soit vers les charismes fondamentaux, communautaires et locaux. Il y a des évêques qui sont perçus avant tout comme des chrétiens exemplaires, d'autres qui sont des membres actifs et éminents du collège épiscopal, d'autres qui sont d'excellents animateurs de communautés chrétiennes. À chaque évêque incombe donc la décision de remplir sa tâche au mieux de ses possibilités, tout en restant disponible pour des services auxquels la nature ne l'a pas particulièrement habilité.

L'Écriture apporte donc un premier éclairage, mais il reste en grande partie théorique et paradigmatique. Une reflexion sur l'histoire va nous permettre de nous approcher un peu plus du concret.

2. L'évêque dans l'histoire: de la monarchie au service

On sait en effet que nos mots évêque et prêtre dérivent par transformations phonétiques régulières de deux mots grecs: épiscope, qui veut dire surveillant, et presbytre, qui veut dire ancien. Or les épiscopes du premier siècle n'étaient guère différents des presbytres, et la distinction qui nous est familière entre les évêques et les prêtres n'existait pas encore. Les surveillants étaient le plus souvent des hommes mariés, ils tenaient maison et exerçaient ou avaient exercé un métier. On les choisissait à cause de leur expérience des affaires et de la vie, de la bonne éducation qu'ils avaient donnée à leurs enfants, du sens de l'administration dont ils avaient fait preuve dans leur propre foyer et dans leurs entreprises. Ils étaient préposés à une communauté locale de quelques dizaines de couples et de famille.

Tout autres furent les grands évêques des siècles suivants. Tout d'abord, ceux-là étaient célibataires. Ensuite, ils présidaient chacun à une «communauté de communautés», à une église urbaine, quelquefois métropolitaine ou diocésaine (le diocèse étant une circonscription administrative de l'empire romain en Égypte). Ils se subordonnaient les autres presbytres et les diacres et, comme des monarques, ils intervenaient avec autorité dans les communautés locales. Ils se réunissaient en synode pour déterminer les orthodoxies et les hétérodoxies, prescrire des règles morales et liturgiques, ordonner des clercs et déposer des indignes. Ils se réservaient le plus souvent d'annoncer la Parole et de présider l'assemblée eucharistique. À la limite, ils tendaient à accaparer tous les charismes et à confisquer l'Esprit à leur avantage, les autres ne le recevant que par la médiation de la grâce sacramentelle dont ils étaient les ministres.

Avec l'épiscopat monarchique apparut aussi ou s'accentua ce que les historiens protestants ont appelé le protocatholicisme. La distinction devint de plus en plus nette entre deux classes de chrétiens, la cléricale et la laïque, et l'écart que le Nouveau Testament établissait entre les chrétiens et les autres devint une séparation interne à l'Église, les clercs étant du côté de Dieu et les laïcs du côté du monde et du siècle, ceux-là étant sacrés et ceux-ci profanes ou séculiers. Et ceux qui occupaient le sommet de cet ordre sacré (hiérarchie) se voulurent et furent perçus comme des dignitaires, pourvus d'attributs distinctifs: anneau, crosse, mitre, pectoral, ceinturon. Ils occupaient une place réservée et un siège particulier dans l'église. Finalement, au cours des 4e et 5e siècles, l'épiscopat devint le dernier échelon du cursus clérical, bien au-dessus des ordres mineurs et même majeurs. C'était une carrière, une profession parmi d'autres.

En chrétienté, la carrière cléricale était honorable entre toutes, et pas toujours mais souvent plus honorable qu'onéreuse. Car si, collectivement pris, les évêques étaient en théorie les successeurs des apôtres-missionnaires des premiers temps, en fait, ce n'était pas l'esprit et le feu apostolique qui caractérisaient le plus grand nombre d'entre eux. L'Église n'avait ou pensait n'avoir plus de dehors, on considérait que toute la terre habitée était chrétienne, et on attendait des évêques et des prêtres qu'ils administrent avec soin leur «bénéfice», la circonscription de la religion d'État qui leur était confiée et qui les faisait vivre. Ainsi, l'Église médiévale avait presque cessé de se voir comme médiatrice entre Dieu et le monde, et elle avait jeté presque tout son dévolu sur les relations et les activités intraecclésiales: le culte, le dogme et la loi. Face à la société civile, elle se voyait comme une société parfaite, pourvue de tous les moyens nécessaires à sa subsistance et sans relation nécessaire à son autre — l'humanité dans son ensemble.

Un tel *in-breeding* et un tel développement de la fonction magistérielle, législative et sacramentelle, pour compréhensibles qu'ils fussent alors, ne pouvaient à la longue, qu'être funestes et aussi bien providentiels. En redevenant, à l'instar d'une grande partie de la tradition juive, un légalisme, un dogmatisme et un ritualisme, l'Église constantinienne et médiévale était entrée, ou peu s'en faut, en contradiction avec son Idée, et il était inévitable qu'une déstructuration se produisît qui rapprochât le sommet de la base. C'est ainsi que, avec la Réforme, les unes après les autres, les fonctions papale, épiscopale et presbytérale ont été contestées: l'apparition successive des Épiscopaliens, des Presbytériens, des Congrégationnalistes, des théologiens libéraux et, en général, de la privatisation de la foi, témoignent d'une formidable dépyramidalisation dont l'Église catholique n'a certainement pas encore tiré toutes les conséquences.

On voit donc comment la sortie de la chrétienté qui, au terme de notre modernité, s'accélère maintenant dans les pays latins, oblige les évêques à redéfinir leur rôle et, en particulier, à commencer à se voir plutôt comme des serviteurs que comme des maîtres, et donc à se tourner à la fois vers la base et vers la tête, vers les communautés locales et vers les vertus qui les relient eux-mêmes au Christ.

3. L'évêque dans l'Église d'aujourd'hui: présent à la base

Une troisième source de clarification nous vient de l'observation que l'on peut faire de la situation présente des Églises et de l'interprétation qui peut être offerte des signes des temps. Chacun sait combien le christianisme actuel est concrètement pluriel, sinon toujours volontiers pluraliste. Un bref rappel des principaux groupes et tendances actuels ne sera pas inutile.

Les chrétiens orientaux, dits orthodoxes, ne reconnaissent comme règle de foi que les sept ou huit premiers conciles. Les chrétiens occidentaux, dits catholiques, reconnaissent tous les conciles œcuméniques jusqu'à Vatican II. Les chrétiens septentrionaux, dits protestants, réformés ou évangéliques, se sont efforcés, en deçà de la tradition, de la Scolastique, des conciles et des Pères, d'appuyer leur volonté de conversion au Christ sur la seule Écriture; sur cette lancée, les chrétiens libéraux et critiques travaillent, depuis un peu plus d'un siècle, à retracer l'histoire de la tradition qui est interne à l'Écriture elle-même, à remonter du dérivé au primitif, à déterminer le canon dans le canon. Enfin, depuis peu, bien des groupes, surtout méridionaux, de chrétiens de notre temps, soit engagés dans l'action, comme les Chrétiens pour le socialisme, les Politisés chrétiens, soit engagés dans la pensée, comme les partisans d'une théologie politique ou d'une théologie de la libération, s'appliquent présentement à dépasser l'opposition peut-être désormais stérile de la théorie et de la praxis, de la spéculation et de l'action, de la foi et de la justice, de l'amour de Dieu et de l'amour du prochain, à fonder sur la Parole vive une nouvelle manière d'être fidèle et créateur dans un monde profondément marqué par un siècle d'espoirs et de désillusions socialistes et marxistes.

Dans cette dernière tendance, ce qui importe surtout, par delà bien des thèses contestables, c'est que la Parole est à la fois transcendante et immanente à tous ses porteurs, passés, présents ou futurs, à tout groupe local, à toute autorité constituée, à l'Écriture elle-même. Ces chrétiens se tournent avidement vers l'Esprit du Seigneur Jésus qui, dans les situations dangereuses où ils sont placés, les interpelle et les invite à discerner, en communautés locales et avec l'aide de l'Écriture et des successeurs des apôtres, ce que l'Esprit dit aux églises (*Ap* 2,29). Car l'Esprit, parce qu'en même temps qu'il est un et intégrateur est aussi divers et opérateur, ne souffle pas de la même manière dans les riches églises du Nord quc dans les pauvres églises du Sud, et pas de la même manière dans les églises de l'Est assujetties à l'État que dans les églises de l'Ouest assujetties aux impératifs de la société de consommation.

C'est à cette tendance pratico-théorique où la foi et la justice composent à parts égales, que les évêques soucieux de se redéfinir devront être le plus attentifs. Car, à l'évidence, l'Esprit, ou ce qu'on croit être tel, souffle ici dans une Église où ils ne sont plus les seuls définiteurs de la foi ni les seuls promoteurs de l'espérance. Des évêques qui ne se comprendraient qu'en fonction de la seule composante apostolique, surtout sous sa forme constantinienne et magistérielle, de leur personnage, et qui négligeraient de se saisir d'abord ou tout autant comme des croyants-espérants-aimants reliés à un Christ imprévisible et à des communautés de base inspirées par un Esprit dont ils ne sont pas les maîtres, ne pourraient pas longtemps désormais, quelque responsables qu'ils se disent et si peu prêts qu'ils soient à «partager leurs responsabilités», «répondre» à l'attente que les chrétiens les plus créateurs mettent en eux.

Sans renier les dogmes, les institutions et les sacrements, les successions des apôtres devront activement collaborer avec ceux qui s'appliquent, comme aux origines, au risque de leur vie, à inculturer l'Évangile. Ils devront profondément sympathiser avec l'effort qui est entrepris, à cette fin, pour déshelléniser le dogme, désoccidentaliser les institutions et déritualiser les sacrements. Car il y a un nécessaire moment négatif dans tout processus de transcendance au sein duquel la fidélité s'ingénie à être créatrice. D'autre part, il n'est nullement nécessaire que les évêques soient ceux qui inventent. Car il y en a à qui il est donné de prophétiser et d'autres à qui il est demandé de discerner. Le gros du travail d'invention se fait et ne peut se faire qu'à la base, et c'est là que les évêques, tout en se concertant souvent pour maintenir l'unité dans la diversité, doivent être présents et actifs comme des opérateurs de coexistence méliorative. Dans les églises qui sont à Jérusalem et en Judée, à Corinthe et en Achaïe, à Thessalonique et en Macédoine, à Laodicée et en Asie, ils ont pour tâche de contribuer à rendre la Grande Église lumineuse et transparente, lumière sur la montagne, Corps du Christ rendu visible par la générosité des siens qui ont appris de lui qu'il n'y a pas de plus grand amour que de donner sa vie pour ceux qu'on aime.

Vers une Église missionnaire

Les trois sortes de charismes pauliniens étant solidaires les uns des autres et formant un ensemble clos de différences internes où les sous-systèmes sont en interaction vitale, on comprendra que le renouvellement d'un ordre de charisme favorise normalement celui des autres. Et, comme ce sont les charismes communautaires et locaux qui étaient le plus anémiés et qu'on avait presque oublié que le baptême confère l'Esprit et la liberté, il est vraisemblable que c'est le désir des chrétiens de la base de constituer des communautés vivantes et engagées qui va le plus contribuer au renouvellement des vertus théologales et des ministères apostoliques eux-mêmes. Voici que le sablier est renversé, que le vent souffle par en bas et que les ministres du Christ ont commencé de savoir d'où il vient, sinon encore où il va.

C'est ainsi que notre rétrospective a débouché sur un début de prospective, qui peut s'articuler en quelque propositions concrètes. Il reste à rêver et, comme saint Paul, à être quelque peu fou pour un moment. Sera-ce outrecuidant d'anticiper, sinon pour le XXIe du moins pour le XXIIe siècle, une Église où un nombre de plus en plus grand d'évêques et de prêtres, résolument déterritorialisés, seront redevenus des missionnaires itinérants, sans besace ni bâton, sans soutane ni ceinturon, sans pectoral ni anneau, sans cure ni curie, sans crosse ni faldistoire, peut-être même sans cathédrale ni paroisse, vraiment pauvres avec les pauvres, riches de leur seule et folle conviction que la paix et la fraternité dans le monde de demain dépendront de la ferveur des mordus du Royaume de Dieu? Ne peut-on rêver d'une partie notable des successeurs des apôtres s'occupant à visiter clandestinement les groupuscules de croyants dispersés dans la pâte humaine, à faire avec eux les discernements locaux, à les alimenter et à se nourrir eux-mêmes de la Parole de Dieu, à les mettre en communion les uns avec les autres et avec le ministère pétrinien?

Et ne peut-on espérer que bientôt le sens du mot église se prendra à nouveau, non de l'observation banale des monuments — classés ou non, qui sont des lieux de culte et tout autant des lieux qui permettent aux riches nations occidentales de lire leur identité dans le paysage — mais bien plutôt de la conscience eschatologique des groupes d'espérants qui, en quelque lieu que ce soit, se rassemblent pour se souvenir de Jésus-Christ et se dispersent pour travailler à l'universel rassemblement?

Enfin, nous permettra-t-on de rêver tout haut que, lorsque cette réforme sera suffisamment avancée, on cessera de mettre en question, d'une part, le célibat «ecclésiastique» et, d'autre part, la capacité des «laïcs», hommes et femmes, à exercer toutes les fonctions nécessaires à la vie et au dynamisme de leur communauté fraternelle? En tout cas, si cela advient, les évêques sauront que, eux aussi, sont des charismatiques!

Crise idéologique de l'Église?[1]

Le clergé flirte avec le marxisme-léninisme ou même fait ouvertement alliance avec lui, et les autorités religieuses n'ont pas le courage de le censurer. Tel est le diagnostic que, dans un ouvrage récent, *La confusion des langues. Crise idéologique de l'Église*, Alain Besançon porte sur l'Église catholique actuelle, surtout française. Besançon est un historien, spécialiste de la culture russe, et il esquisse ici un tableau, brillant et cavalier, de l'évolution parallèle des idées et des faits en URSS et en Europe. L'historien redoute que la France, que l'Occident, dont l'Église est partie prenante, perde son âme, et il lance un cri d'alarme. Car, là-bas, le mouvement a abouti à un totalitarisme inhumain et cette histoire peut être le paradigme de ce qui nous attend.

L'Occident en péril

Besançon cherche donc à rendre ses lecteurs attentifs aux présupposés méconnus de l'engouement des clercs pour le léninisme: dépréciation de la raison classique, romantisme, culte du sentiment, piétisme, utopie, populisme (exaltation du Peuple, de la classe ouvrière), gnose, dualisme manichéen, marcionisme (refus de l'Ancien Testament), et ce qu'il appelle drôlement antichrématistique (comprenez: refus de l'argent, du capital; en grec, *chrêma*). Il semble

1. Article paru dans *Relations*, 475 (novembre 1981), p. 310-312.

penser que, si les clercs prennent conscience des forces impures qui sont à l'œuvre en eux à leur insu, ils revitaliseront l'Église et, pour leur part, contribueront au salut de l'Occident. Les mêmes causes produisant les mêmes effets et l'effet russe étant désastreux, la conversion des hommes d'Église de la déraison à la raison pourra freiner la dérive qui entraîne nos pays vers la catastrophe.

Cet avertissement doit être entendu. Certes, Besançon n'est pas facile à lire. Outre qu'il condense ici, comme eût dit Fustel de Coulange, dix ans d'analyse en une heure de synthèse, il use d'un style extrêmement allusif et parfois précieux qui oblige à lire plus souvent qu'il ne convient entre les lignes. Mais l'assurance qu'il a à prendre le contrepied de beaucoup d'idées reçues et l'allégresse avec laquelle il fait éclater des pseudo-évidences, ont quelque chose de réjouissant. Le parallèle qu'il établit entre l'histoire russe et l'histoire française est éclairant, et l'usage qu'il fait de la gnose, de l'idéologie, du marcionisme n'est pas du tout banal. Et puis, Besançon n'est pas le seul à prévoir le pire.

Cela dit, il reste que l'analyse de Besançon est courte. À vrai dire, elle l'est délibérément puisqu'il déclare lui-même avoir renoncé à remonter au déluge. Mais comme il traite en historien de choses théologiques et que la théologie a affaire aux problèmes d'origine et de fin, je crois qu'il a eu tort de s'arrêter au Concordat et je dirai un peu plus loin pourquoi. Mais auparavant il faut souligner combien l'étroitesse de ses prémisses entraîne celle de certaines de ses conclusions. Il ne suffit pas de dire que la connivence des clercs avec le marxisme fait courir à l'Occident un grave péril. Il faut aussi comprendre et expliquer pourquoi cette philosophie et cette praxis exercent une telle séduction sur un grand nombre de chrétiens qui sont des pasteurs et qui œuvrent en milieu populaire. C'est que bien des prêtres, des religieux, des religieuses et de plus en plus de laïcs engagés sentent la nécessité de se démarquer d'une certaine figure du christianisme que Besançon, me semble-t-il, qualifie élogieusement d'orthodoxe. Celle-ci considérait la religion comme une affaire privée, un système de moyens rituels de sauver son âme, et, pour une grande part, l'Église officielle avait fait alliance avec le Pouvoir et le Capital, laissant à l'abandon, sans pasteur et sans espérance, une partie importante du troupeau qui lui était confié. Or non seulement il y avait là une contradiction flagrante avec l'Évangile — contradiction que l'aveuglement de la richesse empêchait de constater —, mais les responsables de l'Église posaient eux-mêmes les conditions qui rendaient possible l'accueil par les masses de ce que saint Paul aurait appelé un autre évangile: une espérance exaspérée, partisane et exclusivement intramondaine.

Des dieux, des héros et des hommes

Mais revenons au déluge! Car c'est ma conviction que, pour comprendre l'actuelle crise de l'Église, il faut remonter non seulement plus haut que le Concordat mais plus haut même que la gnose et que Marcion. Et d'abord, qu'on nous pardonne cette pédanterie: on sait depuis les recherches de Georges Dumézil sur les Indo-européens, en premier lieu, que cette civilisation est à peu près contemporaine du déluge sumérien et, en second lieu, qu'elle était caractérisée par la désormais fameuse tripartition des fonctions: religieuse, guerrière, nourricière. J'ajouterai à cela deux autres observations: tout un courant actuel d'anthropologie travaille à comprendre le fonctionnement des sociétés anciennes ou modernes au moyen de cette structure que les Indo-européens ont thématisée et qui opère ailleurs de façon davantage subconsciente; ensuite, je rappelle que, dès le XVIIIe siècle, J.-B. Vico avait proposé comme schéma de l'histoire universelle la série: âge des dieux, âge des héros, âge des hommes.

Cela posé, on peut comprendre l'histoire universelle comme le déploiement ternaire d'une structure triadique. Il est en tout cas commode de caractériser l'époque archaïque comme ayant été celle des dieux et des rois-prêtres identifiés aux dieux, l'époque classique comme ayant été celle des guerriers et des héros que les aèdes magnifiaient comme demi-dieux, et l'époque postclassique comme étant celle des hommes qui savent ou croient savoir qu'ils ne sont que des hommes. Pour une part donc, les marxistes ont raison: des superstructures théologiques et juridiques on est descendu aux médiostructures politiques et culturelles et il nous faut encore descendre aux infrastructures techno-économiques. L'histoire se joue désormais autour de la production, de la répartition et du bon usage des réalités terrestres: là est la pierre de touche de la vérité. Et c'est là-dessus que l'Occident doit être jugé. Les événements récents apportent la preuve que son prétendu libéralisme est un conservatisme intéressé; il perpétue une compréhension de soi concupiscente et narcissique, une autojustification par les œuvres des lois qu'il édicte à son avantage.

On comprend dès lors le discrédit dans lequel sont récemment tombés les classiques. Du moment qu'on les mesure à l'aune de l'histoire universelle, ils nous apparaissent comme la littérature héroïque et épique des aristocraties et des bourgeoisies anoblies, et l'on s'explique que soit pratiqué, à l'Est, une sévère censure des livres. La bourgeoisie a confisqué la Révolution française à son profit: ce fut le renversement de la triade superstructurelle indo-européenne, du Clergé, de la Noblesse et du Tiers-État. Et c'est ainsi qu'elle est devenue maîtresse du Premier Monde. Puis la révolution russe fut un signe que la confiscation bourgeoise devait être à son tour dépassée en faveur des masses et des travailleurs, mais elle aussi a avorté en faveur des membres du Parti, de la nouvelle classe dominante, et les communistes sont devenus les maîtres du Deuxième Monde. Désormais, le temps est venu du Troisième Monde qui gémit sous les bottes écrasantes des deux autres.

Une crise théologique

Notre remontée au déluge ne sera pas inactuelle, si elle invite à réfléchir sur la possibilité que la crise de l'Église n'en soit pas tant une d'idéologie que, proprement, de théologie. En effet, au-delà de la difficulté qu'éprouvent tous les modernes à penser une humanité qui ne serait qu'humaine (trop humaine, disait Nietzsche), il y a celle qu'ont les théologiens à rendre croyables pour des hommes formés à la science et à la raison analytique le traditionnel langage théiste et, en particulier, le discours chrétien. Comment nous est-il possible aujourd'hui de viser la réalité qui a été si longtemps désignée par le mot Dieu, et quelle peut être désormais l'efficacité historique de la vision du monde qui persistera à prendre ce mot comme foyer de son discours et à y associer Jésus de Nazareth et ceux qui croient en lui?

À mon sens, c'est à cette question qu'il est urgent de répondre. Je voudrais suggérer, en quelques mots, les linéaments d'une solution. Essentiellement, celle-ci consiste à sortir de l'historicisme qui grève si lourdement la pensée occidentale et qui me semble être toujours l'horizon en fonction duquel Besançon s'applique à prévoir notre futur. Sortir de l'historicisme, c'est réarticuler la genèse sur la structure ou, si l'on veut, sur le code génétique qui préside au développement de l'humanité. Car la structure est permanente et transhistorique. Le théisme n'est pas seulement archaïque et le positivisme n'est pas seulement moderne: l'un et l'autre sont de toujours. Posons donc en thèse que le code qui génère notre espèce et l'enroule phylétiquement sur elle-même est indissociablement divino-humano-mondain. Et comprenons par là que l'Homme n'est ni seulement animal, ni seulement raisonnable, ni seulement spirituel (créé à l'image de Dieu). Nous sommes une espèce unique de vivants depuis toujours solidaires, dans la nature de laquelle il est d'être tourmentée par son Idée et d'actualiser progressivement les virtualités de son Entéléchie par les réalisations partielles et partiales mais cumulatives, rétrospectives et prospectives, de ses membres individuels et collectifs.

Ainsi peuvent se comprendre en même temps la triplicité des fonctions et la triplicité des époques. Il y a quelque chose de vrai à dire que les trois âges de Vico ou ceux de Comte (âge théologique, âge métaphysique, âge positif) se suivent dans cet ordre et que cet ordre est celui d'un certain progrès. Mais l'écueil de cette théorie apparaît dans la conclusion qu'on en tire spontanément, que l'avènement du dernier âge entraîne de droit la disparition des précédents, comme s'il était possible qu'un troisième étage subsiste sans les deux qui le soutiennent, même si ceux-ci ont périodiquement besoin de rénovation.

Nous admettrons plutôt que la structure, originellement indifférenciée, s'est progressivement spécialisée et qu'elle tend à l'intégration de ses différences par le moyen de ses différences mêmes, mutuellement reconnues. Pour exister et se développer, l'Homme a toujours eu besoin d'hommes de Dieu, d'hommes de guerre et d'hommes de travail, et il aura toujours besoin des trois sortes de discours — théiste, humaniste et naturaliste — que tiennent ces hommes. Seulement, ceux-ci sont et ont probablement toujours été en tension dialectique. Si un homme peut être à la fois croyant, raisonnable et efficace, il arrive que les discours qui soutiennent la croyance, la rationalité et la productivité aient chacun leur logique propre et que chacun tende à réduire les autres à n'être que ses instruments. Mais comme la logique qui nous génère est intégrale et intégratrice, il est inévitable que, tôt ou tard, une autre logique que celle qui à un certain moment prédomine, reparaisse, tel un caractère récessif et latent: retour aussi du refoulé.

Quand, donc, des hommes sont éjectés hors de toute structure de sens et réduits par les autres à la condition de machines productrices, il doit être dans la nature des choses que le code génétique fonctionne en eux sous les espèces des représentations divines, théistes et eschatologiques, anticipatrices d'une justice qu'ils ne peuvent espérer de la classe pour lors dominante. Et comme il y aura toujours des pauvres parmi nous, il est également dans la logique de notre commune histoire qu'il existe et surgisse des hommes et des femmes dont ce soit le rôle de rendre actuelle et opérante la croyance en l'existence d'une Puissance qui pourvoit à l'espérance de la partie la plus menacée de notre être et qui, par le dynamisme de l'histoire et la dialectique des groupes humains, renverse les puissants de leur trône.

L'Église comme devis de l'espèce

Quant à moi, c'est sur un horizon de cette sorte que je vois se détacher la réalité de l'Église. Quand je m'exerce à transposer, sans le nier, le discours traditionnel de la transcendance dans le langage de l'immanence, l'Église m'apparaît comme un devis de l'espèce pour faire, à la plénitude des temps, en faveur de l'humanité entière et surtout des petits et des pauvres, ce que les parents faisaient à l'époque archaïque et qu'ils font toujours: donner leur vie pour leurs enfants et pour que la vie continue; et ce que les rois et leurs guerriers ont fait depuis les hautes civilisations proche-orientales: donner leur vie pour la patrie, la terre des pères. Or il est excitant de penser que, à l'époque de sa maturité, l'humanité a eu besoin que soit injectée dans sa chair, comme le fait une glande endocrine, une hormone, et que celle-ci soit l'Église. Elle existe comme une nécessité devenue fonctionnelle, pour rendre possible la continuelle surrection d'hommes et de femmes qui s'entretiennent dans l'idée qu'il n'y a pas de plus grand amour que de donner sa vie pour ceux qu'on aime, ceux-ci étant surtout ceux qui ont le plus besoin de secours. Et cela, en se souvenant de Jésus-Christ et en anticipant son avènement comme juge des vivants et des morts.

Mais comment assurer cette infaillible montée de témoins? Je réponds: par la Parole intégrale. Et d'abord, contre tout marcionisme comme l'a bien vu Besançon, il faut dire que, si les Écritures hébraïques demeurent normatives pour les disciples de Jésus, c'est parce que, en elles, se trouvent récapitulés et encapsulés la traversée et le dépassement de la nature naturante et de la raison politique en direction d'une bien plus haute régence: celle de l'amour inconditionné, de la bienveillance, de la générosité, de l'universelle fraternité. Et ensuite, il faut ajouter que l'émergence de l'Église et de l'Évangile ne fut pas purement contingente, et qu'elle ne pouvait apparaître ni beaucoup plus tôt ni beaucoup plus tard qu'elle ne l'a fait. Elle ne pouvait prendre la relève des familles et des patries qu'après qu'une suite décisive d'expériences historiques eut amené les sages, d'un côté, à réfléchir sur les échecs récurrents des empires et l'impuissance générale des hommes à faire l'Homme, et, d'un autre côté, à leur faire entrevoir l'idée que la paix et le salut n'étaient pas des réussites humaines mais des faveurs divines et des grâces célestes, que les hommes peuvent seulement accueillir quand leur heure a sonné à l'horloge de l'histoire.

Il faut encore dire ceci. Si l'Église a eu l'audace, l'outrecuidance, la scandaleuse prétention de faire d'un individu pris parmi des milliards d'autres le foyer de son discours et le moteur de sa vie risquée, on ne doit pas spéculer que ce fut là l'effet de la seule et perspicace observation d'un comportement exceptionnellement héroïque et même saint, comme s'il nous était loisible de prouver l'excellence de Jésus par des arguments de raison. Mais la connaissance que quelques-uns ont eue de sa sainteté a été couplée avec celle de la structure dynamique du discours mytho-poétique le plus primitif, le plus traditionnel, le plus radical, et qui consiste à surmonter l'opposition et la contradiction que le désir de vie et l'expérience de mort établissent depuis toujours dans nos représentations, entre le ciel et la terre, les dieux et les hommes, les immortels et les mortels, le bonheur et le malheur, le bien et le mal. Le propre alors de la décision qui a fait exister l'Église a consisté à voir et à vouloir que ce soit vers ce membre unique de notre espèce que confluent pour ceux qui croient, et par eux pour les autres, tous les récits poétiques traditionnels, comme vers la médiation absolue qui, à la limite, doit abolir toutes les différences, même celles qui séparent le ciel et la terre, Dieu et l'Homme. «Le Père et moi sommes un. Soyez un comme nous sommes un.»

Place à la poésie!

On voit ainsi pourquoi j'estime que la crise de l'Église — car crise il y a pour sûr — n'est pas d'abord idéologique mais théologique. La tentation de l'idéologie n'est probablement que le symptôme du retard des clercs à changer de style théologique. Il va nous falloir passer, c'est ma conviction profonde, d'un style abstrait, conciliaire, dogmatique, scolastique, catéchétique, spéculatif et clérical, à un style concret, scripturaire, poétique, historique, dramatique, catéchuménal et laïque. Il va s'agir en particulier de nous convertir de la représentation d'un Dieu Agent à celle d'un Dieu Actant, et de refonder la théorie et la praxis sur la «poésie». Ce ne sera pas une mince affaire: il n'y a pas lieu de s'étendre ici sur cette transformation, mais pour cette conversion rien n'indique que l'action des clercs, des doctes et des pasteurs doive être plus décisive que celle de ceux qui sont bénéficiaires d'autres charismes. Que les théologiens de la libération et les théoriciens de la théologie politique aient tort ou raison, il importe assez peu, mais que l'Église de demain n'apparaisse plus aux historiens comme bourgeoise mais comme essentiellement «populaire», c'est là une éventualité que nous avons tout avantage à anticiper.

C'est à cause de considérations de cette espèce que j'estime que l'analyse de Besançon, pour brillante et stimulante qu'elle soit, est courte. Et c'est aussi pourquoi je ne pense pas que le rôle de la hiérarchie puisse se limiter à dénoncer l'idéologie des clercs afin de sauver la civilisation du Premier Monde. Il pourrait même être, comme au temps des prophètes, d'annoncer plutôt le jugement de l'Occident prévaricateur. Je vois plutôt que le rôle de nos chefs ecclésiastiques en soit un de lucidité: qu'ils activent dans l'esprit de ceux qui croient en Dieu, en Jésus et dans l'Église, la conviction qu'ils possèdent dans les Écritures une vision du monde autrement plus dynamisante que celle à laquelle le marxisme, aujourd'hui déclinant, a conféré pendant quelque temps une certaine séduction. Car c'était à l'époque où l'exceptionnelle splendeur et efficacité de la poésie biblique était masquée et inhibée par une pesante scolastique et une dogmatique d'un autre âge. Si nos chefs spirituels nous apprennent à pratiquer l'Écriture comme notre livre de chevet et à chercher ainsi d'abord le royaume de Dieu et sa justice, il paraît certain que la correction nécessaire des dérives idéologiques sera obtenue par surcroît.

Maria Chapdelaine démystifiée?[1]

Roman, mythe, démythisation: ainsi vient-on de résumer l'histoire posthume du chef-d'œuvre de Louis Hémon. Un poète a produit en son temps (1913) un récit dans lequel un pays et une ancienne métropole ont cru se reconnaître. Mais dans les années 1920, qui ont suivi la première grande guerre, certaines élites de France et d'ici ont exploité le roman dans le sens de leur idéologie, bourgeoise et cléricale, bref droitière, et elles en ont fait un instrument de propagande religieuse ou politique. Et voici qu'une autre élite, contemporaine, s'occupe à déconstruire le mythe et à rendre à nouveau possible la lecture proprement littéraire du roman, lui restituant sa vérité.

La démystification est douloureuse

Ceux parmi nous dont les souvenirs classiques ne sont pas complètement effacés pourront évoquer, à ce propos, les avatars de la poésie homérique. On sait que celle-ci, après avoir été longtemps admirée et pratiquée par les aristocraties des cités grecques, fut officiellement canonisée par la démocratie athénienne et régulièrement récitée aux Panathénées. Mais on se rappelle aussi avec quelle verve elle fut critiquée par les philosophes qui préféraient le *logos* et la raison au *mythos* et à la poésie, et que, malgré ce handicap, elle

1. Article paru dans *Relations*, 465 (décembre 1980), p. 341-342.

devint, pour toute l'antiquité gréco-romaine, le classique par excellence. En ce cas, du moins, la critique n'a pas eu le dernier mot.

On le voit: la vérité est plurielle et dialectique, tantôt naïve et tantôt réflexive. La démystification est une opération douloureuse mais souvent nécessaire. Dans toute grande œuvre il y a une charge symbolique puissante, imaginaire et affective, qui déborde les frontières du poème et l'horizon même de ses premiers auditeurs ou lecteurs. C'est cet excès de sens qui fait qu'un conte, une légende, une épopée, un drame, un roman se méritent un public fidèle qui transcende les générations, et que toute une collectivité reconnaît dans des héros ou des héroïnes des doublures embellies d'elle-même. Pourtant, le succès même, l'accoutumance, la vulgarisation, la récupération dans le patrimoine, la manipulation par les classes dominantes, le changement culturel, tout concourt à la fin à altérer profondément la nature du chef-d'œuvre et à lui ôter une grande partie de sa force dynamisante. Aussi arrive-t-il qu'une partie de la population — celle qui a cessé d'être guerrière ou agraire — s'éprouve aliénée ou agacée par l'idéalisation, à ses yeux excessive, d'une figure du passé, et qu'elle croie devoir démonter l'idéologie qui l'a accréditée. Tel est le spectacle que nous offre aujourd'hui la critique universitaire du roman de Louis Hémon.

Mais les professeurs de littérature savent que, si les sciences humaines ne se renouvellent pas tous les cinq ou dix ans comme les sciences exactes, leurs résultats cependant sont périodiquement remis au creuset de nouvelles analyses qui s'efforcent de répondre aux questions des générations montantes. Ils peuvent donc s'attendre à ce qu'une prochaine équipe de chercheurs déconstruise à son tour l'idéologie qui est sous-jacente à la présente déconstruction. Car lorsque, à l'instar d'autres peuples de l'Occident, le nôtre aura achevé sa cure de positivisme et de marxisme et que nous nous trouverons de l'autre côté de l'antithèse, il est probable que se lèveront parmi nous d'autres iconoclastes qui, cette fois, mettront leur bonheur à suspendre le sens aux poutres d'un ciel noétique et à faire preuve que l'homme ne marche pas seulement sur ses pieds.

L'histoire est fille des mythes

On peut aussi prévoir que le mot mythe ne sera pas toujours repris avec la valeur péjorative qui nous vient des philosophes grecs, mais aussi bien avec celle, méliorative, que nous ont restituée les historiens des religions. Platon lui-même, qui a tant vitupéré contre les vieux poètes, fut un génial créateur de mythes, et il termine la *République* par un récit dont il pense que, si on y ajoute foi, il peut être sauveur.

Et en effet, l'histoire est fille des mythes. Tous les peuples qui ont un nom dans la mémoire des hommes avaient ou ont toujours des récits fondateurs et exemplaires. Ces récits sont nombreux, parfois contradictoires, et ils sont le plus souvent revendiqués par des fragments antagonistes de la grande société. Mais c'est justement grâce à de tels ensembles complexes que, forcément critiques et faisant de nécessité vertu, ils remodèlent périodiquement l'image d'eux-mêmes qui, depuis des origines immémoriales, les projette dans leur futur. Aussi doit-on penser que, comme les autres, le Québec a besoin de mythes, c'est-à-dire de récits normatifs où une partie importante de la population se reconnaît.

Et donc, même si l'historiographie devait un jour donner raison à Lord Durham, il ne s'ensuivrait pas que ce serait à cause de ses mythes que le Québec est un peuple sans histoire, mais plutôt à cause de leur carence ou à cause de l'usure de ces admirables représentations traditionnelles qui ont permis à nos pères de bâtir ce pays qu'ils nous ont légué en héritage.

Les démystificateurs sont nécessaires, mais plus encore les (re)créateurs de mythes. De même que la puissance d'un homme est fonction de sa mémoire, du filtre intérieur qui choisit, parmi les traces du passé, celles qui, déjà alors, étaient grosses d'avenir, ainsi les peuples n'existent en vérité que grâce aux souvenirs des uns dont les autres décident de faire leur «temps primordial» et le garant de leur futur. Si donc nous n'avons pas de passé, il faudra bien que nos poètes nous en inventent un qui, de toutes manières et comme celui des autres peuples, sera, ainsi que l'eût dit Platon, un beau mensonge, et selon les mots d'Hésiode, semblable à la vérité et donnant le goût de la faire.

Ainsi, jadis, quand les triomphes mêmes d'Auguste eurent commencé de corrompre les citoyens urbanisés de l'empire, Virgile sut redonner vigueur à la nostalgie des origines en exaltant, dans les *Bucoliques* et les *Géorgiques*, la vie fruste et champêtre des bergers d'Arcadie et des paysans de Campanie. Et le peuple romain, menacé, connut un sursis de quelques siècles. On a toujours besoin d'un plus petit que soi.

Il ne doit donc pas être impie d'espérer qu'un jour Maria Chapdelaine sera réhabilitée et qu'elle fera toujours partie de notre mémoire de peuple pauvre qui rêve de splendeur et de gloire. Notre génération n'a-t-elle pas commencé d'apprendre que, sous la grande et aliénante histoire des princes et des preux, court le fil ténu des souffrances des humbles, des petits, des sans grade, de tous ceux qui ne savent pas qu'ils sont des héros, et dont seules les Muses peuvent chanter la grandeur? Et qui donc a dit qu'une grande vie est un rêve d'enfant réalisé à l'âge mûr? Et les ethnologues ne nous ont-ils pas appris que, si les peuples dits primitifs résistent aux dures conditions de l'existence et subsistent, c'est grâce à leur *Dreaming*, au «Temps du Rêve», dans lequel ils se replongent périodiquement? De même, il faudra bien que notre peuple donne un contenu à sa devise: «Je me souviens».

Éthique et mystique[1]

Les circonstances ont fait que j'ai lu le premier éditorial de Jean-Louis Roy sur la lettre des évêques avant de prendre connaissance de celle-ci. J'avouerai tout de suite que j'ai été charmé autant par le style et un réel bonheur d'expression du directeur du *Devoir* que par le niveau du discours où il se tient. Ayant lu ensuite le document émanant de la conférence épiscopale canadienne, je me suis réjoui de constater que la fameuse option préférentielle pour les pauvres qui nous vient des chrétiens du Tiers-Monde est en train d'évangéliser notre Premier-Monde, qui en a bien besoin. Enfin, bien que je voie que plusieurs se rangent qui du côté des pasteurs, qui du côté des «intellectuels» que représente l'éditorialiste, je me sens incapable de me «brancher» et de juger qu'un seul des deux partis a raison. Et comme il m'a semblé que ce qui m'arrivait ne m'était pas particulier, je me suis décidé à rendre publique les réflexions que des discussions avec des amis m'ont amené à faire.

Le problème que je me pose est le suivant, banal: comment éviter d'être manichéen? Car il se pourrait bien que les oppositions qu'on établit couramment entre l'oraison et la politique, le culte et l'engagement, la pratique et la praxis, la religion privée et la religion prophétique soient fallacieuses. Plus concrètement, comment aider les militants, les chrétiens engagés et politisés, tout en les encourageant à aller jusqu'au bout de leur charisme, à ne pas juger les autres

1. Lettre au *Devoir*, 18 janvier 1983, p. 13-14.

et à ne pas faire sur eux, pour qu'ils s'engagent dans leurs projets, une pression excessive? Inversement, comment faire pour que les «désengagés» — ceux parmi les chrétiens qui ne privilégient pas la classe ouvrière et les pauvres — se sentent à l'aise pour remplir dans la société le rôle qu'on est en droit d'attendre d'eux?

Je me suis d'abord fait cette réflexion que lorsque le souverain pontife, les évêques et les prêtres prennent position sur les problèmes du monde, il est inévitable que certains, même parmi les meilleurs chez les chrétiens, se demandent, d'un côté, jusqu'à quel point, tout en ayant raison d'exhorter à donner à Dieu ce qui est à Dieu, ils respectent aussi l'autonomie du politique, et d'un autre côté, jusqu'à quel point il est opportun de proposer au grand public séculier une certaine éthique dite chrétienne.

Concernant le premier point, où je ne me connais pas de compétence particulière, je me suis rappelé qu'on pense ordinairement que l'ordre politico-économique fonctionne comme un système, qu'il évolue donc comme un tout selon des probabilités et des faisabilités, et que seuls sont juges dans l'immédiat des mesures à prendre ceux que la société a élus pour prendre des responsabilités successives, aussi cohérentes que possible et orientées vers un mieux.

Du dehors et de la part de ceux qui n'occupent pas ces postes de responsabilité politique et économique, et qui sont en désaccord avec les gouvernants, on ne peut, en saine démocratie, que souhaiter et préconiser une autre politique ou crier casse-cou — quitte à provoquer contre soi des souhaits et des cris semblables si, par chance ou malchance, et dans une crise aussi grave, on doit à son tour prendre les rênes du gouvernement. Évidemment, on peut et on doit aussi élaborer des programmes soi-disant meilleurs et espérer que des équipes existeront qui les mettront à exécution mieux que ne le font les hommes en place. Soit. Mais, au risque de paraître simpliste, je m'en tiendrai à ces considérations et je m'attarderai au second point, sur lequel j'ai davantage réfléchi.

Concernant donc le second point, la question qui se pose est celle de savoir à qui s'adressent normalement et en premier lieu la doctrine et l'exhortation chrétiennes. C'est certainement à ceux qui croient à l'Évangile et qui s'efforcent d'y conformer leur vie.

L'éthique évangélique est un corollaire de la mystique. Dans l'évangile de Matthieu, c'est à ses disciples, à des hommes qu'il a appelés à le suivre sur son chemin (de croix) que Jésus dresse le Sermon sur la montagne. Et, d'après saint Paul, c'est quand on a été justifié par la foi au Christ crucifié et ressuscité qu'on peut opérer par la charité.

Il s'ensuit que le discours éthique chrétien est difficilement exportable si un aussi et plus puissant effort n'est pas fait pour rendre en même temps et même préalablement croyables le mystère et l'option fondamentale qui la fondent et sans lesquels le discours moral n'est guère plus qu'une suite de vœux pieux. Car quelle efficacité peuvent avoir des conclusions (éthiques) auprès de personnes qui ne sont pas constamment familiarisées avec les prémisses (mystiques) qui peuvent seules leur conférer une force contraignante?

Or il est difficile de soutenir que cet effort de mise à jour du langage de la foi a été sérieusement entrepris dans notre milieu. Comment s'étonner alors que les «intellectuels», qui sont par formation réfractaires à toute pression morale et ce qu'il y a d'idéologie dans tout système, gardent leurs distances par rapport aux comportements qu'on les exhorte à adopter?

Ici m'est revenu le souvenir de l'itinéraire de saint Paul. En un premier temps, il a prêché un Christ crucifié dans les synagogues de la diaspora juive, puis, face à l'incrédulité de ses compatriotes, il s'est tourné vers les Grecs. En un deuxième temps, il a tenté d'enseigner un Christ ressuscité aux Grecs de l'agora et de l'Aréopage d'Athènes, mais, après l'échec qu'il y a subi, il s'est mis, à Corinthe, à enseigner dans une maison particulière, quotidiennement, durant un an et demi, à un petit groupe de personnes qu'il trouvait disposées à cheminer avec lui et à faire l'apprentissage de cette foi difficile qui opère par l'amour généreux. En un troisième temps, quand il eut quitté Corinthe et se fut établi à Éphèse, il écrivit force lettres à la communauté corinthienne pour corriger les conclusions éthiques erronées que certains tiraient là-bas de son enseignement oral; et il le fit en développant différents aspects du mystère du Christ et du Corps qu'il se donne pour agir dans le monde.

Ce monde, Paul le voit parvenu à la plénitude des temps et cependant en tension vers la réelle maturité du Christ. Il a compris l'Église comme surgissant telle une riposte au défi de l'histoire universelle, et comme un lieu où il devient possible aux hommes d'accueillir, pour subsister et progresser, un autre principe que la nature et la loi, à savoir l'amour, un amour fou fondé sur le choix du Christ crucifié comme principe premier du système général d'interprétation de l'existence. Par le scandale de la croix, Paul entend qu'il existe désormais parmi nous Quelqu'Un qui a pour tous les autres vaincu la mort et exorcisé cette crainte de l'anéantissement qui est à la racine de notre asservissement à l'argent.

Si le cas de Paul est exemplaire, peut-être conviendra-t-il à l'avenir d'insister autant et même davantage sur la mystique que sur l'éthique, sur la méditation et l'appropriation du scandale de la croix et du juste souffrant plus que sur le décalogue et les commandements. Que nos théologiens se mettent donc à l'œuvre pour aider les chrétiens à mieux comprendre cette parole: «Cherchez d'abord le Royaume de Dieu et sa justice, et le reste vous sera donné par surcroît.» Qu'ils libèrent l'imaginaire et l'affectivité, ensuite l'intelligence, enfin, les sources vives de l'engagement.

Il y a un temps pour parler (urbi et orbi) et un temps pour se taire, disait Qohélèt. Peut-être y a-t-il un temps pour une «doctrine sociale de l'Église» dogmatiquement articulée et encycliquement proposée, par-dessus la tête des frères dans l'épiscopat et le baptême, à tous les hommes; et un temps pour une existence ecclésiale où la solidarité s'exerce d'abord avec les frères qui, non seulement partagent la même foi, mais s'efforcent ensemble à se l'approprier de mieux en mieux, à devenir authentiques et, à la limite, à laisser ce que Paul appelle la grâce agir en eux sans eux, comme une énergie jadis entravée et désormais libérée que l'Esprit utilise à ses fins.

Puet-être y a-t-il un temps pour Vatican II et une orientation pastorale et ecclésiologique; et un temps pour Vatican III et un renouveau théologal et christologique. Un temps où il fallait insister sur le sacerdoce général des baptisés, et un temps où il faudra à nouveau tirer au clair le sacerdoce des ordonnés. Car le rôle des clercs n'est peut-être pas de travailler directement à changer la société, et il peut être de s'efforcer de changer les cœurs des laïcs (baptisés) afin que, eux, chacun dans sa sphère, s'appliquent à faire avancer quelque peu le Royaume de Dieu, c'est-à-dire l'amour de tous pour tous.

Peut-être n'est-ce pas en proposant une alternative aux politiques économiques que les clercs concourent le mieux à ce changement des cœurs? Peut-être est-ce plutôt en aidant les fidèles à comprendre quel rôle le Christ et ceux qui persistent à croire en lui ont à jouer dans une humanité en voie — inédite — de planétisation et, en même temps, de paupérisation? Enfin, peut-être est-ce en devenant «mystiques», contemplatifs dans l'action que les laïcs chrétiens éviteront d'être manichéens et reconnaîtront-ils leurs différences.

En conclusion, je me demande si la lettre des évêques ne témoigne pas d'une certaine confusion, dans la théologie du baptême et de l'ordre et, plus généralement, dans la théologie fondamentale, et aussi si, après quelques mois d'examens et de confrontations, les évêques ne seront pas reconnaissants au directeur du *Devoir* d'avoir commencé, par la vigueur de son plaidoyer, à situer le débat à un niveau supérieur à celui où avaient choisi de se placer les rédacteurs du document épiscopal.

La condamnation de Hans Küng[1]

Selon qu'on est de «droite» ou de «gauche» on est heureux ou atterré du sort qui vient d'être fait à Hans Küng. Les militants, de quelque tendance qu'ils soient, s'organisent soit pour défendre le théologien censuré soit pour justifier la sentence. Quant aux centristes, ou bien ils se taisent et prient, ou bien ils s'évertuent à comprendre à la fois le condamné et la condamnation. Si les deux premières voies sont difficiles aussi, la troisième est particulièrement malaisée, car c'en est une où la tradition et la vie, l'ancien et le neuf composent à parts égales, mais qui risque fort de n'être carrossable ni pour les conservateurs ni pour les libéraux, car les uns et les autres sont enclins à juger que la situation exige que l'on se branche et qu'on augmente les chances soit de la liberté soit de l'obéissance. Je ne sais si je suis un partisan attardé du juste milieu et de la vertu mais, écrivant pour cette revue qui s'efforce, comme aurait dit Gabriel Marcel, d'être créatrice dans la fidélité, je me propose d'aider ceux qui me liront jusqu'au bout à comprendre aussi bien la valeur du théologien que le geste du pasteur.

Pour réussir cette performance, il faudrait pouvoir tirer au clair des problèmes aussi fondamentaux que ces trois-ci: aujourd'hui, qu'est-ce qu'être homme? qu'est-ce qu'être chrétien? qu'est-ce qu'être catholique? On peut seulement esquisser quelques ébauches de réponses.

1. Article paru dans *Relations*, 456 (février 1980), p. 41-45.

Une civilisation en mutation

Et d'abord l'homme. L'humanité actuelle subit une mutation énorme. Elle est en train de passer de civilisations territoriales ou continentales à une civilisation planétaire et à une sorte de village global. Les traditions et les Écritures qui n'étaient canoniques (c'est-à-dire reconnues officiellement) que pour des ensembles nationaux ou des religions dites universelles font de plus en plus partie du patrimoine commun de l'humanité; celle-ci se sert des herméneutes qui interprètent ces textes comme des moyens pour cette immense mise en perspective de toutes les traditions qui, à la longue, espère-t-on, devrait aider les individus et les groupes de toute la terre à se mieux comprendre les uns les autres et à se réconcilier. Peut-être, mais il en résulte un peu partout une relativisation inouïe qui ébranle les assises des plus vénérables traditions et la sécurité mentale de millions, de milliards d'hommes.

Ainsi, les théologies et les philosophies classiques, qui faisaient notre orgueil, sont désormais la proie d'une multitude de sciences humaines, pour le moment incoordonnables et vouées à la dialectique des interprétations plus qu'à la systématisation dogmatique. Mais il y a pis. Aux yeux d'un grand nombre d'universitaires actuels, la Bible elle-même n'appartient plus à l'Église comme un document sur l'interprétation duquel elle exercerait une autorité exclusive. Bien d'autres compétences travaillent à en élucider les sens: philologues et linguistes, paléographes et archéologues, historiens et géographes, sociologues et ethnologues, psychologues et psychanalystes, critiques et structuralistes. Comme Platon, comme le Coran, comme les Védas et le Tao, comme les mythes des peuples archaïques, la Bible appartient désormais à l'humanité. Beaucoup d'hommes de la civilisation planétaire en formation se sentent concernés par ce Livre, et presque toutes les grandes nations consacrent des ressources considérables en hommes et en bibliothèques pour l'étudier et en évaluer la signification. Ce mouvement ne s'arrêtera pas, et l'Église travaillerait contre elle-même en le freinant, car elle en est partie prenante.

Or Hans Küng est d'abord un homme de cette cosmopolis en mutation, un brillant universitaire en dialogue avec des collègues du monde entier, spécialisés comme lui dans la recherche de la signification pour aujourd'hui de la grande tradition judéo-chrétienne. Il est apprécié de ses pairs, et ils sont sans doute rares, parmi eux, ceux aux yeux de qui il était suspect d'hérésie. On pense plutôt qu'il a rendu de grands services à l'humanité et à l'Église même. Il a publié nombre d'ouvrages remarqués qui ont fait réfléchir ses égaux et aussi le grand public.

Certes, comme il a touché avec un bonheur inégal presque tous les sujets brûlants de l'heure, ses thèses ne sont pas toutes acceptées sans réserve et, comme il est encore plus généraliste que spécialiste, il y a peu de domaines particuliers sur lesquels il fasse autorité. Mais malgré ses lacunes, on ne conteste en général ni son érudition ni sa problématique. S'il n'a pas toujours les bonnes réponses, il a souvent et plus tôt que d'autres les bonnes questions; il disait tout haut ce que beaucoup pensent tout bas. De tels hommes sont nécessaires à l'Église, ou en tout cas inévitables. Un jour ou l'autre, ils surgissent et secouent la léthargie des confrères.

Lorsque des problèmes nouveaux se posent auxquels les anciennes réponses ne sont plus adéquates, il faut bien que se lèvent ou bien des prophètes ou bien des sages qui esquissent des manières plus adaptées d'exprimer la vérité de toujours. Car les meilleures formules dogmatiques s'usent: elles ont satisfait une majorité antérieure influente, mais vient un temps où elles cessent d'être des évidences communes qui n'ont plus besoin d'être réfléchies. Car les représentations et les points de vue changent, d'autres données obligent à poser d'autres questions. Les nouvelles réponses sont d'abord presque toujours tâtonnantes, pour la bonne raison qu'il n'existe plus, ou pas encore, de vocabulaire commun qui permettrait à tous de dire les mêmes choses avec les mêmes mots.

En effet, comme les autres, les sciences sacrées procèdent par essais et erreurs, mais les erreurs, pour ceux qui pratiquent la science, sont des ratées prévisibles et des accidents de parcours dans une série ordonnée d'approximations. Les spécialistes ne font jamais grief à un confrère de s'être trompé car, avant que les articles ou les ouvrages soient publiés, ils ont été soigneusement examinés par des bureaux de lecture: ils leur remontrent seulement, dans les recensions critiques, qu'ils ont négligé des données pertinentes ou bien qu'ils ont tiré de leurs prémisses des conclusions hâtives ou des générations indues. Ce n'est donc pas sur ce plan de la science que Hans Küng est répréhensible.

Un grand chrétien

D'un autre côté, cet homme est un chrétien convaincu. Cela signifie que, pour lui comme pour ses frères dans la foi, les Écritures juives culminent dans cet ensemble de vingt-sept livres qui constituent le Nouveau Testament et qui sont la norme vivante de la tradition qui en découle. Il croit que les figures de la Bible hébraïque sont accomplies en Jésus, que celui que les chrétiens confessent comme Christ et Fils de Dieu est apparu à la plénitude des temps et qu'il a une signification et un rôle de médiateur pour l'humanité entière. Dans notre siècle positiviste, ce n'est pas là un mince mérite.

Pour lui, Jésus est vraiment la clé d'interprétation de l'histoire humaine dans son ensemble, et c'est une grille de lecture, un système général d'interprétation qu'il a en commun avec à peu près tous les penseurs de la Réforme et de l'Orthodoxie. Il sait que dans le Nouveau Testament, Jésus a été compris de façons multiples et qui peuvent paraître à certains difficilement conciliables: comme prophète et comme sage, comme serviteur et maître, comme prêtre et victime, comme Christ et Seigneur, comme Fils de l'Homme et Fils de Dieu, comme ressuscité et exalté, bientôt comme vrai Dieu et vrai homme ou comme personne subsistant dans la nature divine en même temps que dans la nature humaine.

Küng connaît tout cela, il a beaucoup de respect pour toutes ces traditions et ces langages, et il garde la foi. Cela lui donne de participer avec compétence à l'actuel dialogue œcuménique et d'enseigner dans une faculté de théologie à côté de collègues de tradition protestante. Tandis que d'autres se tiennent au chaud derrière les énoncés traditionnels, il lutte sur la brèche et risque sa réputation. C'est un grand chrétien.

Un théologien audacieux

Et il se veut catholique. Qu'est-ce à dire? Le catholicisme est cette forme particulière de christianisme qui se caractérise en premier lieu par l'accent mis sur le rôle du Souverain Pontife considéré comme successeur de Pierre, et en second lieu, dans la mesure où il s'oppose à l'Orthodoxie, par l'importance accordée au droit canonique et aux conciles qui ont suivi les sept premiers, et dans la mesure où il s'oppose à la Réforme, par l'importance accordée à la tradition et au septénaire sacramentel.

Or, Hans Küng a une si haute idée du ministère d'unité qu'il ose en contester la figure actuelle afin de préparer les voies à une réconciliation avec nos frères séparés. Et dans un article retentissant que *Le Monde* a publié et que *Le Devoir* a repris, nouveau Paul face à un Pierre qu'il juge inconséquent, il a osé en remontrer au pape. Ce n'est pas là le geste d'un catholique tiède. C'est pourquoi on ne doit pas considérer comme impensable l'hypothèse qu'un jour, au lieu de censurer un fidèle comme Küng, la curie romaine, autrement constituée qu'elle ne l'est présentement, adresse un bref de félicitations à un théologien audacieux et le remercie chaleureusement de se battre aux avant-postes, tout en lui signalant fraternellement qu'il apparaît téméraire à plusieurs.

Car la théologie est acculée, en ces jours que nous vivons, à redéfinir son statut et sa méthode, et les pasteurs doivent encourager ceux qui s'y appliquent. Non, la théologie n'est plus ce qu'elle était, et les traditionalistes devront faire leur deuil de celle qui était courante il y a seulement quelques années. De surtout dogmatique qu'elle était, elle est devenue surtout historique et herméneutique. Une partie notable de sa tâche consiste désormais à situer les documents anciens dans leurs contextes et à montrer la continuité et l'unité de la foi dans la discontinuité et la multiplicité des formulations. Le sens des expressions anciennes a souvent cessé d'être obvie pour nous, et il exige d'être savamment décodé. Les théologiens ne sont plus surtout les systématiciens d'une doctrine intemporelle et universelle dont la vérité serait analogue à celle des mathématiques et des sciences exactes. Ils sont plutôt les herméneutes d'une multitude de textes où se sont thématisées d'anciennes, vénérables et canoniques conversions à Jésus-Christ, et qui peuvent toujours, une fois réappropriées, concourir à la conversion des hommes d'autres temps et d'autres lieux.

La difficile relativisation

C'est pourquoi les théologiens de ce temps ne peuvent pas ne pas relativiser, ne pas montrer la relativité des expressions, leur relation à des milieux et à des points de vue déterminés et souvent caducs. La difficulté qui leur est propre, cependant, non plus en tant que savants mais en tant qu'hommes croyants dont on attend qu'ils soient aussi des sages, réside en ceci que, après avoir relativisé, ils doivent aussi, si l'on peut dire, «relationner», mettre en rapport les formulations diverses et successives avec le noyau dur de la foi, et donc montrer, au-delà des pertinences sociales ou historiques, l'identité supralocale et transhistorique de la visée croyante, le caractère absolu de ce à quoi renvoient toutes les expressions.

C'est ici que le bât blesse et que la théologie catholique est confrontée à un formidable problème épistémologique: celui de l'infaillibilité de l'Église et de l'infaillibilité pontificale. Hans Küng a eu l'audace de le formuler et en particulier de contester la manière dont l'infaillibilité est comprise par le peuple chrétien et pratiquée par la curie romaine. Fallait-il lui en faire grief? Il n'y a aucun doute que le «dogme» de l'infaillibilité pontificale porte la marque de l'époque du rationalisme triomphant et de la mentalité obsidionale de ceux qui ont inspiré le Syllabus au temps de Pie IX. Le dernier concile n'a sans doute pas apporté toutes les lumières désirables sur ce sujet. Ne fallait-il pas laisser les théologiens en débattre encore librement? Et est-il certain que Rome a épuisé tous les moyens de se concilier le vaillant théologien qui mettait en question peut-être autant le pouvoir que le magistère romain? L'opinion publique la plus active ne le pense pas, et les théologiens romains apparaissent à beaucoup comme un groupe de pression qui a arraché au pape une décision qu'il n'a pas eu le temps de mûrir lui-même.

Les gens de «droite» qui auront lu ce qui précède jugeront presque certainement que j'ai fait la partie belle à Hans Küng. Et il est fort probable que ceux de «gauche» trouveront que c'est bien dit et qu'il n'y a rien à ajouter, la curie romaine ayant fait la preuve de son incapacité de comprendre la situation spirituelle de notre temps. Mais ces positions sont toutes deux prématurées, du moins à mes yeux. Car il y a autre chose à dire. Il y a une troisième voie. C'est sans doute une porte étroite, un chas où les chameaux auront du mal à passer.

Sur la place publique

Encore une fois, posons donc la question la plus simple et la plus fondamentale: qu'est-ce qu'être homme ou plutôt avoir à le devenir? Chacun le devient dans des conditions chaque fois particulières, en profitant plus ou moins des lumières et des ténèbres des autres, de leurs certitudes et de leurs hésitations, de leurs succès et de leurs louanges, et tout aussi bien en surmontant plus ou moins de doutes, de tentations, d'échecs et de blâmes. Or Hans Küng est un homme et il devient homme davantage de la même façon que nous tous.

Il est cet homme, ce professeur d'université, entouré de livres, d'étudiants qui l'admirent, d'assistants de recherche qui contribuent à sa production, de collègues qui le soutiennent. Il reçoit des honoraires élevés pour quelques heures d'enseignement par semaine pendant un peu plus d'une demi-année. Il a donc beaucoup de loisirs, il peut lire, réfléchir, consulter, approfondir. Il a eu le talent, la chance, la grâce, le charisme, le courage d'étudier et d'enseigner. Et les certitudes qu'il a conquises et les positions auxquelles il est parvenu — et qui, dans l'ensemble, sont fort équilibrées — n'ont été possibles que moyennant une longue maturation. Mais combien ont eu de telles facilités et combien sont capables, sans y mettre autant de temps qu'il a pu le faire, de conserver l'équilibre des positions ou seulement de réellement comprendre la problématique qui est sienne et celle de ses pairs?

Il y a certainement une assez forte minorité et peut-être une majorité de chrétiens — et ici la classe moyenne qui lit Hans Küng doit savoir se relativiser — qui, du seul fait qu'ils ont à être hommes autrement que lui, n'ont pas la possibilité, en le lisant, de percevoir que la vérité qu'il proclame est la même que celle que prêchaient et que prêchent toujours nombre de prêtres et d'évêques et de théologiens. En lançant dans le grand public et avec fracas le résultat des recherches spécialisées, en le donnant en pâture à des journalistes friands de nouveauté, et alors que les conditions ne sont pas posées pour que les petits fassent les discernements nécessaires, peut-être les théologiens sont-ils trop pressés d'obtenir l'audience de la masse des croyants et des non-croyants, et peut-être font-ils preuve d'impatience. Peut-être enragent-ils d'avoir raison et montrent-ils qu'ils ont des prétentions au-delà de ce qui est raisonnable (*Rm* 12,3). Il n'est pas exclu que le succès mette l'humilité à rude épreuve et qu'on ait quelque raison de se référer à l'adage paulinien selon lequel la science enfle tandis que l'amour désintéressé édifie.

En tout cas, pour qui réfléchit sur ce qui se passe dans d'autres secteurs de la recherche, la décision romaine concernant Hans Küng surprend moins. Les scientifiques se plaignent de l'usage que font de leurs découvertes non seulement les stratèges mais aussi les charlatans des magazines populaires. Les fanatiques hitlériens ont tiré de la linguistique des langues indo-européennes une théorie raciste que la science ne cautionne aucunement mais qui a fait les ravages que l'on sait. Et durant ces années-ci, un fort courant de la nouvelle droite en France s'applique à échafauder sur les mêmes bases fragiles un antisémitisme et un antichristianisme virulent. Ces faits invitent à la réflexion et à la prudence. Ce doit être que la science est subordonnée à la sagesse et que toute vérité n'est pas bonne à dire: détachée de son contexte, livrée aux médias, elle peut être peçue comme une fausseté.

Parole crucifiée et crucifiante

Il faut encore reposer la seconde question: qu'est-ce qu'être chrétien? Quand on ne nous pose pas cette trop simple question, nous avons le sentiment de savoir ce que nous sommes, mais quand on la pose il nous arrive de rester pantois. Pour y voir clair dans le cas qui nous occupe, va-t-on opposer la foi et la charité, ou la foi et les œuvres, ou la foi et la confession de foi, ou la foi des simples et la foi des intellectuels, ou la foi et la théologie, ou la foi et le dogme, ou le magistère et le ministère, ou les lettres authentiques de Paul et les épîtres catholiques et pastorales?

À vrai dire, ces problèmes, pour cruxiaux qu'ils soient en théologie, ne nous importent pas ici. Car chacun sait que la foi chrétienne n'est rien d'autre qu'une libre réponse à la parole gracieuse du Vivant qui s'adresse aux hommes en Jésus Crucifié et qui invite, par les représentants de Jésus, tous ceux qui le veulent à aimer comme il l'a fait, en donnant s'il le faut leur propre vie pour les autres. Il s'agit là d'une parole chaque fois actuelle. Dans le cas présent, il ne fait pas de doute que, par le Souverain Pontife et les conférences épiscopales ouest-allemande et suisse, elle s'adresse nommément et de façon on ne peut plus personnelle à notre frère dans la foi, Hans Küng. Ainsi, cet homme est aujourd'hui interpellé par la Parole comme il ne l'a peut-être jamais été.

Si le chrétien a déjà eu l'occasion de faire un acte de foi, c'est-à-dire d'accueil de la Parole crucifiée et crucifiante, dont l'authenticité soit indubitable, je ne sais. Mais ce dont je suis sûr, c'est que l'occasion s'en présente maintenant. Et, quoi qu'il en soit de la vérité qui se cherche dans ses positions et quoi qu'il en soit de la tentation qu'il éprouve de faire appel, comme d'autres avant lui, à plus informé que le pape, je serai, quant à moi, beaucoup plus édifié et réconforté dans ma foi si j'apprends que, convaincu qu'il est un serviteur inutile, il obéit et se prépare dans une retraite studieuse à écrire lui aussi, comme Henri de Lubac naguère dans une situation semblable, ses méditations sur l'Église.

Unité et dissidence

Demandons-nous maintenant ce que c'est que d'être catholique aujourd'hui. L'œcuménisme nous a appris que nous avons beaucoup de frères séparés et qu'il y a un grand nombre de manières d'être chrétien, mais les sables où le fleuve de l'œcuménisme risque de s'enliser nous font voir de plus en plus clairement qu'il n'y a qu'une seule manière d'être catholique, qui est de s'efforcer de penser et d'agir avec le plus de conformité que l'on peut avec le ministère pétrinien. On peut comprendre les difficultés de beaucoup de confessions chrétiennes à admettre l'épiscopat monarchique et la papauté, et on peut être au courant des problèmes ardus que pose aux exégètes et aux historiens l'émergence de ce qu'on appelle le protocatholicisme, et cependant ne pas se permettre de douter que l'option chrétienne-catholique implique une telle ordination au principe d'unité, de sainteté et d'apostolicité. La façon précise dont il convient aujourd'hui de formuler et d'exercer l'autorité («infaillible») du magistère romain importe infiniment moins que le fait que cette autorité a été solennellement définie et qu'on ne peut être catholique si on ne consacre pas ses énergies, quand on les a, à faire en sorte que cette composante de la vérité chrétienne soit connue et, si possible, reconnue par les frères séparés.

Faut-il ajouter que les réactions connues du théologien suisse ne nous permettent pas de nous assurer qu'il est conscient que sa contestation du dogme catholique de l'infaillibilité donne le sentiment qu'elle est le fruit d'une excessive confiance en sa propre autorité ou en celle de la raison théologique? C'est l'un des points sur lequel le document romain insiste le plus et sans doute à juste titre. Bien des critiques de la conception courante de l'infaillibilité sont justifiées, et un homme aussi pondéré que Yves Congar admettait que plusieurs des arguments de Hans Küng sont fondés. Soit, mais à trop vouloir trier l'ivraie du bon grain, on risque de tout arracher.

Il reste que tout cela n'empêche pas que, en conscience, Hans Küng pourra continuer à penser qu'il doit maintenir ses positions. Et il est probable que sa fidélité à lui-même aura une réelle utilité pour l'Église. Mais en ce cas, notre confrère deviendra un contestataire du dedans dont, cependant, sa propre Église contestera la représentativité. Sa position sera inconfortable. Et Küng deviendra alors pour nous comme un frère séparé que l'on aime bien mais à qui on ne fait pas l'injure de croire qu'on est entièrement d'accord avec ce qu'il croit devoir penser et écrire.

Et fraternellement, de loin, et sans espoir qu'il lise cet essai, nous aimerions lui adresser le souhait qu'il ne brandisse pas trop haut l'épouvantail de l'Inquisition. Nous souhaiterions même qu'il soit bien aise, plutôt, que l'Église romaine, à l'égard d'un des siens qui a accumulé les prises de position agressives contre elle, déclare aussi, publiquement et avec plus de sérénité qu'il ne l'a fait lui-même, qu'elle ne se reconnaît pas parfaitement dans ses écrits.

Sortir de chrétienté

Je voudrais conclure sur une perspective d'avenir. Ce qui arrive à Hans Küng n'est qu'un fait parmi beaucoup d'autres qui illustrent, d'une part, la difficulté que l'Église éprouve à sortir de chrétienté et, d'autre part, la manière dont elle s'apprête à prendre le tournant du XXIe siècle. Dans un article précédent de cette revue (décembre 1979)[2], je distinguais la vérité comme contenu (dogmatique) de parole, comme prise (prophétique) de parole, et comme événement (mystique) de parole. Or si pendant seize siècles l'Église, en situation de société virtuellement unanime, a dû définir des dogmes, voici que, depuis le dernier concile, en situation de prévisible diaspora, elle exhorte les croyants à être des prophètes-témoins dans le monde et, pour cela, des familiers et des mystiques de la Parole. Et tandis que «l'Église enseignante» des derniers siècles faisait mémoriser à une «Église enseignée» un catéchisme dont les contenus se présentaient sous forme de réponses à des questions que, bien souvent, les fidèles ne se posaient pas et dont on ne prenait pas le temps de leur faire voir la complexité, désormais l'Église prévoit plutôt la communication de la vérité en termes de catéchèse diversifiée.

Au lieu de concentrer l'Église sur l'institution, la hiérarchie et les membres éminents, elle tend à se voir comme un peuple de Dieu en marche qui, dans des communautés restreintes et studieuses, se laisse interpeller par la Parole telle qu'elle apparaît dans la complexité et le pluralisme de ses formulations canoniques, et aussi bien dans les signes et les questions que le monde lui pose et qui requièrent des discernements locaux et responsables. Mais il devient de plus en plus clair aux yeux de plusieurs que ces discernements locaux sont solidaires de ceux de toutes les communautés chrétiennes dispersées, et qu'ils devront se faire sous la vigilance pastorale du charisme apostolique (comparer, au chapitre 12 de la Première Épître aux Corinthiens les vv. 4-11 et le v. 28).

En effet, il sera de plus en plus nécessaire que, non seulement l'Église soit une, mais qu'elle le paraisse aux yeux du monde. Il faut qu'elle soit une lumière sur la montagne et il faut que les hommes

2. «Il y a sectaires et sectateurs». Voir plus haut.

et les peuples de la civilisation planétaire puissent l'apercevoir. Sans doute, dans l'entre-deux qui sépare le catéchisme de la catéchèse (biblique) à venir, il est inévitable que surgissent des Hans Küng. Mais, à mesure que le nouveau contexte va prendre forme, que les cheminements seront de plus en plus diversifiés et les catéchèses incarnées dans les cultures nationales, et à mesure que frapperont aux portes de l'Église les civilisations non occidentales, il faudra que le ministère d'unité joue son rôle compensatoire, qui sera d'une souveraine importance. La force centrifuge aura de plus en plus besoin d'une puissante contrepartie. Et avant que la distinction, désormais malsonnante, de catholiques et de protestants, ait disparu, il faut que les catholiques contribuent à la dialectique des interprétations du christianisme en montrant la fécondité du dogme de l'infaillibilité. Car si ce n'était plus une vérité de principe que le pape est infaillible, y aurait-il encore une telle chose que le catholicisme, et comment pourrait-on rester catholique?

Les théologiens les plus doués, au lieu de concevoir leur rôle comme parallèle au ministère pétrinien, comme semble le suggérer Küng, devraient se faire «les serviteurs du serviteur des serviteurs du Serviteur Jésus-Christ». De bout en bout, il va s'agir désormais de service, et on va réapprendre qu'il y a une «hiérarchie» dans la diaconie. En un autre langage, disons que le Christ est la Tête, que le peuple de Dieu est le Corps du Christ, que le ministère pétrinien et le ministère théologique sont à leur service. N'eût-elle contribué qu'à réapprendre aux catholiques cette hiérarchie fondamentale, l'aventure de Hans Küng n'aura pas été sans porter beaucoup de fruit. On peut aussi espérer, d'abord, que le théologien censuré en sera le premier bénéficiaire et, ensuite, comme il n'a que cinquante et un ans, que, profitant de la nuit où il entre, il devienne pour l'Église de la fin du deuxième millénaire un des plus valeureux théoriciens de sa prochaine praxis.

Un livre grandiose[1]

La gloire et la croix IV de Hans Urs von Balthasar

Ce volume de plus de quatre cents pages est le huitième d'une série et le troisième et dernier de la métaphysique. Il y est question de Nicolas de Cuse, Michel-Ange, Goethe, Claudel, Machiavel, Bacon, Hölderlin, Rilke, Heidegger, Descartes, Spinoza, Leibniz, Malebranche, Kant, Fichte, Schelling, Hegel, Marx, et j'en passe. Cet homme a tout lu ou presque. Son propos est de renouveler la théologie. Entre l'intelligence et la volonté, la vérité et la bonté, la métaphysique et l'éthique, la foi et la justice, Urs von Balthasar n'a pas cru qu'il fallait choisir. Il a plutôt cherché un nouveau style de théologie, qu'il appelle esthétique, et il s'est exercé à voir la gloire (que le catholicisme post-tridentin a privilégié) dans la croix elle-même (que le protestantisme d'origine luthérienne a davantage soulignée). Et pour disposer ses lecteurs à contempler avec lui la beauté, l'épiphanie, la splendeur de Dieu, il convoque toute la tradition: biblique, grecque, patristique, médiévale, moderne et contemporaine. Il actualise ainsi des pensées aussi diverses que celles des prophètes, des évangélistes, des philosophes, des prédicateurs, des poètes, des romanciers, des artistes, des mystiques. Les grandes œuvres de la

1. Coll. Théologie 86, Paris, Éd. Aubier Montaigne, 1983, 410 pages. Article paru dans *Relations*, 499 (avril 1984), p. 101.

littérature occidentale sont ses lieux théologiques et, pour ainsi dire, la matière de ces «questions» avec lesquelles il construit peu à peu une sorte de Somme. Ce qu'il fait avec beaucoup d'intelligence et de culture, si bien que même des spécialistes, lisant quelque développement de lui sur une œuvre qui leur est pourtant familière, le quittent éblouis et interpellés. À le lire, on apprend mieux comment, en deçà du vrai et du bien, à l'origine et au fondement de la pensée, il y a l'ouverture, l'émerveillement, l'accueil d'une Beauté qui s'atteste elle-même et vient au devant de notre désir.

Urs von Balthasar passe pour l'un des plus grands théologiens de cette fin du XXe siècle. Et il est certainement, en outre, un grand Européen, l'héritier légitime de ces esprits puissants qu'étaient des hommes comme Platon, Aristote, Thomas d'Aquin, Hegel. Le lisent avec profit surtout les théologiens, les philosophes et les historiens et, plus généralement, ceux qui ont décidé de le prendre comme maître à penser. J'ai le sentiment que son audience sur la rive orientale de l'Atlantique est et restera plus large que de ce côté-ci. La manière nord-américaine actuelle de théologiser me semble être, généralement parlant, plus positive et empirique, plus circonspecte et circonscrite, et aussi moins universelle et encyclopédique. Peut-être notre mémoire est-elle moins longue et n'éprouvons-nous pas le besoin d'actualiser toute la tradition. Beaucoup de nos hommes et femmes de culture sont satisfaits soit de s'en approprier à fond un fragment, soit de faire progresser la recherche sur un point précis. Les grandes synthèses les intimident!

Cependant, la foi inconfusible, qui s'applique ici à l'intelligence de ce qu'elle croit et qui s'allie avec une subjectivité ardente qui cueille son miel sur beaucoup de fleurs, devrait faire une forte impression sur tous ceux qui ont beaucoup lu et un peu retenu et qui ne trouvent pas dans le positivisme un peu court d'une grande partie de la culture scientifique actuelle de réponse convaincante aux questions ultimes qu'ils se posent. C'est à ceux-là qu'on conseillera la lecture de cette œuvre magistrale. Car ici s'expérimente le passage de l'intelligence croyante d'un régime presque bimillénaire à un autre, et ce passage est un saut difficile et périlleux. C'est celui du théologique au théopoétique, du dogmatique et de l'éthique à la mystique et à l'esthétique. Pour cette transition d'une ancienne et précritique naïveté à une naïveté seconde qui, pour avoir traversé l'épreuve historique du soupçon et s'être approprié le code qui produit son discours, sera capable de récapituler et de convertir bien des traditions qui lui sont encore ou hostiles ou étrangères. Urs von Balthasar est aujourd'hui l'un des meilleurs guides. Et ceux qui le lisent se disposent à juger des idées et des événements avec des notions de vérité et de justice plus réfléchies que celles qui sont encore, dans nos milieux, les plus répandues.

Hommage à Bernard J.F. Lonergan[1]

C'était un grand seigneur de l'esprit et, un peu partout dans le monde, sans doute pendant quelques décennies, tels les hommes liges des seigneurs médiévaux, beaucoup de théologiens et de philosophes ne cesseront pas de lui rendre hommage. Mais, paradoxalement, ce dont ces vassaux lui seront peut-être le plus reconnaissants, ce sera de les avoir aidés à sortir du Moyen Âge et à entrer de plain-pied dans le monde moderne.

Exégète pénétrant de saint Thomas d'Aquin, il a su relire le Docteur Angélique à la lumière des questions que Kant a soulevées au XVIIIe siècle et auxquelles la scolastique et même le néothomisme, si tant est qu'ils y répondaient, ne le faisaient que dans un langage suranné. Il nous a appris à remonter des concepts et des produits de l'esprit aux intellections (*insights*) qui les génèrent, des intellections aux conduites de recherche et de réflexion, de celles-ci aux images qui les sous-tendent, des images aux affects et aux situations existentielles que les représentations redoublent, des modulations diverses de l'affectivité au désir fondamental et constitutif de

1. Article paru dans *Relations*, 507 (janvier-février 1985), p. 6.

B.J.F. Lonergan est décédé le lundi 26 novembre dernier à Pickering dans la banlieue de Toronto, quelques semaines avant son quatre-vingtième anniversaire de naissance que l'on se préparait à célébrer. Il est l'auteur de deux grands ouvrages, *Insight, a Study of Human Understanding* et *Method in Theology*.

l'être-homme, et enfin du désir au corrélat objectif qui le comblerait et qui, comme aurait pu dire Heidegger, nous effleure parfois dans le Vent de la Chose.

Cet homme était voué à la pensée — scientifique, philosophique et théologique —, et rien ou presque ne lui était étranger. Il a cherché toute sa vie à toujours mieux définir la structure heuristique intégrale de l'être soit proportionné à notre entendement soit embrassé dans toute son ampleur, et à baliser le chemin qui va des êtres de notre expérience à leur(s) principe(s). D'autres, qui l'ont connu de plus près, diront quelle place Dieu a occupée dans sa vie. Mais ce que savent ceux qui ont fréquenté ses écrits, c'est que, si Dieu était toujours l'horizon fascinant de sa quête du sens et si lui-même était sans honte croyant, catholique, théologien et, comme il aimait dire, dogmaticien, ce n'était jamais qu'au terme d'une longue analyse des données, des hypothèses et des opinions qu'il s'appliquait à conférer un contenu intelligible à ce nom qui est au-dessus de tout nom, qui, à la limite, est ineffable et que les chercheurs s'évertuent à accueillir dans un «prayerful silence».

Comme tant d'autres alors, Lonergan a grandi dans une forme dogmatique, précritique — et irlandaise — de la foi catholique. Or on sait dans quel état de siège se trouvait depuis quatre siècles la catholicité posttridentine. Certes, elle résistait vaillamment aux assauts conjugués de la Renaissance et de la Réforme, mais intellectuellement parlant, elle ne conquérait plus de terrain. Elle boudait la science, la philosophie et les théologies protestantes qui élevaient sans elle ces somptueux édifices de la raison et de la foi qui ont longtemps ébloui ceux qui se sont targués contre les anciens d'être modernes, c'est-à-dire de leur temps. Quand Lonergan est entré en lice, les bastions étaient rasés, la lutte se poursuivait en rase campagne, les ennemis d'hier commençaient à parler de réconciliation, et la partie catholique de l'Église avait commencé, en quelques esprits brillants et en quelques saints et saintes, à faire son aggiornamento. Lonergan a donc eu lui aussi à réfléchir à nouveaux frais à la situation moderne de la foi et à se forger des outils plus adaptés que ceux qu'il avait reçus de ses maîtres. Dès lors, au terme de ce qu'il appelle son «slow philosophical development», il devint l'égal des plus grands.

Son rayonnement ne fut peut-être pas aussi mondial que celui des Rahner, des Congar et des de Lubac en leur temps, et c'est en Amérique du Nord que son influence fut la plus grande. Mais cet empiriste à l'anglo-saxonne a su utiliser comme peu d'autres l'ont fait les prodigieux progrès non seulement des sciences mais aussi de la critique que les savants eux-mêmes et les philosophes en faisaient, pour mettre de plus en plus l'accent sur le chemin qui va des questions aux réponses. Aussi a-t-il puissamment contribué à renouveler la réflexion sur la méthodologie des sciences théologiques. Et, dans cet ordre, on doit reconnaître que sa réputation est en train de dépasser toutes les frontières et qu'il a peut-être préparé mieux que ses émules le prochain essor de la théologie systématique et pratique.

Le soussigné, qui a pratiqué Lonergan pendant près de vingt ans, a longtemps cru que si un plus grand nombre de théologiens et de pasteurs avaient été formés à cette école austère et exigeante, il eût été possible à la *Catholica* d'affronter avec de meilleures armes l'actuelle crise de la modernité finissante. Mais se rappelant que, comme disait Platon, les grandes choses sont difficiles, et que des étudiants en théologie parmi les plus doués, après avoir profité de ses lumières, ont quitté les ordres et la recherche théologique, il se demande aujourd'hui si, dans le monde qui vient, la foi et la fidélité n'auront pas à prendre racine dans une expérience plus dramatique que celle qui fut la nôtre durant les quarante dernières années. Il est en effet possible que la principale sagesse qui rendra visible le 21e siècle — lequel, au dire de Malraux, sera religieux ou ne sera pas — s'élabore présentement derrière les rideaux de fer et de bambou, dans cette nuit de l'esprit où sont emprisonnées de force des intelligences et des sensibilités vibrantes qui, pour le moment, ne peuvent que rêver de liberté et qui sont acculées, pour ainsi dire, à la grâce, à l'attente d'une lumière qui ne brille jamais si bien que dans les ténèbres. Que dans cette lumière où nous croyons qu'il est entré, le père Lonergan intercède pour nous afin que nous travaillions, comme il l'a fait, à rendre un peu plus pensable ce qui, dans nos civilisations bloquées, demeure tragiquement impensé.

EN CONCLUSION

La nouvelle évangélisation[1] sous forme de mystagogie

1. Dans la mesure où c'est aux personnes plus scolarisées des sociétés occidentales que la Nouvelle Évangélisation s'adressera, il sera nécessaire que ses porteurs aient acquis un sens renouvelé de l'histoire autant cosmique, biologique et humaine, que biblique et évangélique.

La connaissance des grandes définitions doctrinales sera nécessaire mais, dans certains cas au moins, peut-être surtout comme moyen d'auto-identification et de balises plutôt que comme objet de communication. Car la tradition vivante sera moins pensée comme une «religion» (ensemble d'institutions, de croyances et de pratiques) que comme le moyen que prend celui qui régit l'histoire pour poursuivre l'exécution de son dessein — de son mystère.

De la tradition, les évangélisateurs et évangélisatrices se serviront pour se familiariser avec le code génétique de tout le devenir et, en particulier, avec l'Écriture, avec les récits fondateurs, avec les grands actants d'une théologie narrative englobante.

---

1. Nous avons cru bon en conclusion de passer outre à la règle de ne retenir que des textes déjà publiés pour inclure un texte que R. Bourgault considère comme son testament spirituel.

Le supérieur général des Jésuites a demandé à tous les supérieurs de communauté leur avis sur la nouvelle évangélisation. Supérieur d'une petite communauté, l'auteur a mis par écrit les perspectives à l'intérieur desquelles il a travaillé depuis quinze ans.

Méditation sur la situation de l'Église, inscription dans l'histoire universelle, le texte conclut bien ce recueil.

Ils s'exerceront à circuler dans et entre ces sphères de discours que sont la science, la sagesse, l'art et la mystique. Circulation à laquelle on pourra donner le nom de mystagogie: conduite de mystes, acheminement d'initiés-initiands au mystère et à son économie (*Ep* 3,3-10). C'est en pratiquant assidûment de tels circuits que les évangélisateurs acquerront en même temps les esprits de géométrie, de finesse, de prophétie et de sainteté, et apprendront à adosser les ontogénèses particulières à la cosmogénèse, à la biogénèse, à l'anthropogénèse, à l'ecclésiogénèse. Ces moments sont aussi des structures: emboîtées les unes dans les autres et homologues, ce sont des images, chacune et ensemble, d'un même modèle, celui justement qui fonctionne comme un code génétique et comme une structure heuristique intégrale.

Ultimement, la pensée sera toujours renvoyée et s'exercera à se laisser déporter vers une sorte de généalogie (*Gn* 2,4a) du divin en soi comme d'un code qui s'engendre lui-même depuis toujours et qui, dans le temps, génère des similitudes de soi qu'il ne maintient dans la différence et la «différance» que le temps qui est nécessaire à leur pleine participation à la nature divine (*2 Pi* 1,4; *1 Co* 15,28).

Ainsi, si la fin de l'histoire et son milieu sont soumis à la nécessité (*Mc* 8,31; *1 Co* 15,25), c'est sans doute que Dieu avait dès le début tracé son plan selon sa volonté (*Ep* 1,4-5), y faisant servir aussi ce que, chez les hommes, on appelle la liberté, le péché, le hasard, le chaos, et les libérant de la servitude par la vérité qui est dans le don qu'il fait de lui même (*Jn* 4,10.24; 8,32; 18,36-38).

C'est donc sur le fond d'une connaissance de foi — plus certaine que la connaissance de raison, de laquelle, cependant, celle-là fait usage — que les coopérateurs de Dieu (*1 Co* 3,9) contribueront à construire, par le corps du Christ, le corps de l'humanité entière, l'«Organisme anthropique».

2. Il se peut que les sociétés occidentales soient moins déchristianisées que «déchrétientéisées», et que la relativisation ou mise en perspective historique des formes d'abord juive, grecque et romaine, puis celtique, germanique et slave, ensuite orthodoxe, catholique et protestante, prises par le mouvement de Jésus, soient l'envers et la

condition de possibilité de la mondialisation, de la planétisation et de la plérômisation qui se préparent. En sorte que, loin de s'affliger de ce qui arrive au mouvement de Jésus, ceux qui se veulent fidèles et à qui cela sera donné pourront s'en réjouir plutôt (*Jn* 16,16-22; *Ac* 5,41; *2 Co* 4,7-12; *Col* 1,24).

Car, si Dieu est (culturellement) mort, c'est seulement pour ceux qui se sont laissés obséder par ces retombées de la techno-science moderne qui leur ont donné l'illusion qu'ils sont par nature immortels (*Gn* 3). Aussi, les nouveaux évangélisateurs doivent-ils réfléchir à nouveaux frais sur la faute. Si elle s'est manifestée en premier lieu sous forme de souillure venant des contraventions aux coutumes tribales, en deuxième lieu sous forme de transgressions aux lois nationales, en troisième lieu sous forme de manquements aux vœux qu'on émettait dans les grandes spiritualités classiques, c'est sous la forme du péché primordial, terminal et toujours central qu'elle s'est révélée dans l'exécution de Jésus de Nazareth par les puissances conjuguées des peuples et des États: sous forme d'incrédulité, de fixation sur les acquis de l'histoire, d'impuissance à interpréter le passage qui se faisait en Jésus vers le moment qui avait été entrevu comme «les derniers temps», l'époque de l'histoire où Dieu, dans le paradoxe de la mort consentie, se dévoilait comme le principe et le prince de la vie.

Ceux qui sont au Christ peuvent donc et doivent penser que la vie et le goût de vivre reviendront à leurs frères et sœurs en humanité par le moyen: *(1)* de Jésus, du Christ qui est mort pour nos péchés (*1 Co* 15,3), *(2)* de ceux qui croient cela et sont ainsi absous de leur péché d'incrédulité en qui ils étaient morts (*Ep* 2,1-2), *(3)* qui ont reçu le pouvoir de déclarer à ceux qui croient en leur parole que leur péché à eux aussi est remis (*Jn* 20,23); *(4)* lesquels, alors, ayant cru, passent, dès le séjour présent loin du Seigneur, de la mort à la vie (*Jn* 5,24).

3. Les nouveaux évangélisateurs devront avoir une conscience d'époque: la conviction et l'assurance (la «parrhésie», *Ac* 4,29) que c'est bien à la plénitude des temps (*Mc* 1,15; *Ga* 4,4), dans les derniers temps (*Ac* 2,17; *He* 1,1) que Jésus a pris forme dans le corps de l'humanité pour en être la Tête et le salut. Cela, celui qui adhère

à la tradition chrétienne comme à une structure heuristique intégrale peut le comprendre aujourd'hui à la lumière d'une périodisation générale de l'histoire depuis les origines jusqu'à l'ère chrétienne.

Époque archaïque des familles, des clans, des tribus, des ethnies; époque proche-orientale ancienne des nations, des royaumes, des États, des ligues, des empires (3200-1200); époque sino-méditerranéenne des grandes aires culturelles et spirituelles qui vont de la mer de Chine au détroit de Gibraltar (800-200, la période axiale de K. Jasper); époque chrétienne où, pour la mise en œuvre de l'idée d'un Dieu un et d'un moyen unique de salut, un organe a été institué dont la fonction était de sécréter l'hormone de l'agapè.

De ces quatre, seule la dernière époque suppose l'interprétation évangélique de l'événement-Jésus. Celle-ci n'est donc pas rationnellement démontrable. Cependant, de l'événement qui a été cru et connu (*Jn* 6,69) comme le déclencheur du commencement de la fin — de l'instauration d'une institution dont on peut dire soit qu'elle travaille avec Dieu à son projet, soit qu'elle met Dieu au cœur de sa propre autocompréhension —, il n'est pas contraire à la raison de soutenir que, comme un arbre à ses fruits, c'est par ce qui en est résulté et ce qui en résultera, que son rapport à la vérité a été et sera reconnu. Une lecture de l'histoire universelle comme celle-là implique une interprétation de la contingence qui la voit comme la surface visible d'une nécessité cachée et qui est divine: la dynamique intérieure au divin qui le pousse à diffuser l'Amour qu'il est (*1 Jn* 4,8).

En tout cas, avec les anciens Grecs, il est possible de conforter ces vues, en distinguant quatre formes principales de l'amour, et en conformité avec la périodisation précédente, comprendre l'agapè comme la force qui a émergé à la plénitude des temps pour opérer la croissance et la perfection de l'Organisme anthropique. Les quatre formes ont pu et peuvent toujours coexister en chacune d'elles, mais en outre elles se sont davantage manifestées selon leur essence dans la succession. On aligne ainsi: *(1)* l'*éros*, qui est sexuel, conjugal, familial; *(2)* la *philia*, qui est civique, politique, nationale, et qui, selon Aristote, est l'amitié; *(3)* la *philanthropia*, qui est une disposition à aimer les autres humains, de quelque nation, langue ou race qu'ils soient et que, en particulier, les voyageurs rencontraient au cours de leurs traversées des continents; *(4)* l'*agapé*, qui est une disposition à être saint comme Dieu l'est et à aimer tous ses enfants, même ceux qui ne sont aucunement aimables (*Mt* 5,43-48).

Ceux en qui cette dernière disposition est devenue une habitude savent être à la fois fiers et humbles, pratiquer aussi bien l'annonce que le dialogue.

4. Si l'espèce humaine est différente des autres espèces animales, elle le doit à la générosité qui caractérise sa manière de transmettre non seulement la vie mais, par l'éducation et la culture, la parole qui en dit et en effectue le sens. Ce caractère consiste en une disposition de certains, qui sont forts, à donner leur vie pour d'autres, qui sont faibles.

Il s'agit en particulier des parents, des guerriers, des sages, des saints. Ce que les parents sont à leurs enfants, ce que les guerriers sont à leur patrie, ce que les sages et les ascètes sont à la vérité et à la justice supranationales, selon la logique de l'histoire, quelque chose de semblable devrait l'être pour la totalité de l'humanité incluant ses morts comme ses vivants. Or, Jésus et les siens ont pensé qu'étaient les saints, ceux dont la tradition rapportait qu'ils faisaient partie, avec le Saint par excellence, d'un conseil céleste où étaient prises les grandes décisions concernant l'administration du Royaume de Dieu.

Depuis toujours, la disposition à donner sa vie impliquait une discipline, une maîtrise en particulier de l'agressivité et surtout de la sexualité: interdit de l'inceste et système de parenté chez les archaïques; période d'abstinence chez les guerriers (*1 S* 21,5-6); vœu de continence chez les ascètes et pratique de l'*enkrateia* chez les sages; idéal soit de virginité consacrée soit de chasteté conjugale chez les successeurs de Jésus et de Marie.

Au XXe siècle, où sont apparus des moyens nouveaux de contraception, le magistère catholique romain est intervenu pour réexpliciter ce corollaire de la compréhension que le mouvement de Jésus a toujours eue de lui-même. Il s'agit là non tant d'une loi morale que d'une composante essentielle de la vision mystique du mystère que doivent avoir ceux qui sont au Christ, moins d'une conscription que d'un appel du héros (H. Bergson), d'une réponse à l'attirance à Jésus que le Père exerce sur ceux qu'il choisit (*Jn* 6,44).

Avec cette quatrième forme, il s'opère, dans la générosité, un passage à la limite: le comportement est impossible aux hommes et possible seulement à Dieu et à ceux des humains qui demandent à Dieu sa grâce et son pardon. Il semble bien que, pour la suite de l'histoire, il y a «nécessité de salut» qu'existent de telle personnes et un magistère pour y exhorter, le nombre des adhérents dût-il diminuer.

Les nouveaux évangélisateurs, pour être fidèles à Dieu et à Jésus, devront l'être aussi à Pierre, se laissant nourrir et paître par celui pour qui Jésus a prié afin que sa foi jamais ne défaille (*Jn* 21,15-17; *Lc* 22,31).

5. Pour disposer à admettre que la tradition biblique et évangélique est une voie particulièrement droite vers la vérité et la vie, on peut relever l'homologie qui existe entre les quatre grandes époques de l'Anthropie et les quatre parties de la Bible chrétienne. La Loi, les Prophètes et les Écrits (cf. Prologue du Siracide), avec les sociétés qu'ils évoquent, sont entre eux comme les époques archaïque (patriarcale), proche-orientale ancienne (monarchique), classique (dispersion). D'autre part, les penseurs chrétiens ont interprété l'événement-Jésus comme accomplissement des Écritures hébraïques (*Lc* 24,44). La tradition chrétienne peut donc être comprise comme la récapitulation de toute l'histoire antérieure (*Ep* 1,10).

Cette intégration particulière n'a pas pour fin que soient abolies les différences ou déconsidérées comme inférieures les époques précédentes. Mais c'était afin qu'existe un corpus de textes qui disposent ceux qui les reçoivent comme canoniques et normatifs à respecter, valider, conforter et, éventuellement, contribuer à réformer les institutions familiales, nationales et œcuméniques, qui, dans l'Organisme anthropique, sont comparables, respectivement, aux cellules, aux tissus et aux organes ou aux membres, et qui, comme tels, sont indépassables.

La connaissance de plus en plus précise que, en une partie d'elle-même, l'humanité actuelle possède de ce Critère, permet aussi de fournir une explication plausible des tribalismes, des particularismes et des totalitarismes comme des effets d'autant de régressions et d'autonomies anarchiques subies par les structures de moindre universalité, et, partant, de travailler à corriger les excès des mythes, des idéologies et des gnoses. Elle permet encore de comprendre que les passages ont toujours été et sont toujours difficiles: des tribus aux États, des États aux spiritualités, des spiritualités à la corporalité paradoxale que le divin a prise dans «les derniers temps» avec la foi en la résurrection et en son effet: l'Église Corps du Christ.

On comprend enfin que ceux qui résistent aux dépassements méprisent ceux qui s'évertuent à les accomplir et, en les mettant à mort, pensent ainsi rendre un culte à Dieu (*Jn* 15,18-25; 16,2). Dans nos sociétés déchrétientéisées, les nouveaux évangélisateurs devront se préparer à supporter les mépris, les injures et les persécutions (*Mt* 5,11).

6. Un obstacle important à la Nouvelle Évangélisation dans les pays d'ex-chrétienté se trouve en l'hégémonie que la technoscience exerce sur les esprits au détriment de la symbolique. Beaucoup opposent le langage descriptif au poétique comme le réel au fictif, le vrai au faux, l'objectivité à la subjectivité.

Tandis que les anciens usaient de couples tels que ciel et terre, vie et mort, lumière et ténèbres, divin et mondain, idée et réalité, modèle et imitation, et valorisaient le premier terme de ces couples, les modernes sont tentés par une sorte de monisme de la pensée qui les incline à considérer les choses ultimes comme des projections subjectives ou des doublets illusoires des seules qui existent vraiment, celles qui sont empiriquement vérifiables et maîtrisables.

Il y a sans doute bien peu à comprendre dans la tradition biblico-évangélique pour qui définit l'homme avant tout, d'un point de vue philosophique, comme un animal raisonnable. Il est nécessaire de le voir comme une totalité en devenir de soi sur la planète terre, dans l'histoire et en même temps dans une sorte de métahistoire, de noosphère. À cette fin, les uns songent à pousser à la limite la rationalité dont la modernité est capable, cependant sans tomber dans le relativisme; d'autres, à revenir en deçà de la modernité mais sans fondamentalisme; d'autres encore, à passer au-delà d'elle, dans ce que certains appellent la postmodernité, au moyen cette fois d'une herméneutique des traditions prémodernes qui serait cependant postcritique.

Le prochain siècle se prêtera peut-être à cette dernière alternative, en particulier si s'avèrent pertinentes la théorie des cycles historiques et l'hypothèse que notre temps en est un de fin d'époque. En effet, on peut lire l'histoire de l'Occident depuis le Moyen Âge comme une succession de théocratie, d'aristocratie, de démocratie, et, peut-être, de technocratie, où il se produit autant de mal que de bien sans qu'existent des critères qui permettent de les départager. Quoi qu'il advienne, ceux qui croient en Dieu, en Jésus et dans l'Esprit doivent exercer à raviver en eux la pensée symbolique.

7. Cependant, il est possible qu'il soit nécessaire ici de radicaliser la conception que l'on se fait du symbolique. L'esquisse d'histoire des religions que M. Eliade a proposée dès la fin des années 1940 peut être instructive. En s'en inspirant tout en s'en démarquant un peu, on se représentera comme en succession les dieux ouraniens patriarcaux (archaïques), les seigneurs atmosphériques ou solaires filiaux (Âge du Bronze), les esprits telluriques féminins (des temps classiques), puis diverses formes prises par le sacré local, temporel ou personnel. Cette suite est homologable aux quatre grandes époques recensées ci-dessus. Elle l'est aussi au contenu de deux formules baptismales anténicéennes que le Symbole de Nicée a fusionnées.

Si on tient cette structure et cette histoire comme exemplaires et paradigmatiques, on voit que, selon les penseurs chrétiens, le dévoilement de la structure d'abord cachée du code générique de l'Anthropie est allé du ciel à l'air, puis à la terre et à l'eau, du Dieu Père, au Seigneur Fils, à l'Esprit Saint, puis au Christ crucifié et descendu aux enfers d'où il est remonté pour recevoir son corps qui est l'Église.

Ainsi, après que, à l'image des grandes institutions socioculturelles et de leurs modèles biocosmiques, d'une part le désir de la vie qui dure et d'autre part son corrélat dans le langage normatif, le divin, eurent été signifiés successivement puis simultanément comme paternité, filialité et «spiritalité», il advint qu'en «un canton détourné de la nature», ils le furent par la corporalité bipolaire de

Jésus crucifié, enseveli et ressuscité et du groupe de ceux qui, le confessant comme Christ, se comprenaient comme ses membres.

La composition du récit du baptême de Jésus en *Mc* 1,9-11 semble avoir été l'effet d'une intuition selon laquelle, depuis l'accomplissement du temps, il sera nécessaire que, à côté des représentations traditionnelles, même unifiées dans l'unitrinité, il y ait, dans l'étoffe pensante et voulante de l'Anthropie, un organe qui contribue à la vie et à l'espérance de survie en existant de telle manière qu'il donne à voir dans la dernière et la plus basse des quatre castes des sociétés et qui est celle du serviteur, le modèle par excellence du divin (*Mc* 10,45).

Il semble être ainsi dans l'essence des représentations culturelles du principe premier de la vie qui dure, de descendre du plus haut au plus bas, de substituer la profondeur à la hauteur (*Ep* 4,8-10; *1 Co* 2,9-12) et, à la limite, de ne plus montrer sa gloire qu'à ceux qui ont des yeux pour la voir, cachée, dans le corps toujours improbable de ceux à qui il est donné de croire qu'ils la reflètent (*2 Co* 3,18).

Si le symbole est ce qui donne à penser, et si, lorsqu'il est affectivement chargé, il donne aussi à vouloir et à consentir, c'est sans doute en persistant à suspendre son existence à la Trinité et au Serviteur que l'Église sera le ferment dans la pâte, la cité sur la montagne, le sel de la terre, la lumière et l'âme du monde. Cela, les évangélisateurs auront besoin de l'avoir longuement médité.

8. Un des moyens que la modernité offre à notre contemporanéité pour surmonter la crise présente se trouve dans l'étude approfondie qu'elle a entreprise de la narrativité et dans un retour général aux récits qui pourrait s'ensuivre. Car, le propre du récit est d'avoir un commencement, un milieu et une fin. Or, ce sont là ce que les physiciens appellent des singularités qui, comme telles, échappent à la science (*Ac* 1,7). Ainsi, la «création» est un événement dans l'ordre de la pensée poétique et symbolique (*Sg* 13,1; *Rm* 1,19-20). Il doit en être de même du Milieu tel que se le représentent ceux qui croient que Jésus fut Dieu-parmi-nous à la plénitude des temps.

Le schéma actantiel des sémioticiens peut être d'un grand secours pour aider nos contemporains à sortir de l'impasse où les ont conduits les monismes modernes: matérialisme, humanisme et même déisme. Si le noyau dur de la tradition chrétienne est un Mégarécit dérivé d'un réseau de relations terminées par les Actants Dieu, Seigneur, Esprit, Église, Humanité, Adversaire, il est nécessaire de se représenter le divin autrement que par le seul mot Dieu. Il faut d'abord ajouter le Fils au Père, puis distinguer le Destinateur du Sujet ou Héros, alors considérer l'Esprit comme l'Adjuvant du Jésus historique, le Diable (ou le péché, ou la mort, ou la chair) comme l'Opposant, l'Église comme l'Objet de la quête du Fils soumis à une épreuve qualifiante, et l'Humanité (l'«Anthropie») comme le Destinataire. Un tel schéma n'a rien d'une explication scientifique. Il rend possible une contemplation théologale, poético-praxique, mystico-éthique.

Éléments biographiques

Naissance à Montréal le 26 avril 1917, dans le quartier Villeray, paroisse Notre-Dame du Rosaire (2e d'une famille de dix enfants).

Séjour en Saskatchewan (1919-1922); retour à Villeray. École primaire chez les Clercs de Saint-Viateur.

Cours classique.
- — Éléments latins à Belles Lettres: Collège Saint-Ignace, 1931-1936.
- — Rhétorique: Collège Sainte-Marie, 1936-1937.

Formation chez les Jésuites.
- — Noviciat: 1937-1939 (au Sault-au-Récollet).
- — Juvénat: 1939-1941 (au Sault-au-Récollet).
- — Philo: 1941-1944 (au Collegium Maximum de l'Immaculée-Conception, rue Rachel).
- — Régence: 1944-1946 (à Brébeuf, classe de méthode, grec en rhétorique).
  1946-1947 (professeur de langue et de littérature grecques au juvénat).
- — Théologie: 1947-1951 (Immaculée-Conception).
- — Ordination sacerdotale: 1950.
- — Troisième An: 1951-1952 (Mont-Laurier).

Enseignement du grec au Juvénat: 1952-1955 (juin).

Études grecques à Paris, à l'École pratique des Hautes Études: 1955-1957 (juin).

Sous la direction de Pierre Chantraine, recherches en vue d'un mémoire sur le VIe Chant de L'*Odyssée* (mémoire inachevé vu la suppression du juvénat).

Enseignement du grec au juvénat: 1957-1959 (Suppression du juvénat en 1959).

— Cours sur Homère, Eschyle, Sophocle, Pindare, Thucydide, Platon...
— Prédication du dimanche à l'Université de Montréal (au temps des abbés Grégoire et Baillargeon).

Enseignement au Collège Sainte-Marie: 1959-1969.

— «Théorie de l'Histoire» en philo II.
— Grec en Belles-lettres, en Rhéto et à un petit groupe en Philo I (explication de l'*Éthique à Nicomaque* d'après le grec).
— Enseignement en théologie aux «Cours du Gésu».
— Direction spirituelle des élèves.
— À partir de 1966: supression du cours de Théorie de l'histoire et enseignement de l'histoire de religions.

Enseignement à l'UQAM: 1969-1980.

— Histoire des religions: 1) Primitifs, 2) Islam, 3) Moyen Âge, 4) cours divers...
— Aménagement à Saint-Henri en mai 1973. (Supérieur de la résidence jésuite Saint-Henri depuis 1975.)

Animation de groupes bibliques: 1980-

— En 1980, démission de l'UQAM pour se consacrer à l'animation de groupes bibliques (composés en premier lieu de religieuses qui avaient suivi ses cours à l'UQAM).
— Enseignement au Centre de ressourcement spirituel R-35 mis sur pied par l'Association des supérieurs majeurs de Montréal: 1980-1991.

Bibliographie des articles publiés

Cette liste a été établie à partir des indications de R. Bourgault, du Fonds Bourgault et de la vérification des tables des périodiques. Exception faite des *Lettres au Devoir*, elle est probablement exhaustive. Elle est présentée ici par lieux de publication.

Articles parus dans des ouvrages collectifs

BOURGAULT, Raymond, «Le cours classique et l'histoire de l'humanité», dans *Mélanges sur les humanités*, Publication Collège Jean-de-Brébeuf, Québec, PUL; Paris, Vrin, 1954, p. 111-131.

——, dans *Religiologiques*, Montréal, Presses de l'Université du Québec, 1970 (Cahiers de l'Université du Québec). «Avant-propos», p. 7-8 (avec Louis Rousseau); «De la définition de l'homme en religiologie», p. 11-33; «Réaction à l'article d'Anita Caron», p. 59-61; «Réaction à l'article de Roland Chagnon», p. 81-84.

——, «La notion de merveilleux», dans Fernand Dumont, Jean-Paul Montminy et Michel Stein, *Le merveilleux*, Deuxième colloque sur les religions populaires, Québec, PUL, 1973, p. 15-20 (Histoire et sociologie de la culture. 4).

——, «Pour une christologie priante, opératoire et relationnelle», dans Raymond Laflamme et Michel Gervais, *Le Christ hier, aujourd'hui et demain*, Colloque de christologie tenu à l'Université Laval (21 et 22 mars 1975), Québec, PUL, 1976, p. 107-117.

——, «L'expérience spirituelle dans le bouddhisme et le zen», dans *Dieu + Dieu. L'expérience de Dieu dans le christianisme*, Assemblée générale de l'union canadienne des religieuses contemplatives, 12-18 septembre 1976, Montréal (?), 1976 (?), p. 19-37.
——, «La christité dans ses figures», *ibid.*, p. 37-42.
——, «Théisme et religion», dans *Sciences sociales et Églises. Questions sur l'évolution religieuse du Québec*, Textes du Colloque tenu à Québec les 9, 10 et 11 novembre 1978 pour marquer le 20e anniversaire du Centre de recherches en sociologie religieuse de l'Université Laval. Textes édités par Paul Stryckman et Jean-Paul Rouleau, Montréal, Bellarmin, 1980, p. 119-132.

Articles parus dans *Collège et famille*

——, «Le mystère des Grecs et des Juifs dans l'Église», *Collège et famille*, VI, 1 (janvier 1949), p. 2-18.
——, «La Grèce et le grec», *Collège et famille*, XVI, 4 (1959), p. 156-160.
——, «Notre Père qui êtes aux cieux», *Collège et famille*, XVI, 5 (1959), p. 179-181.
——, «Proposition sur l'essence du "cours classique"», *Collège et famille*, XVII, 4 (octobre 1960), p. 180-185.

Dans *Critère*

——, «La chute des dogmes», *Critère*, 31 (printemps 1981), p. 101-114.

Dans *Jésuites canadiens*

——, «Voyage autour de ma chambre», *Jésuites canadiens*, 3 (octobre 1948), p. 16-19.
——, «Journal d'un juvéniste», *Jésuites canadiens*, 8 (décembre 1949), p. 4-5.
——, «Mains de prêtre», *Jésuites canadiens*, 10 (juin 1950), p. 1-3.

Dans *Lettres du Bas-Canada*

——, «Le Père Claude Labelle (1921-1960)», *Lettres du Bas-Canada*, XVI, 1 (mars 1962), p. 35-42.

Dans *Parabole*

——, «À la Pentecôte, il s'est passé quelque chose: mais quoi donc?», *Parabole*, I, 4 (avril 1979), p. 5.

——, «Les renversements de la fin (mouvements messianiques dans l'histoire des religions)», *Parabole*, III, 2 (novembre-décembre 1980), p. 10.

——, «Une noce à Cana (*Jn* 2,1-11)», *Parabole*, IV, 6 (juillet-août 1982), p. 10.

Dans *Relations*

——, «La gauche et la droite I», dans *Relations*, XXI, 250 (octobre 1962), p. 273-274.

——, «La gauche et la droite II», *Relations*, XXI, 252 (décembre 1961), p. 340-341.

——, «La gauche et la droite III», *Relations*, XXI, 253 (janvier 1962), p. 9-12.

——, «La gauche et la droite IV», *Relations*, XXI, 254 (février 1962), p. 30-34.

——, «Laïque, laïcité, laïcisme, laïcat», *Relations*, «I: Le sens du mot laïque», XXIII, 265 (janvier 1963), p. 6-8; «II: La laïcité», XXIII, 266 (février 1963), p. 30-32; «III: Le laïcisme», XXIII, 267 (mars 1963), p. 59-61; «IV: Le laïcat», XXIII, 268 (avril 1963), p. 87-90.

——, «Objectivité et honnêteté» *Relations*, XXIII, 271 (juillet 1963), p. 205-206.

——, «Le mouvement étudiant», *Relations*, XXIII, 274 (octobre 1963), p. 293-296.

——, «Réflexions sur l'enseignement», *Relations*, XXIII, 276 (décembre 1963), p. 358.

——, «Nationalisme, biculturalisme, mondialisme», dans *Relations*, «Le nationalisme I», 279 (mars 1964), p. 63-70; «Le nationalisme 2», 280 (avril 1964), p. 101-102; «Le biculturalisme I», 281 (mai 1964), p. 131-133; «Le biculturalisme II», 282 (juin 1964), p. 163-165; «Le mondialisme», 284 (août 1964), p. 222-225.

——, «Le sacerdoce et le sacré», *Relations*, 316 (mai 1967), p. 133-136.

——, «Je vous précéderai en Galilée (Méditation pascale sur le prêtre selon l'Évangile)», *Relations*, 327 (mai 1968), p. 148-151.

——, «Une expérience d'enseignement de la religion en douzième année», *Relations*, 328 (juin 1968), p. 188-189.

——, «Christianité et christisme», *Relations*, 334 (janvier 1969), p. 5-7.
——, «Le chercheur et sa passion — l'aventure de Pierre Teilhard de Chardin», *Relations*, 368 (février 1972), p. 54-55.
——, «Les catholiques américains élisent leur président», *Relations*, 421 (décembre 1976), p. 335-338.
——, «Passage à gauche», *Relations*, 437 (mai 1978), p. 148-150.
——, «Appropriations», *Relations*, «I: Croire», 446 (mars 1979), p. 87-88; «II: Les noces de Cana», 448 (mai 1979), p. 142-143; «III: Le serpent d'airain», 450 (août 1979), p. 199-200; «IV: La traversée de la Samarie», 453 (novembre 1979), p. 307-308.
——, «Il y a sectaires et sectateurs», *Relations*, 454 (décembre 1979), p. 341-343.
——, «La condamnation de Hans Küng», *Relations*, 456 (février 1980), p. 41-45.
——, «L'Épiscopat hier, aujourd'hui et demain», *Relations*, 458 (avril 1980), p. 117-120.
——, «Les saints et la sainte Église», *Relations*, 460 (juin 1980), p. 182-184
——, «Un surplus de revenu et un regain de dignité pour des femmes chefs de famille et assistées sociales», *Relations*, 463 (octobre 1980), p. 281-282.
——, «Le pari des évêques canadiens», *Relations*, 465 (décembre 1980), p. 335-337.
——, «Maria Chapdelaine démystifiée», *Relations*, 465 (décembre 1980) p. 341-342.
——, «Jean-Paul II et la miséricorde», *Relations*, 467 (février 1981), 35.63.
——, «Une communauté chrétienne en cheminement», *Relations*, 471 (juin 1981), p. 174-175.
——, «Crise idéologique dans l'Église?», *Relations*, 475 (novembre 1981), p. 310-312.
——, «Un livre grandiose. Hans Urs von Balthasar, *La gloire et la croix IV...*», *Relations*, 499 (avril 1984), p. 101.
——, «Hommage à Bernard J.F. Lonergan», *Relations*, 507 (janvier-février 1985), p. 6.
——, «Le Concile revisité», *Relations*, 523 (septembre 1986), p. 220-221.
——, «Au cœur religieux de l'histoire», *Relations*, 529 (mars 1987), p. 61-62.

Billets sur l'actualité

——, «Les réfugiés de la mer», *Relations*, 451 (septembre 1979), p. 230.

——, «Koko», *Relations*, 452 (octobre 1979), p. 283.

——, «Pour la défense des droits des catholiques dans l'Église», *Relations*, 459 (mai 1980), p. 135-136.

——, «Les jeunes et l'Église de demain», *Relations*, 462 (septembre 1980), p. 230.

——, «Israël, un état comme les autres?», *Relations*, 463 (octobre 1980), p. 261.

——, «Jean-Paul II et l'avortement», *Relations*, 464 (novembre 1980), p. 295-296.

——, «L'attentat contre Jean-Paul II», *Relations*, 471 (juin 1981), p. 164-165.

——, «La religion au XXe siècle», *Relations*, 473 (septembre 1981), p. 231-232.

——, «La politique et le reste», *Relations*, 477 (janvier-février 1982), p. 4-5.

Dans *Sciences ecclésiastiques*

——, «Dagon philistin et Poseidon ionien», *Sciences ecclésiastiques*, XI, 2 (1959), p. 253-256.

——, «Héra argienne et Ashêrah cananéenne», *Sciences ecclésiastiques*, XII, 3 (1960), p. 409-413.

Dans *Science et esprit*

——, «Le Congrès d'histoire des religions de Stockholm», *Science et esprit*, XXIII, 1 (1971), p. 113-123.

Lettres au *Devoir*

——, «À propos du film "Tranquillement, pas vite". Un peu trop vite», *Le Devoir*, (automne 1969?).

——, «Le chrétien et la violence», *Le Devoir*, 21 octobre 1970, p. 5.

——, «Éthique et mystique», *Le Devoir*, 18 janvier 1983, p. 13-14.

——, «Au-delà de Ratzinger et de Küng. Beaucoup parmi nous s'éprouvent comme ayant ces deux hommes en eux-mêmes», *Le Devoir*, 6 novembre 1985, p. 11.

——, «Jésus, Denys Arcand et nous», *Le Devoir*, 12 août 1989, p. A9.
——, «Une machine à faire des dieux. Plusieurs qualifient trop vite le pape de conservateur», *Le Devoir*, 30-31 octobre 1993, p. A13.

Table des matières

III. LE RELIGIOLOGUE

IV. LE MYSTAGOGUE

Achevé d'imprimer
en mai 1994
sur les presses de
Imprimerie H.L.N. Inc.

Imprimé au Canada — Printed in Canada